Advanced Style

Advanced Style

by

Ari Seth Cohen

Copyright Text & Photographs © 2012 Ari Seth Cohen

Foreword © 2012 Maira Kalman

Interview © 2012 Dita Von Teese

Works first appearing in *me.style* used with permission.

Painting on p.6 © 2012 Maira Kalman, used courtesy

Julie Saul Gallery

Photograph on p.4 ©2012 Jenna Dublin

originally published by powerHouse Books, Brooklyn, NY.

Japanese translation rights arranged with powerHouse Cultural Entertainment, Inc.

through Japan UNI Agency, Inc., Tokyo

Advanced Style

アリ・セス・コーエン　著

岡野ひろか　訳

大和書房

Introduction はじめに

"I can't imagine going without a hat. The only romantic thing left in life is a hat."
—Mimi Weddell

「帽子なしで出かけるなんて想像もできないわ。
帽子は人生に残った、たったひとつのロマンスだもの」

—— ミミ・ウェデル

　僕は、小さな頃から美しい大人の女性に魅せられてきた。祖母のブルマは、僕のベストフレンドだった。僕らは仲良くクラシックシネマを観て、図書館へ行き、絵を描いたりして、いつも一緒にいる時間を楽しんだ。彼女の化粧だんすの引き出しに詰められているヴィンテージ・ジュエリーや古い写真、そのようなものが今の僕の美的センスやテイストを形づくったのだと思う。とくに彼らが生きたエレガントで華やかな時代、男性も女性も帽子や手袋を身につけることが当たり前のような時代に惹かれた。もうひとりの祖母であるナナ・ヘレンも、同じように上品で優美なファッションを好み、絶妙のセンスと、それにふさわしい自信をもっていた。

　そんな幼少時によくしていたことといえば、美しく装った大人の女性の絵を描くことで、スケッチブックはカラフルなレディーたちでいっぱいだった。グランマ・ブルマの「ニューヨークにこそ、クリエイティブのすべてが詰まっているのよ」という言葉に惹かれ、僕は大人になってニューヨークへやって来た。そしてあの頃に描いた、古い写真の中で見た色とりどりの女性たちを、実際にこの素晴らしい街じゅうで見かけたのだ。女性だけでなく、男性も帽子や手袋を身につけ、それぞれが自分のスタイルを表現していた。そこで、彼らのように一見見過ごされがちな、でもものすごくファッショナブルな人たちを記録するために、僕はブログをはじめた。ふたりの祖母たちへのオマージュのような形でもあった。

　僕は、"old"という言葉をネガティブに考えたことはない。年をとっているということは、だれよりも経験豊かであり、賢く、アドバンスしている、つまり人生の上級者なのだから。ここに出てくる女性たちは、社会が描く「年をとった女性」というイメージにひるまない。彼女たちは皆、若々しい心とスピリットをもっており、個々のスタイルと創造力で自己表現している。Advanced Styleのソウルは、決して年齢やひとつのスタイルに縛られるのではなく、むしろ人生の祝福へと結びついているのだ。

　彼女たちのファッションは、人生のあらゆる状況で感じた思いや考えを反映する一部にすぎない。この写真集は、僕たちにもいつかやってくる将来への大切なメッセージとして、好奇心を失わないこと、創造しつづけること、そしていつでも楽しむことを忘れないという、人生の秘訣を教えてくれるだろう。

アリ・セス・コーエン
ニューヨーク, 2011

About People Who are Older and How They Look

年上の人たちと、彼らのスタイル

わたしのピアノの先生、ミセス・ダンジガーは80代でありながら、いつもエレガントなドレスを着て、透けるストッキングにハイヒールを合わせていました。ヘアスタイルはいつも、ぐるりと頭に巻いた三つ編みに淡い青色のリボン。わたしの母、サラ・ベルマンは白いリボンでした。それに白いコート、濃い色のネクタイ、ブラウス、ベストというコーディネート。彼女のスタイルはコレットとマレーネ・ディートリッヒを合わせたようでした。

アルバート・アインシュタインはみすぼらしいトレーナーを着て航行していたといいます。古くさいズボンをはき、髪の毛は常にボサボサ。それでも彼はいつも素敵でした。ほかには誰がいるでしょう？　ルイーズ・ブルジョワにデューク・エリントン、アイザック・ディネーセン、ピカソ、ガンディー、イサドラ・ダンカン。また、わたしの身近な隣人であるシューズ・デザイナーのベス・レヴァイン。彼女は92歳で、ペンシル・スカートにハイヒールをはき、エレベーターから颯爽と現れる、街でもっともシックなレディーです。ということは、いったいスタイルとは何なのでしょう？　年齢や富を問わず人を美しくさせるものとは？

何があなたをすれ違い様に振り向かせ、「なんて美しい人なのだろう」と思わせるのでしょう。その人が若かったら、理由を知るのは簡単かもしれません。でも、もしその人が70代や80代、あるいは90代や100代(!)だとしたら？　おそらく振り向かせるのは、なかなか難しいでしょう。

アリ・セス・コーエンは、ここでとても重要なことをしてくれました。彼はたくさんの人の中から、ある意味もっとも注目されにくいけれど、もっとも豊かな人たちを見つけだしたのです。

年上の人たちとの出逢いは、とても大切なことです。わたしたちの人生は、人と触れ合うことで、美しく彩られるのですから。彼らの知恵、スピリット、率直さ、アドバイス、勇気、ユーモア、また彼らの不機嫌さや優しさ、もしくは聖像破壊運動だったり。これらすべては、長い人生により築かれてきました。そして、彼らのファッションも。ヘアピンに青いスニーカー。もしくは完璧に仕立てられたツイードのスカートとジャケット。それに似合う華やかな帽子など。でも本当は、どれでもないのかもしれません。ハイファッションである必要はないのです。ただ、ハイヒューマニティー、つまり高い人間性をもっていればいい。この本では、彼らのスタイルや人生に目を向けて、敬意を払うべきなのです。

そして、アリにも称賛を与えるべきでしょう。彼は人々が"どう見えるか"だけでなく、彼らの"ソウル"を見つめているのですから。そちらのほうが、わたしたちにとって良いことですしね。

マンハッタン在住イラストレーター
マリア・カルマン

The elegant and refined **Rose** believes, "If everyone is wearing it, then it's not for me." Over the past 100 years, she has developed a keen eye for fashion. For her, no outfit is complete without an eye-catching belt or elegant strand of beads. Rose's words of wisdom should be requisite reading for anyone wondering how to live life to its utmost.

エレガントで洗練されたローズは、
「もしみんなが着ているのであれば、それはわたしが着るものではないわ」と言う。
この100年間、彼女はファッションに対する鋭い審美眼を磨き続けてきた。
彼女にとって、目立つベルトと上品なビーズ・ネックレスなしに、着こなしは完成しないのだそう。
人生を最大限に生きたいと考える人たちにとって、ローズのアドバイスは必要不可欠だ。

"Be more, appear less."

「もっと自分らしく、着飾りすぎず」

"Inexpensive lipstick
is as good as expensive, only
better."

「安い口紅は、高い口紅と同じくらい良いものなのよ。
むしろ、より良いものだわ」

Carol Markel & Richard Cramer

are both artists whose celebratory spirit and love of color inhabit every aspect of their lives. Harmonious combinations of patterns and brilliant hues make this show-stopping duo a sight for sore eyes. For Richard and Carol, creativity is a priority—style is a vehicle for creative expression.

キャロル・マーケルとリチャード・クラマーはともにアーティストで、
陽気なスピリットと色彩へのこだわりが、人生のあらゆる側面ににじみ出ているカップルだ。
パターンの組み合わせやきらめく色合いが、人々の視線をこのデュオに釘づけにしている。
リチャードとキャロルにとって、クリエイティビティーとは優先すべきもの、
そしてスタイルとは、創造的な自己表現の手段なのだ。

"We must be soul mates to have been together for 45 years, so it follows that we must have influenced each other's style along the way."

「45年間も一緒にいるんだから、わたしたちはソウルメイトに違いないわ。ということは、きっと長年の間に、お互いのスタイルに影響を与え合っているということね」

"We are minimal in our living but extravagantly exuberant in our art."

「わたしたちは最小限のもので暮らしているけれど、アートに関しては贅沢に満ちあふれているの」

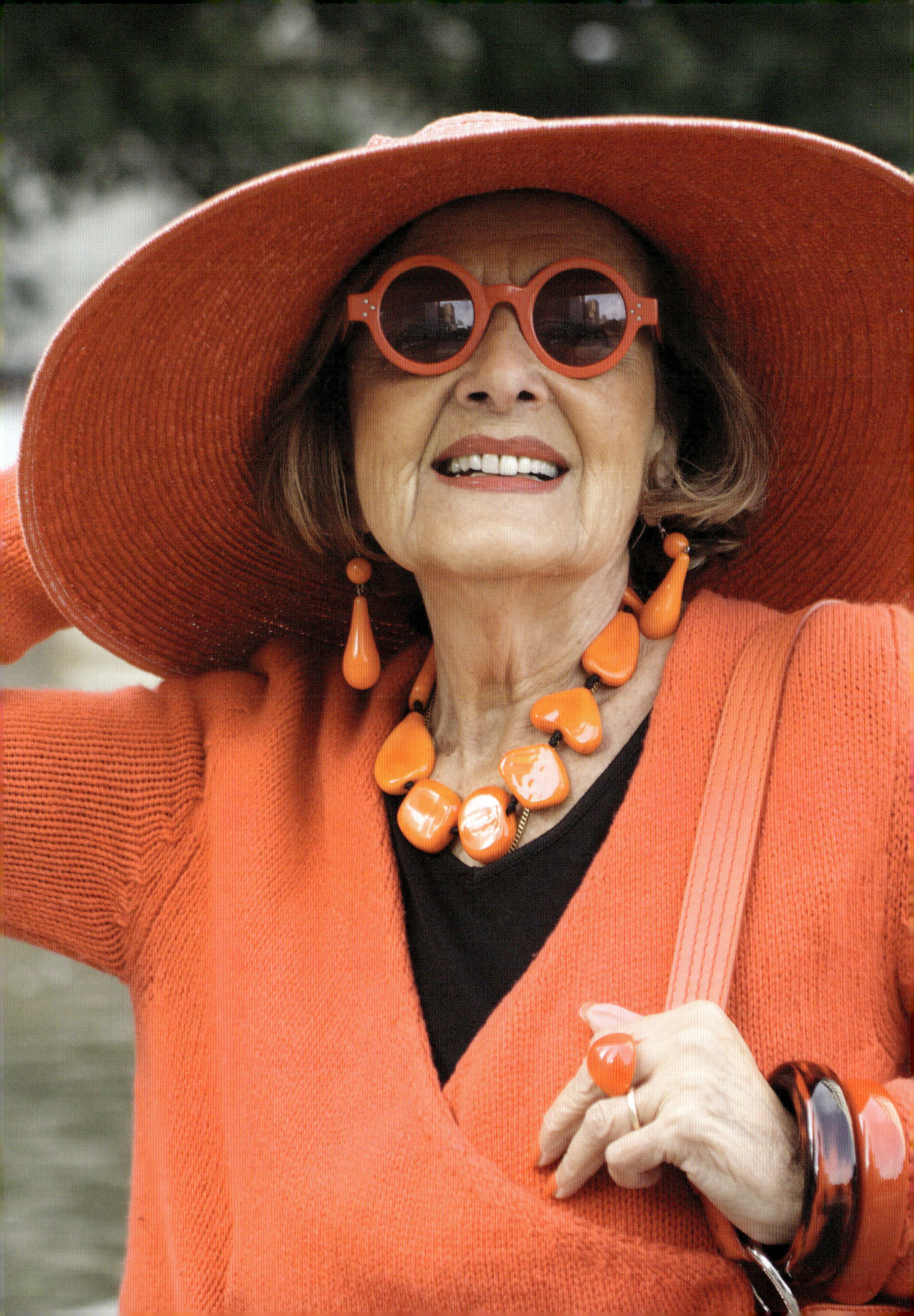

West Village author **Alice Carey** blends classic menswear with subtle feminine touches to create a uniform that is undeniably her own. Her striking red hair and brilliant humor perfectly complement her distinctive and unconventional wardrobe choices. As a young woman she followed trends—now she sets her own.

ウェスト・ビレッジ在住の作家、アリス・カーレイは、
クラシックなメンズウェアにさりげないフェミニン・タッチを取り入れて、
紛れもなく彼女のスタイルに仕上げている。
美しい赤毛と素晴らしいユーモアが、独特で自由なワードローブ選びを引き立たせているのだ。
若い頃はトレンドを追いかけ、今は彼女自身のスタイルを定着させている。

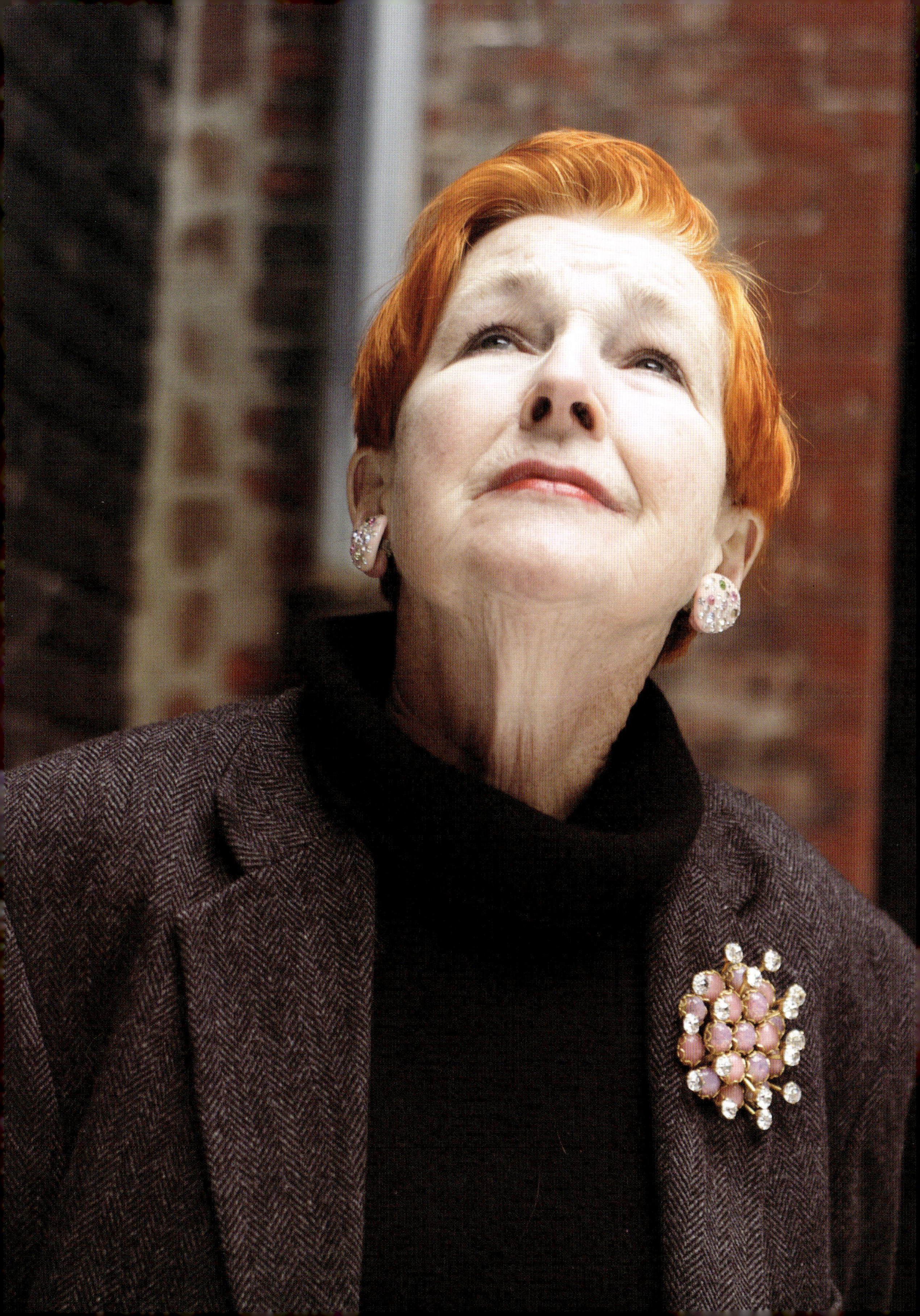

"You don't want to look crazy. The object is to look as chic as you can—but your average person in the street would never wear this."

「クレイジーに見せなくたっていいのよ。目的は、できる限りシックに見せること。ただし、街にいるみんなが着ないものであること」

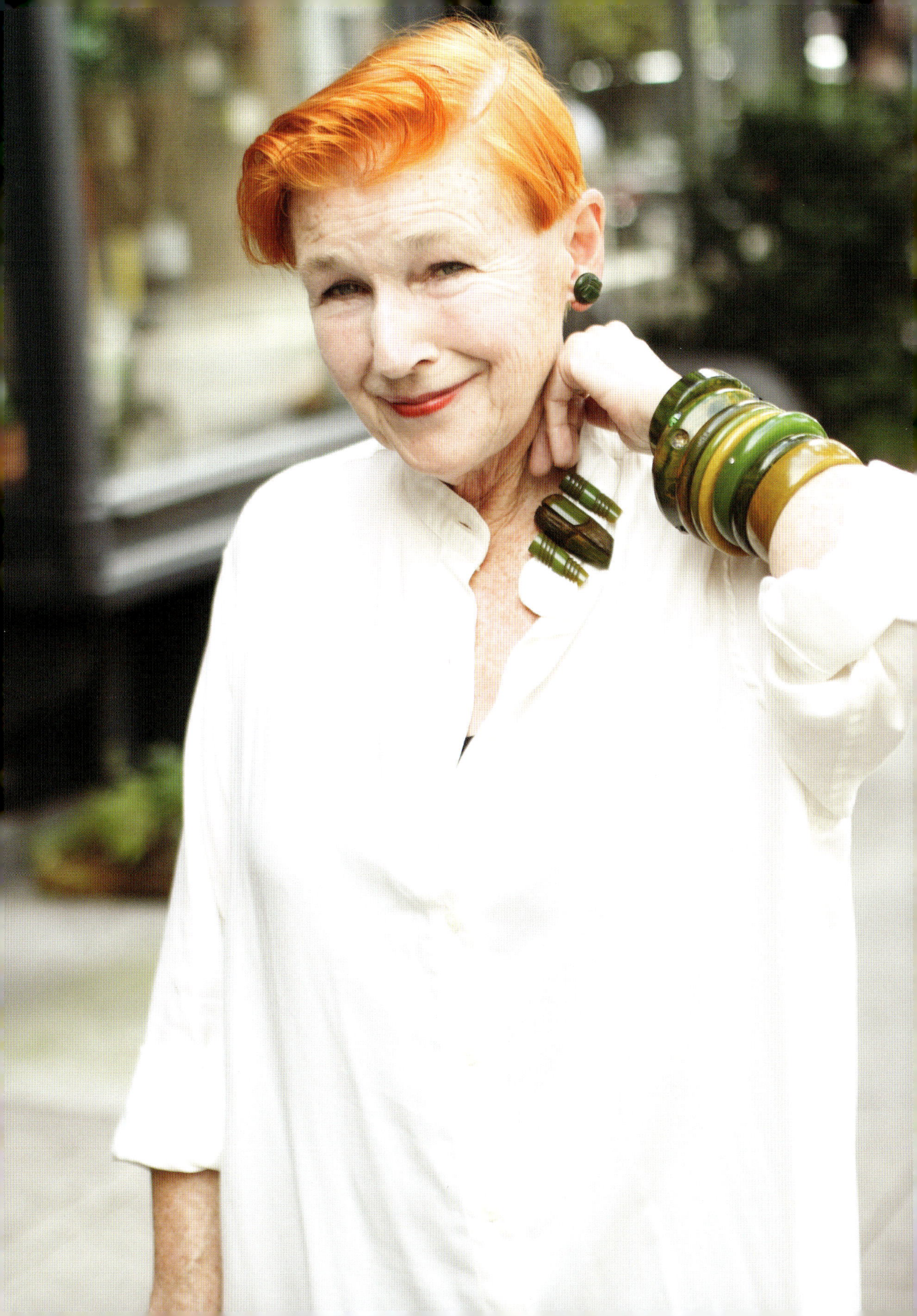

"Fie on women in sneakers and sweats!"

「スニーカーと
スウェットを
着ている女性は
みっともないわ!」

552

DRY CLEANE

Splendid
CLEANER

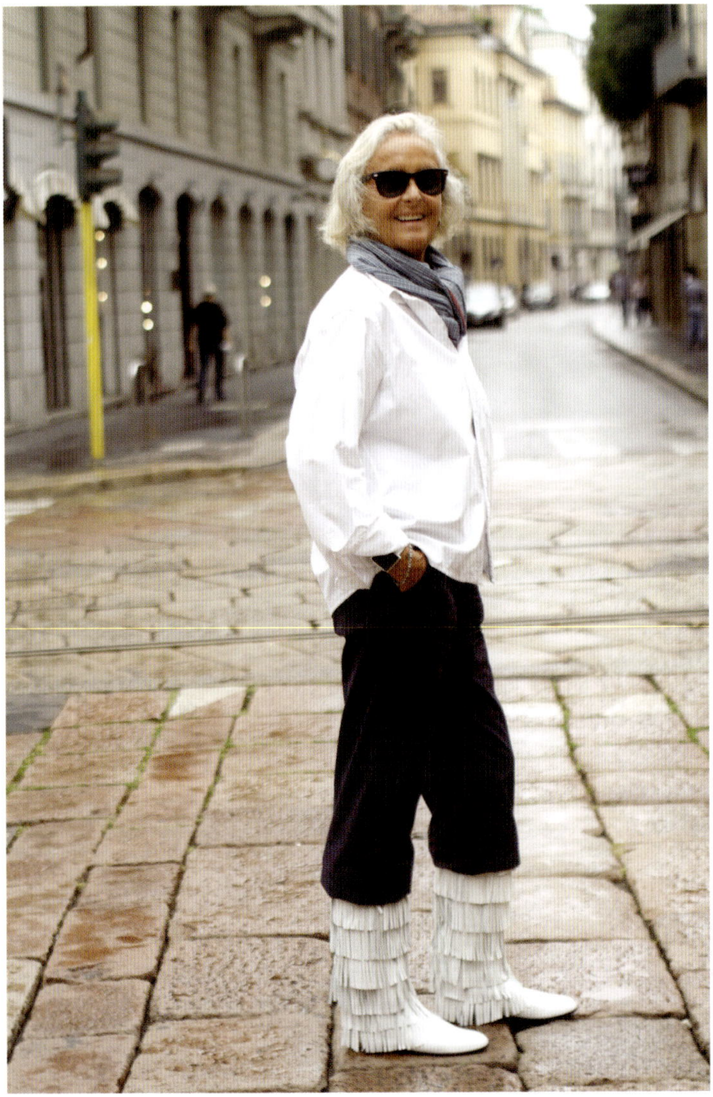

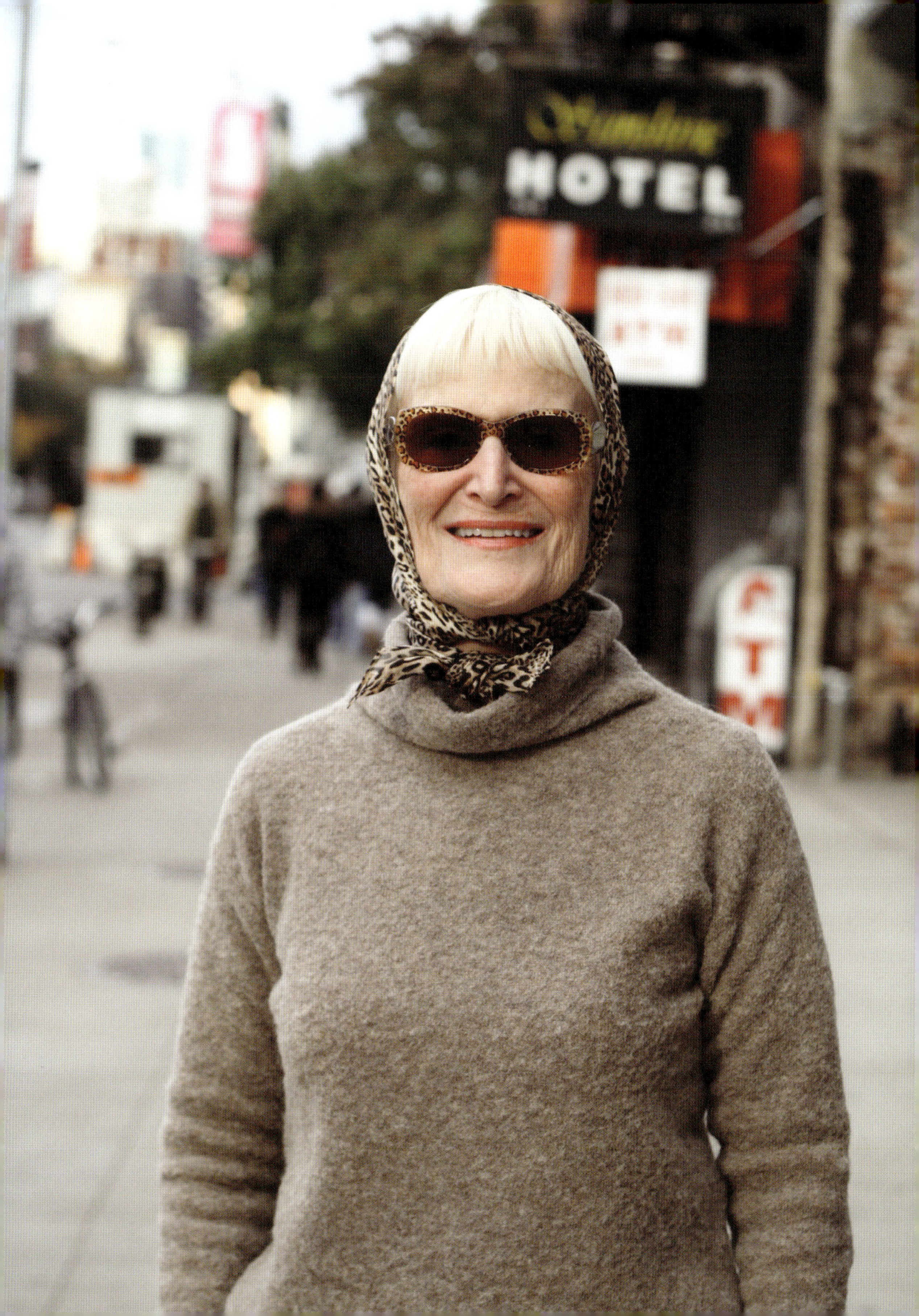
HOTEL

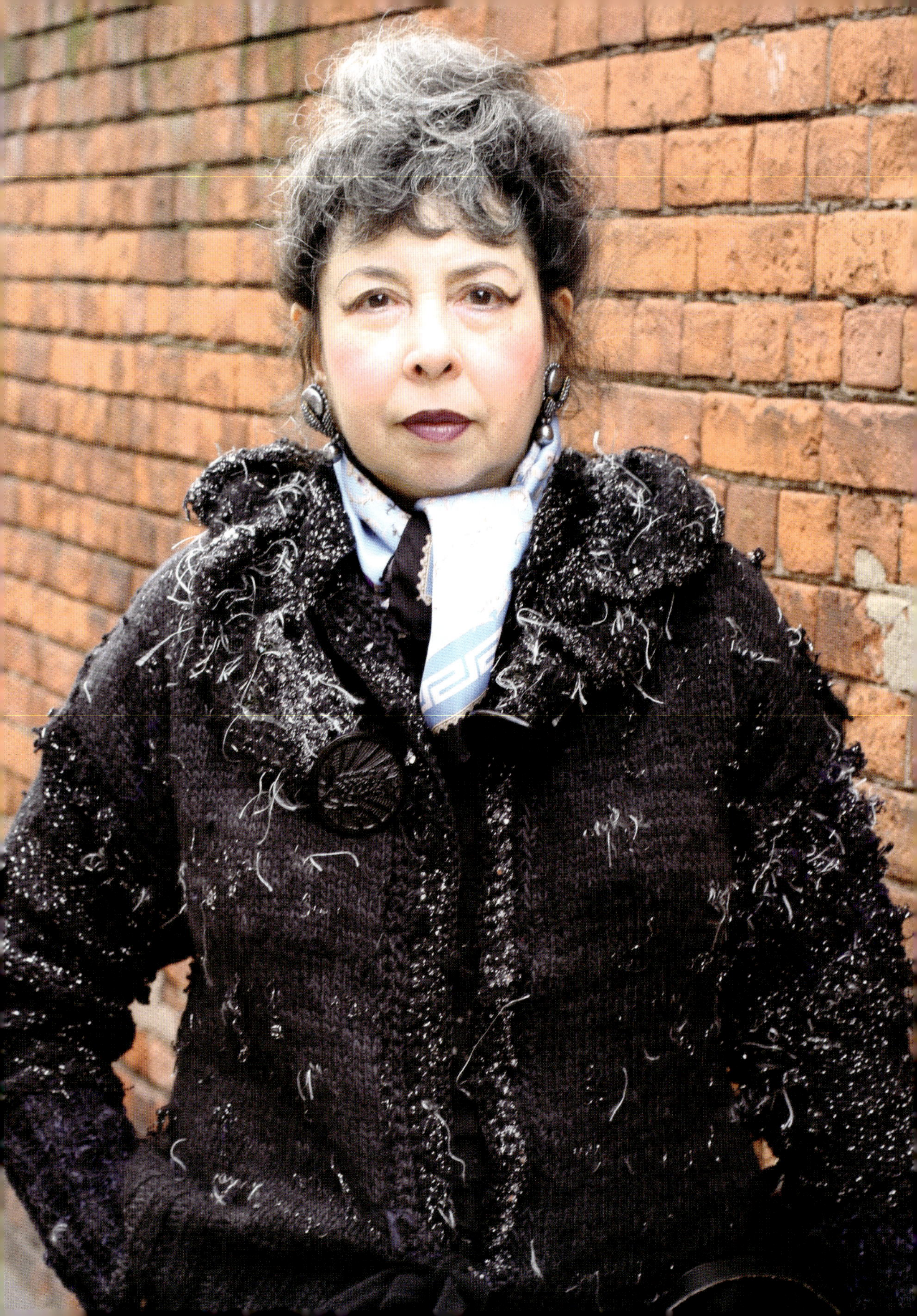

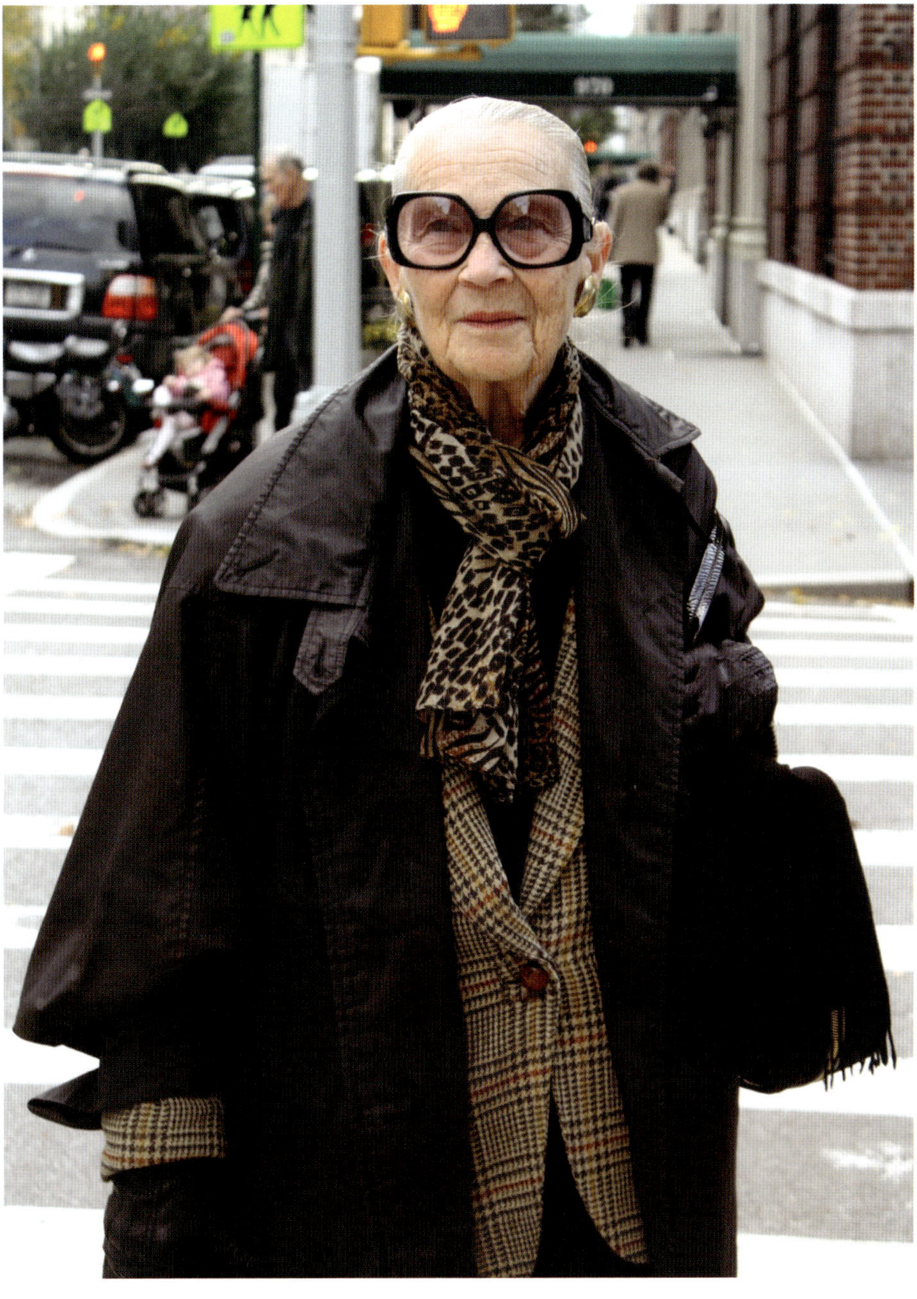

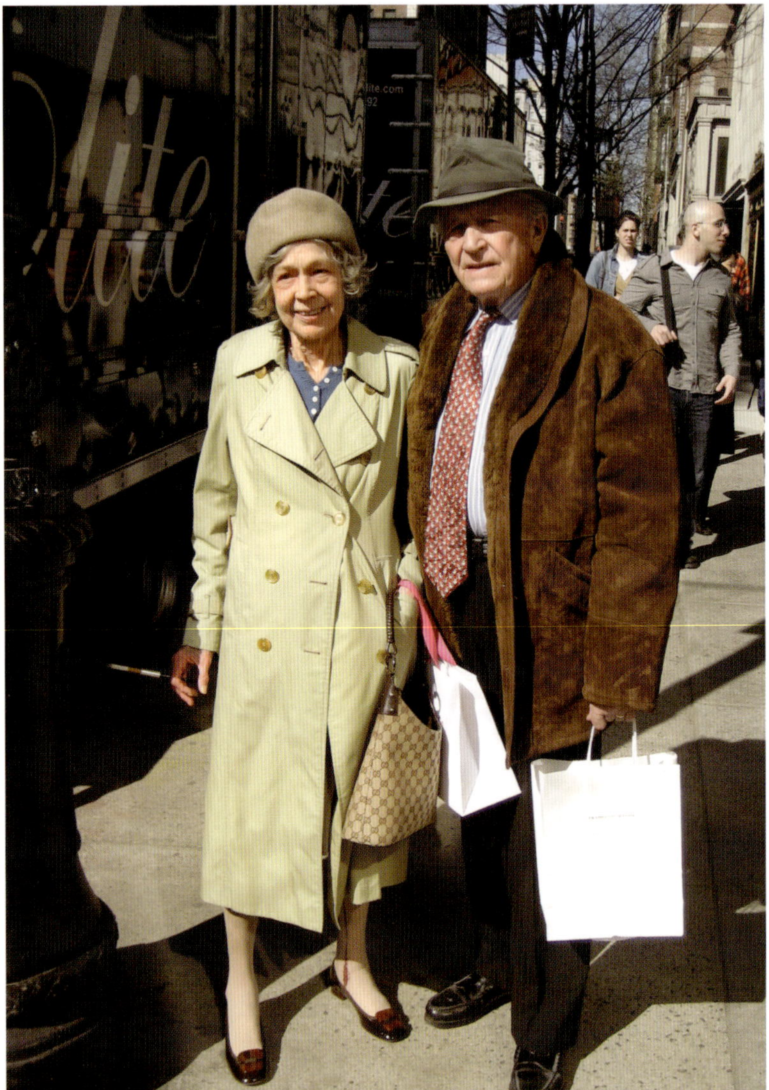

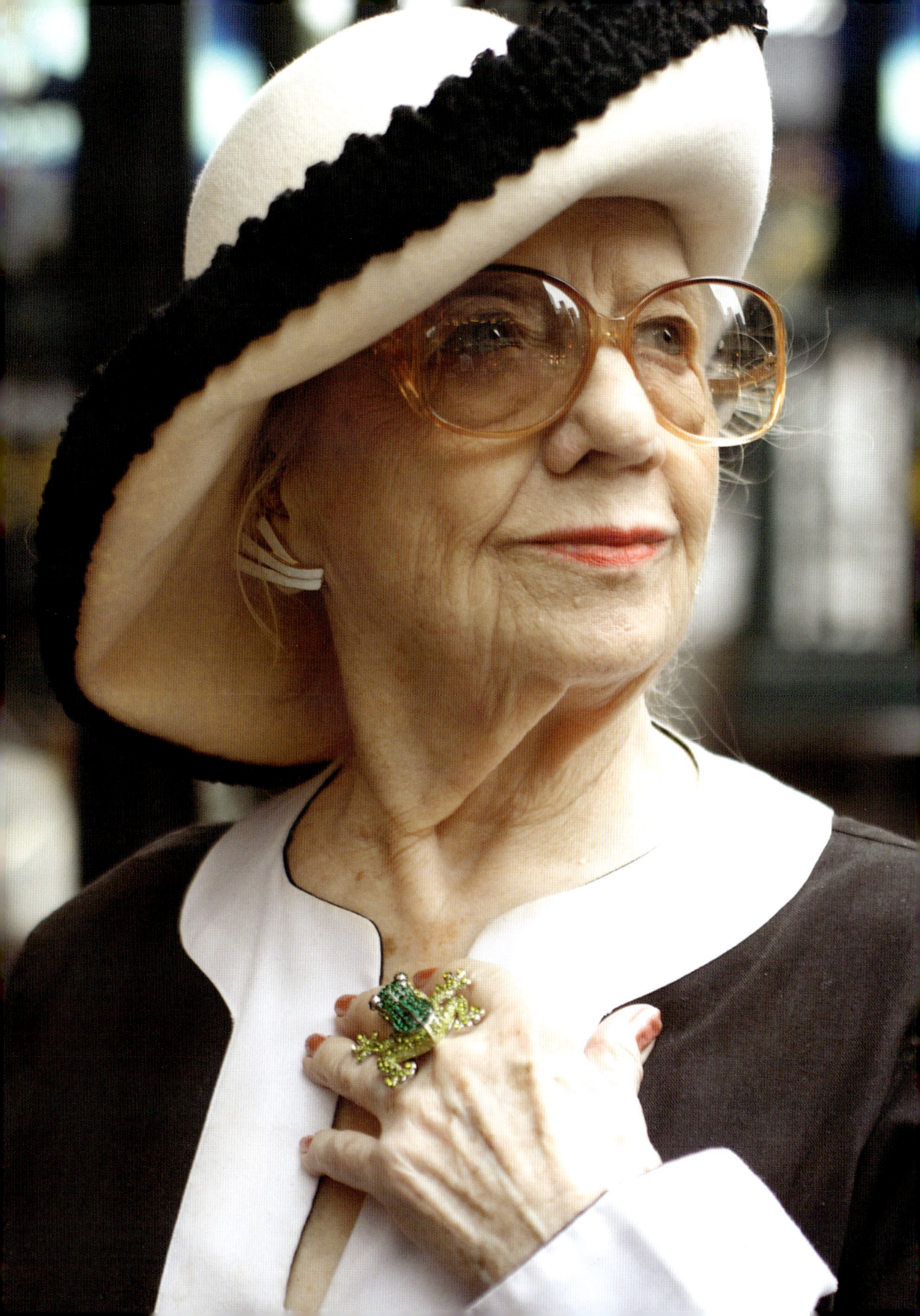

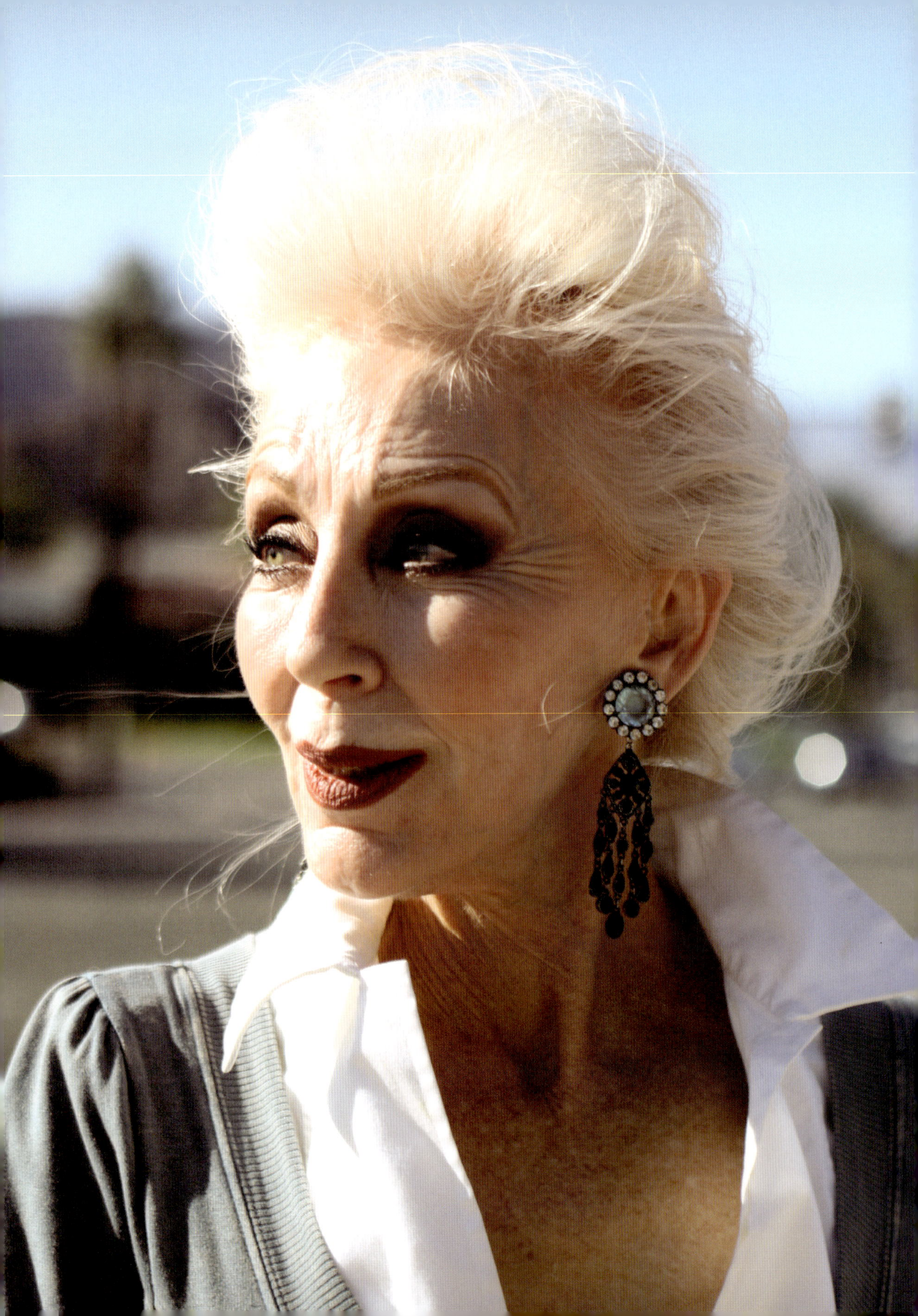

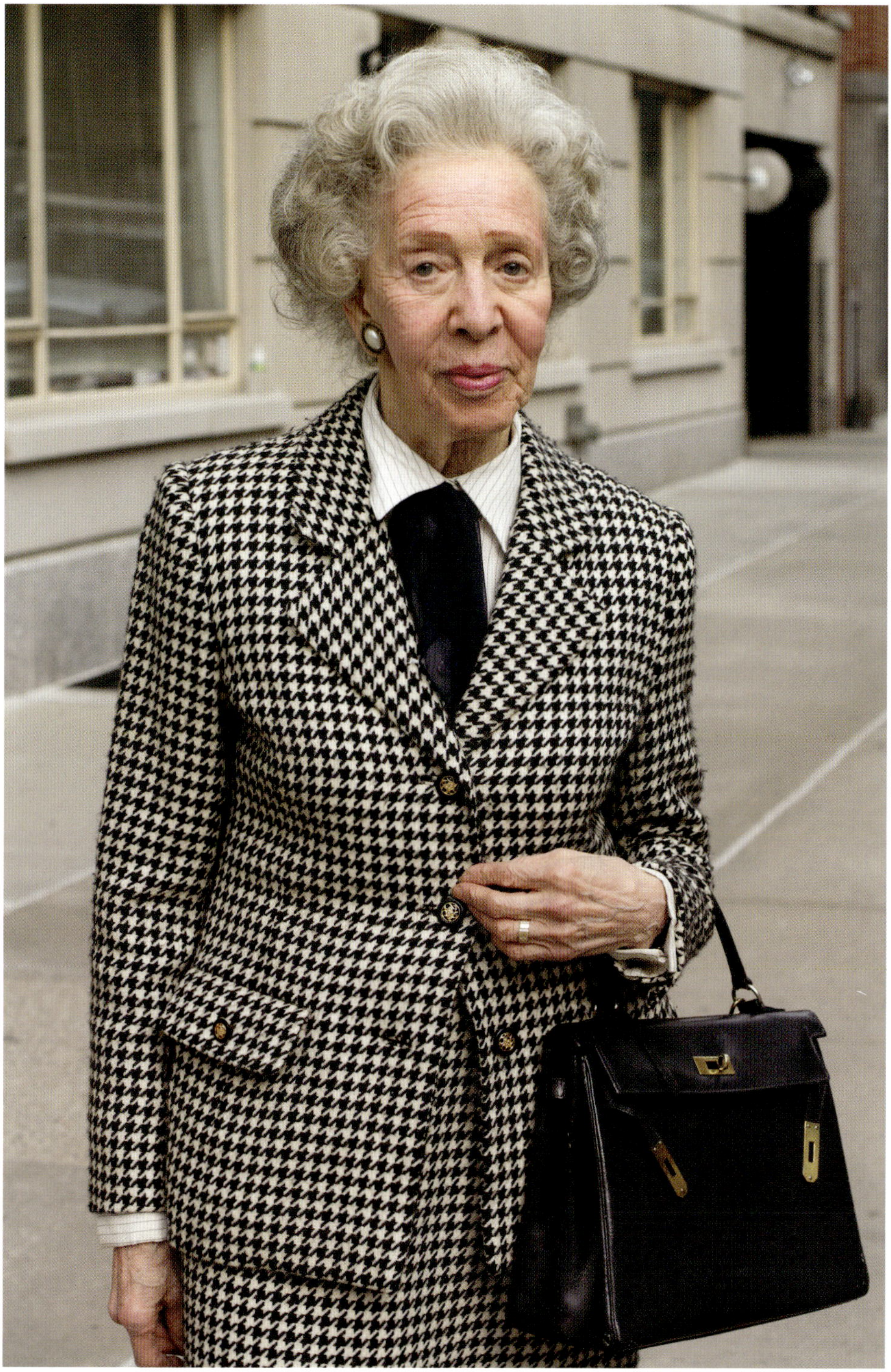

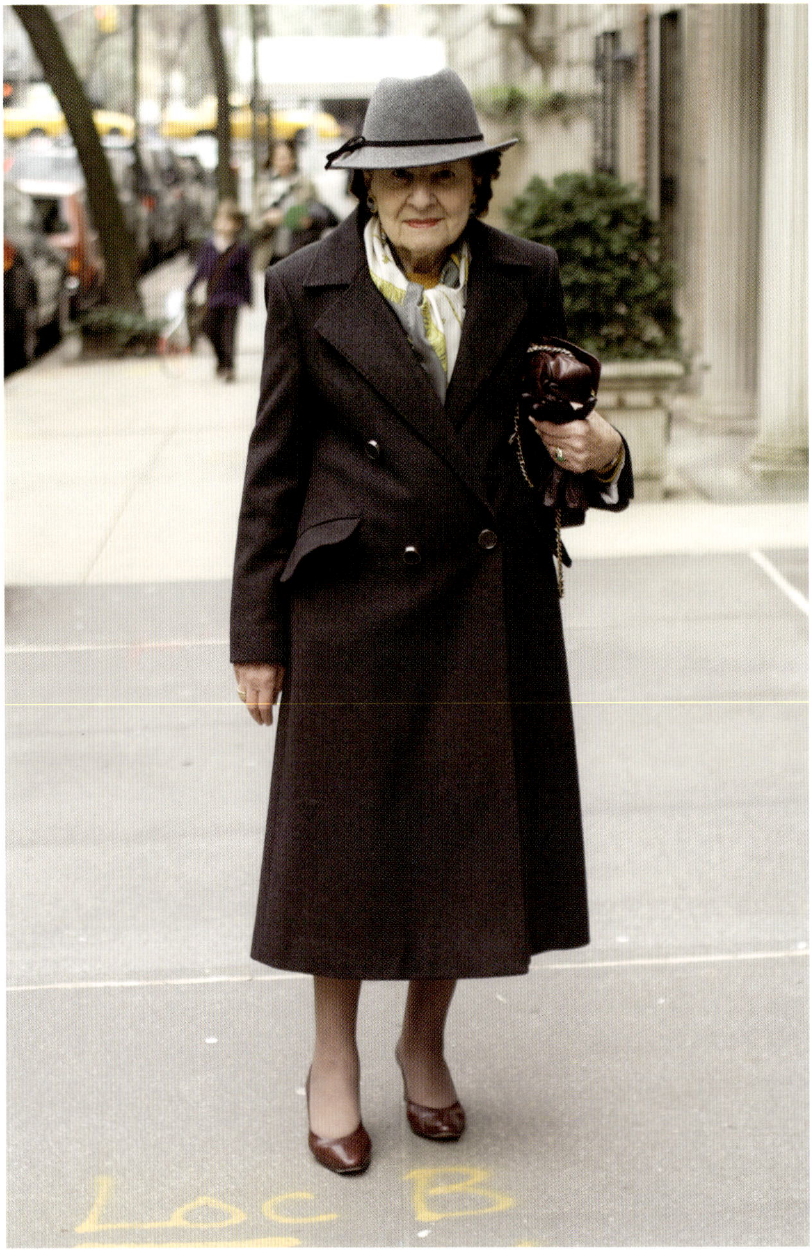
Loc B

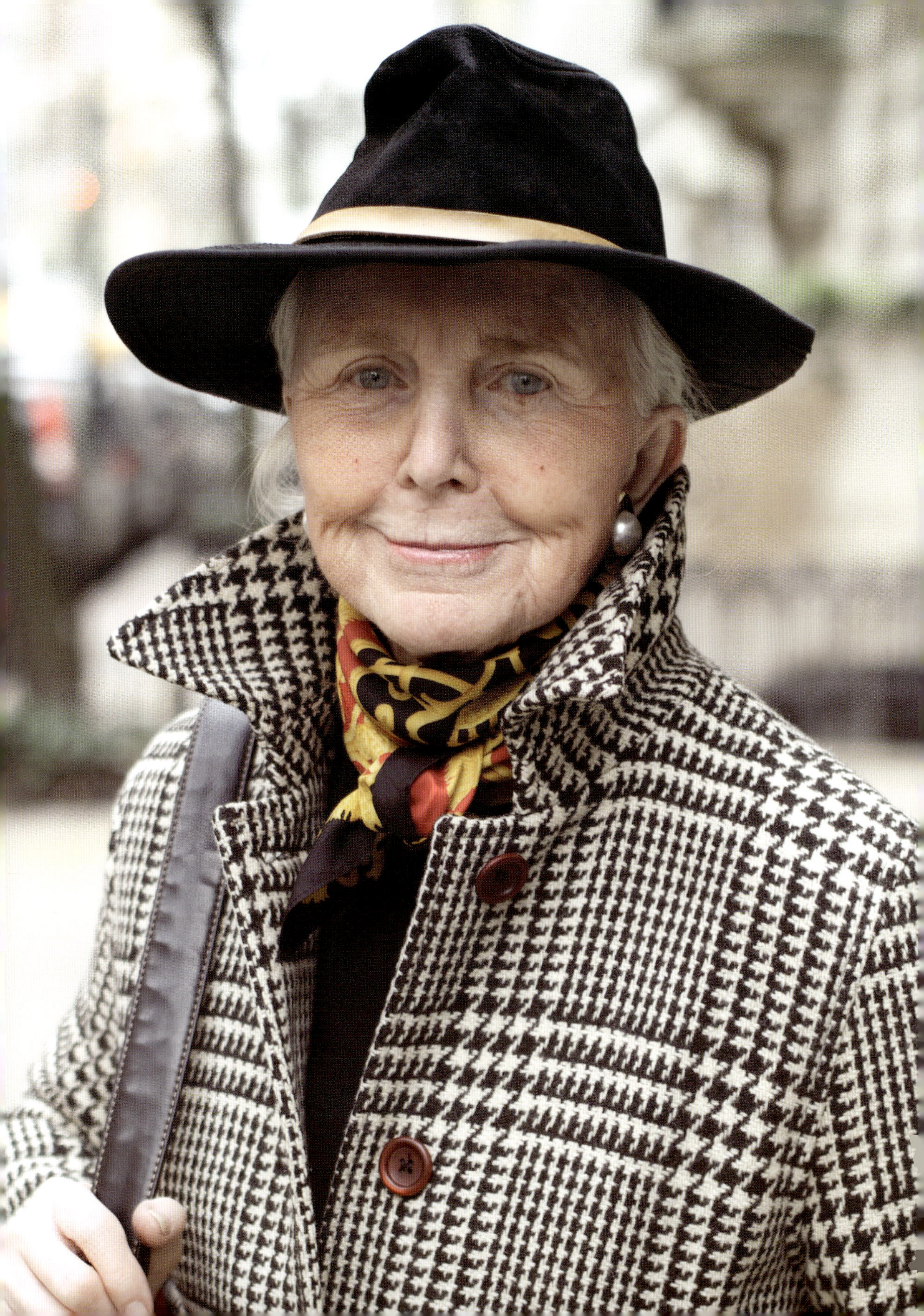

For **Debra Rapoport**, getting dressed every morning is literally a work of art. She wraps fabric in unexpected ways, turns her skirts backwards or upside down and stacks on kitchen utensils, resulting in the most wonderful creations. Debra believes that style has the power to heal—playing dress-up is a process full of self-discovery and joy.

デボラ・ラポポートにとって、毎朝ドレスアップすることは、まさにアートだ。
彼女は、見たことのない方法で布を体に巻きつけたり、スカートを前後逆に、
または上下ひっくり返してはいたり、
さらにキッチン用具を服にくっつけたりして、見事な作品を創り出している。
デボラは、スタイルには癒す力があると言い、
ドレスアップは自己発見と喜びにあふれた行為なのだと信じている。

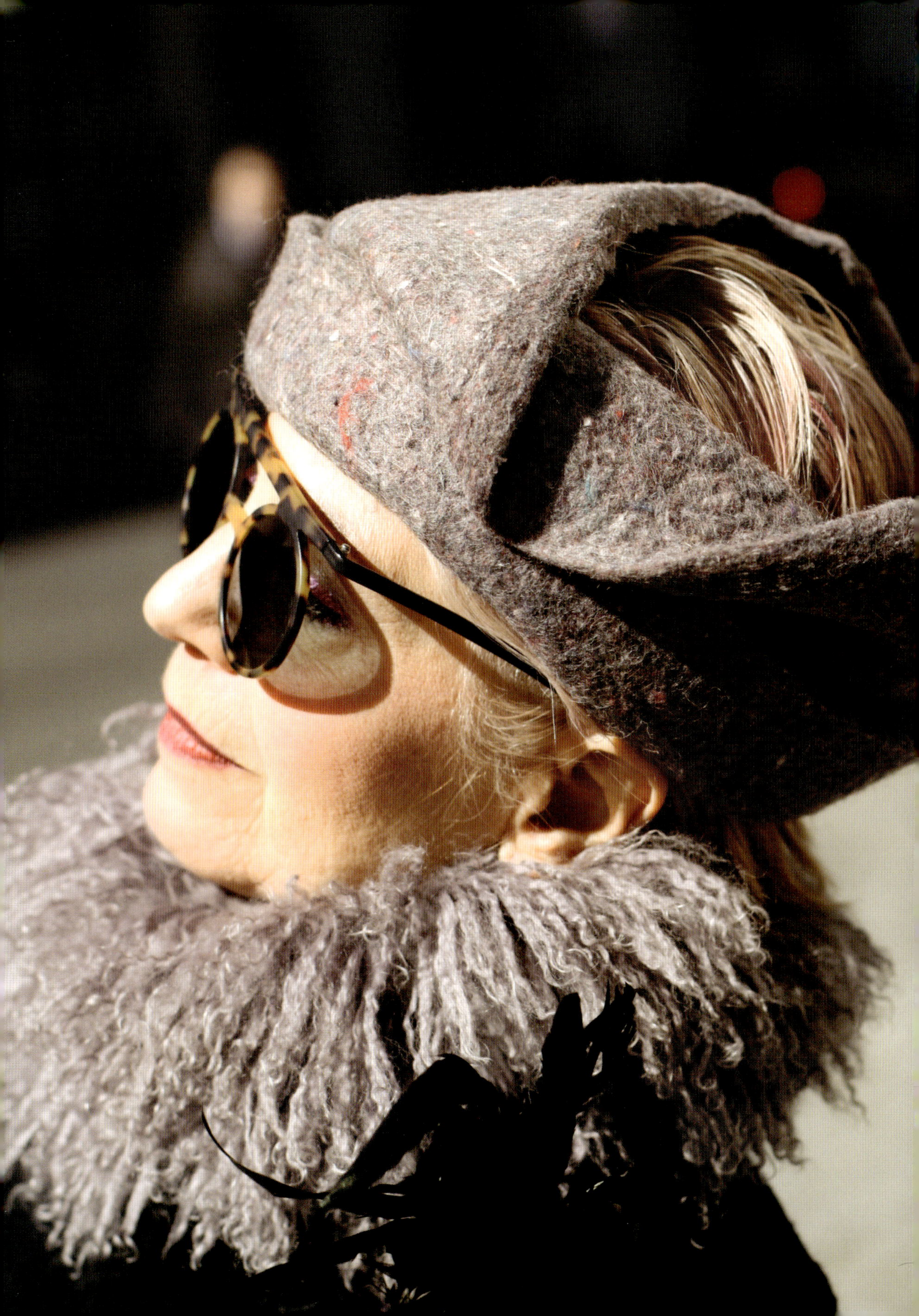

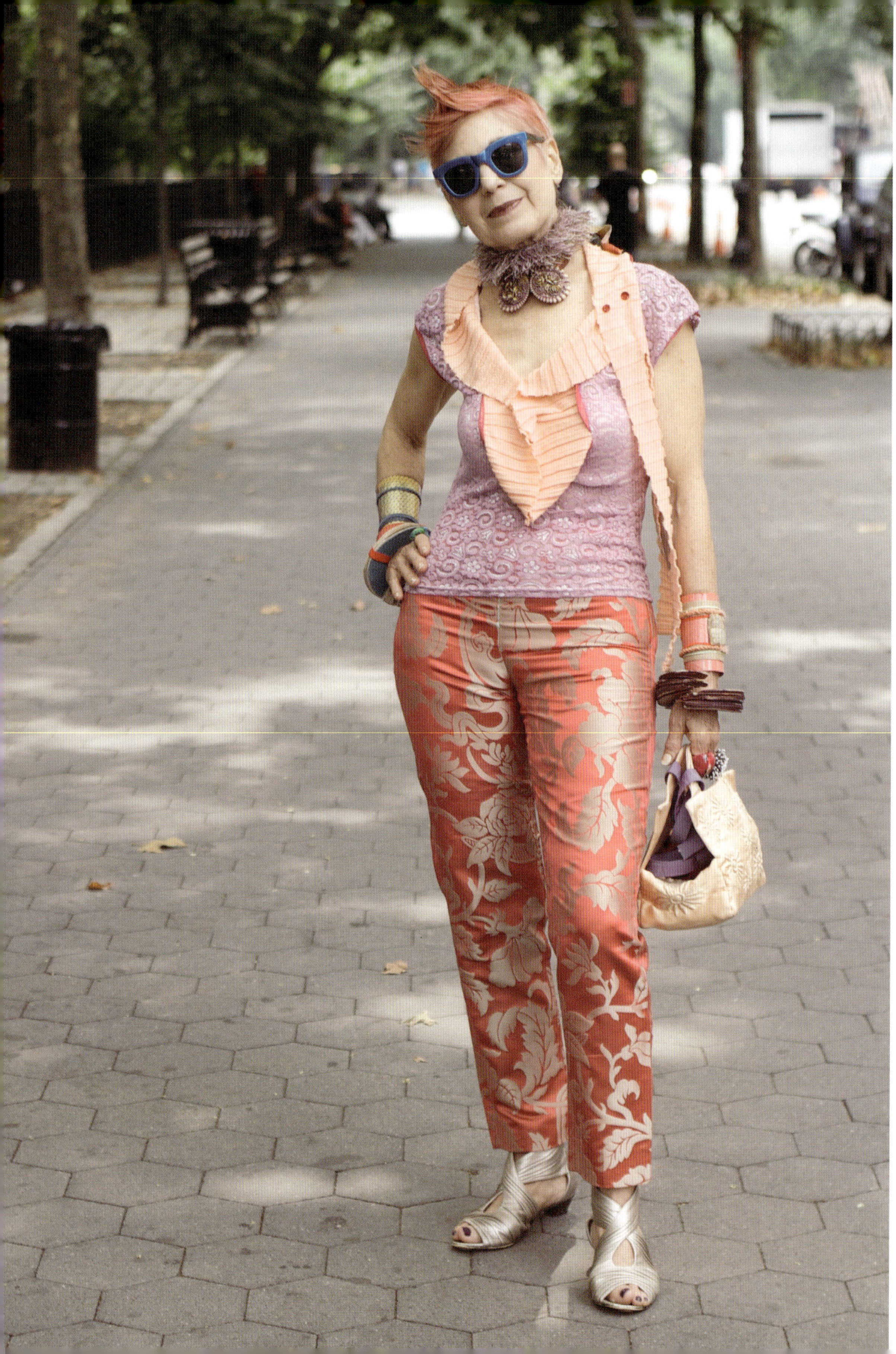

"I don't believe in age-appropriate dress; just make your personal statement and feel confident about it. Tomorrow is another day and another look."

「わたしは年齢に応じた格好というものを信じないの。ただ自分なりの主張をもって、それに自信をもつといいわ。明日には、新しい一日と、新しいスタイルがあるんだもの」

**"Look Good, Feel Good.
Feel Good, Look Good."**

「かっこよく見せて、気分を高めて。気持ちよくなって、美しく見せて」

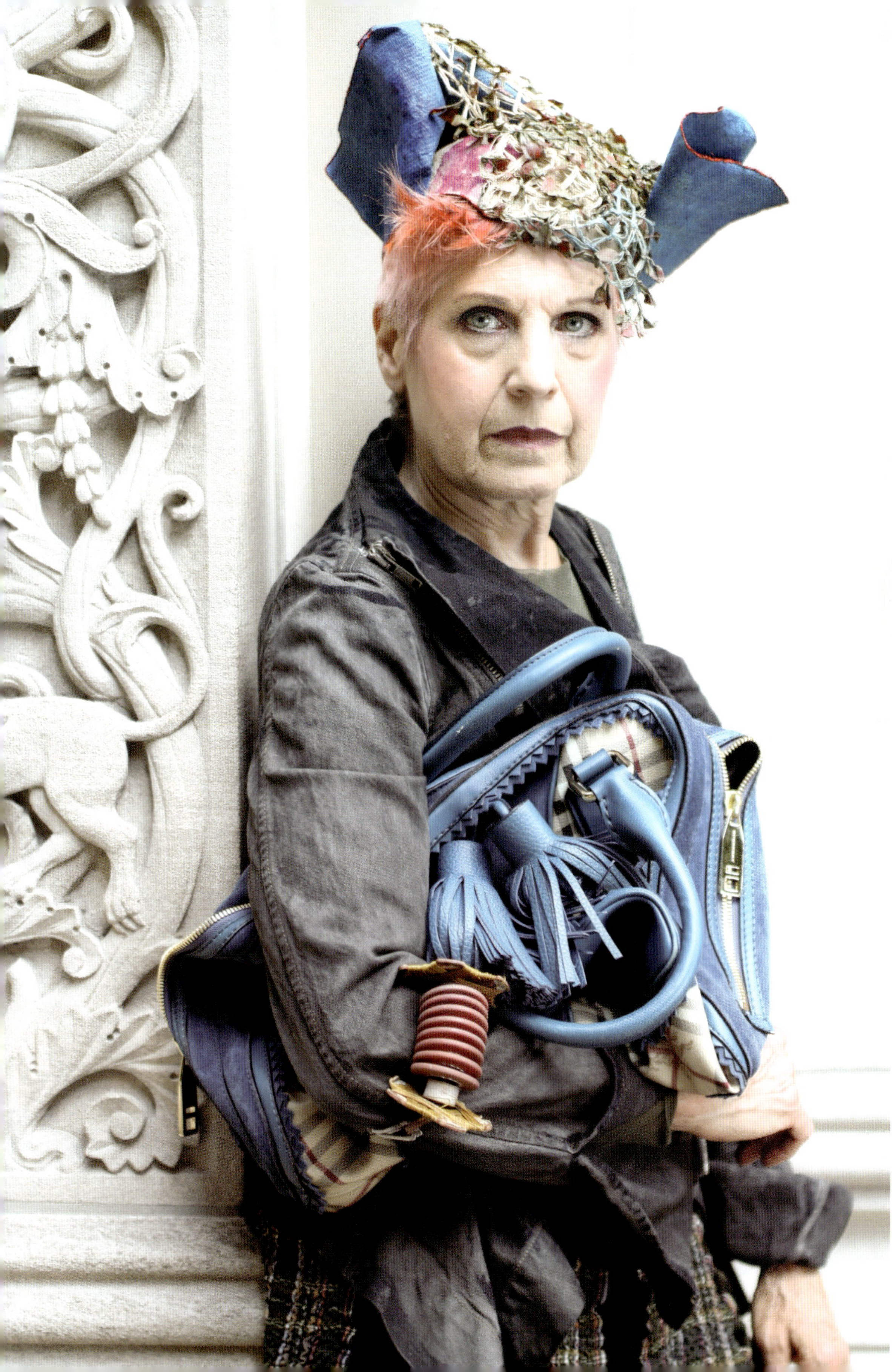

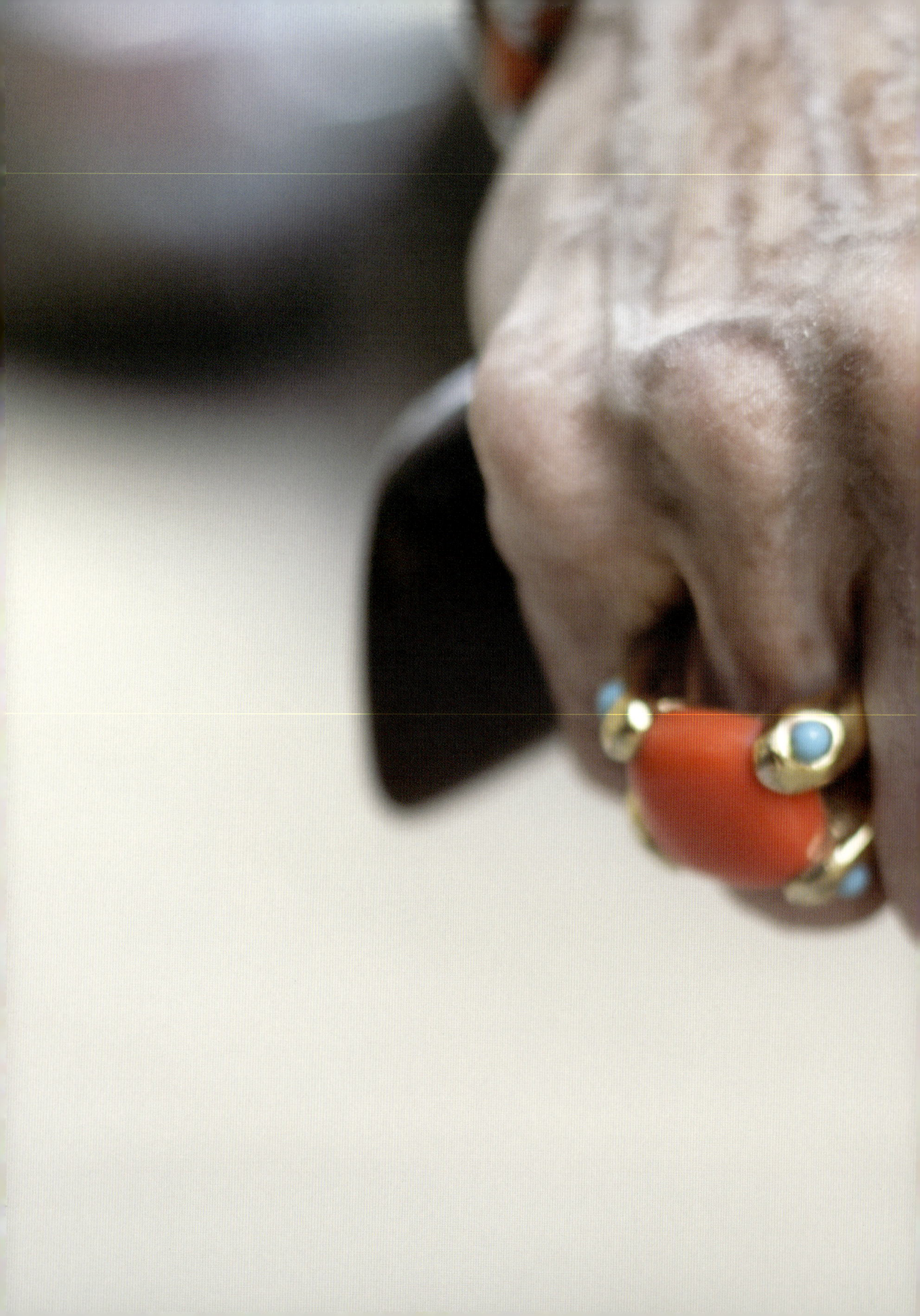

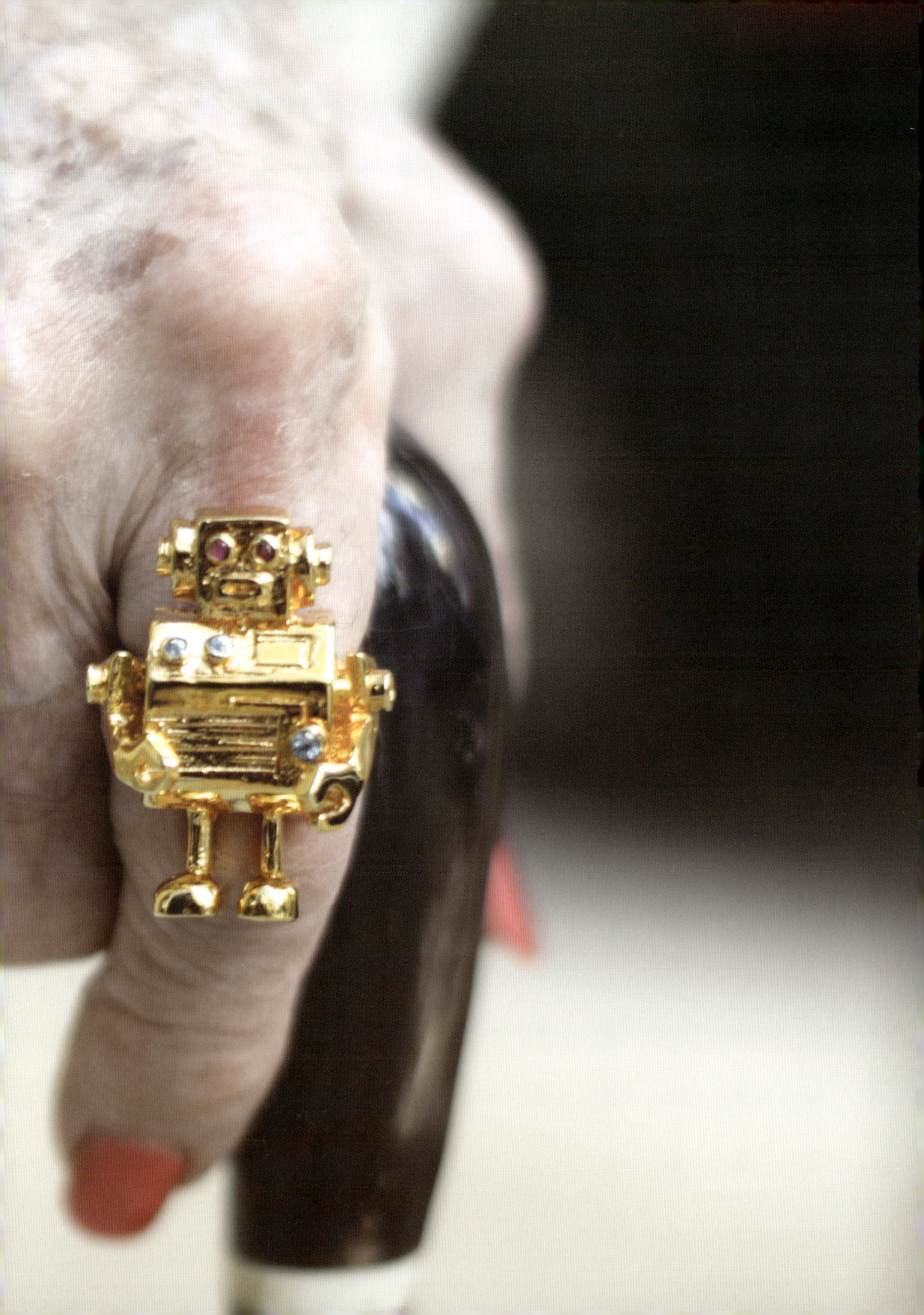

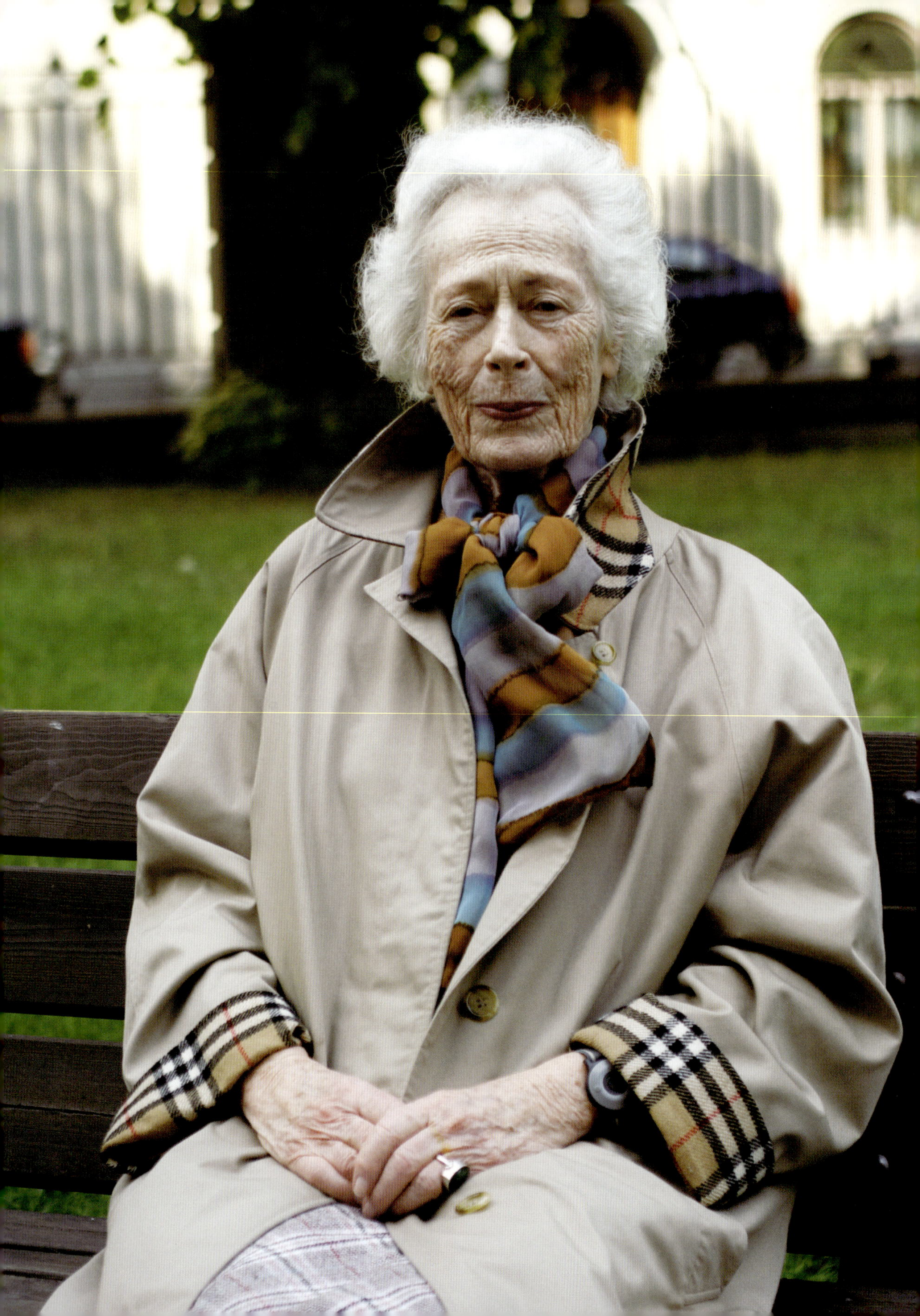

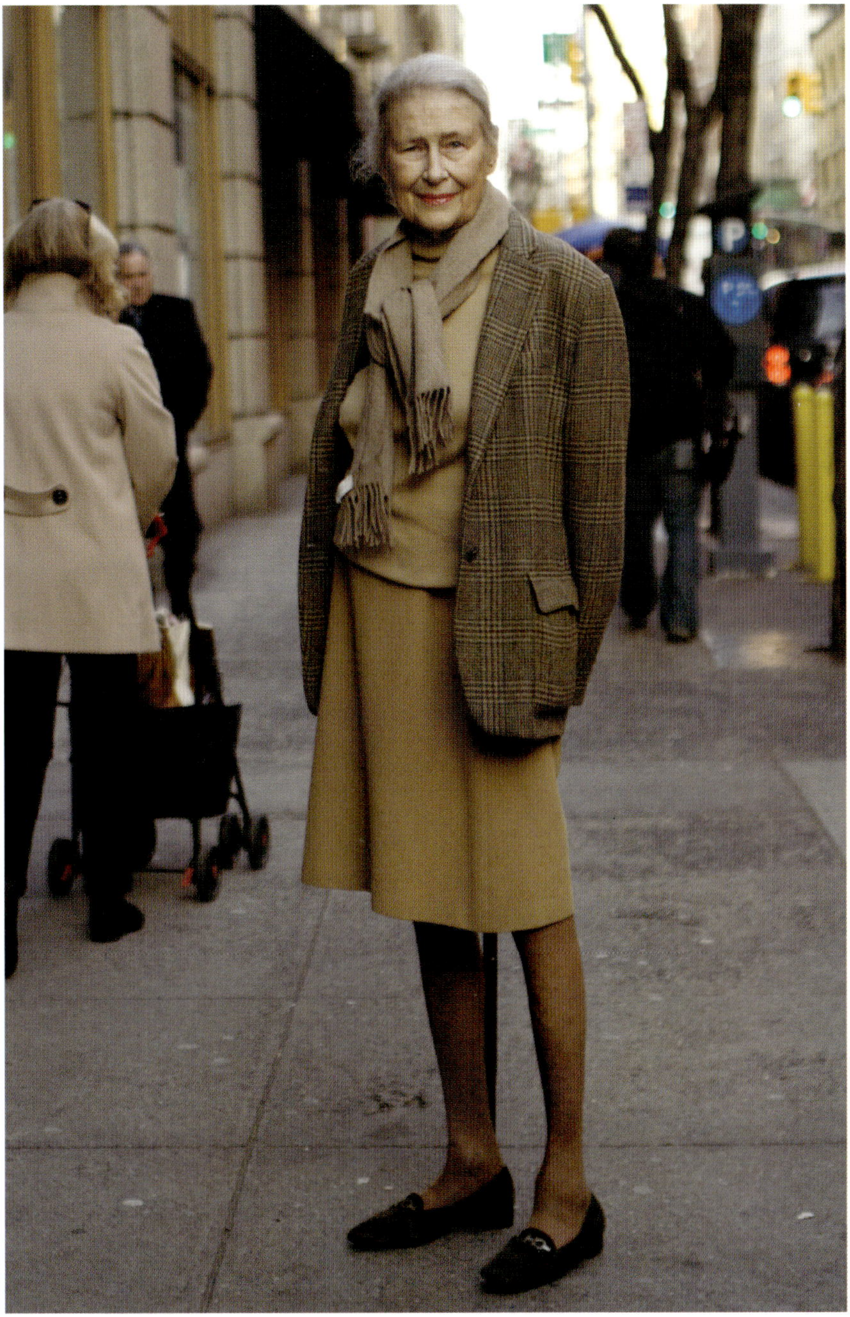

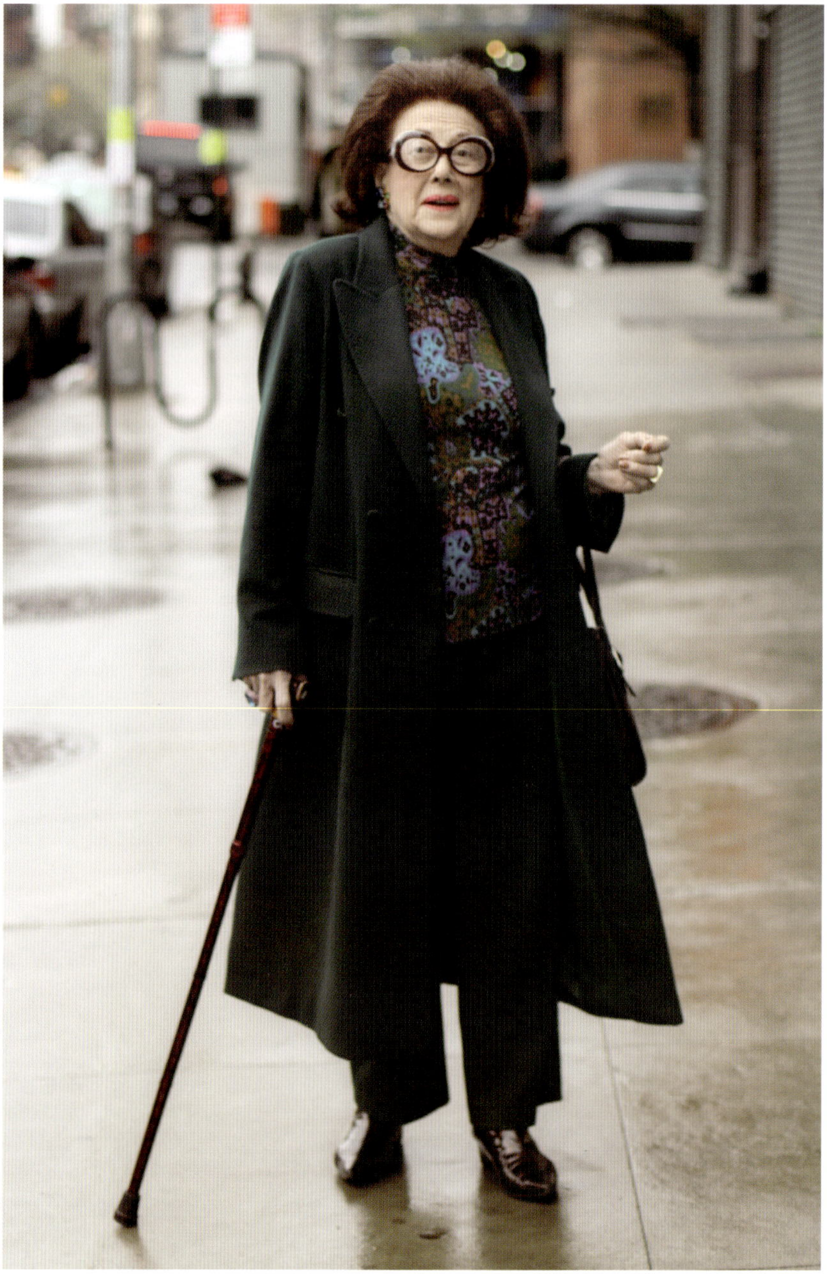

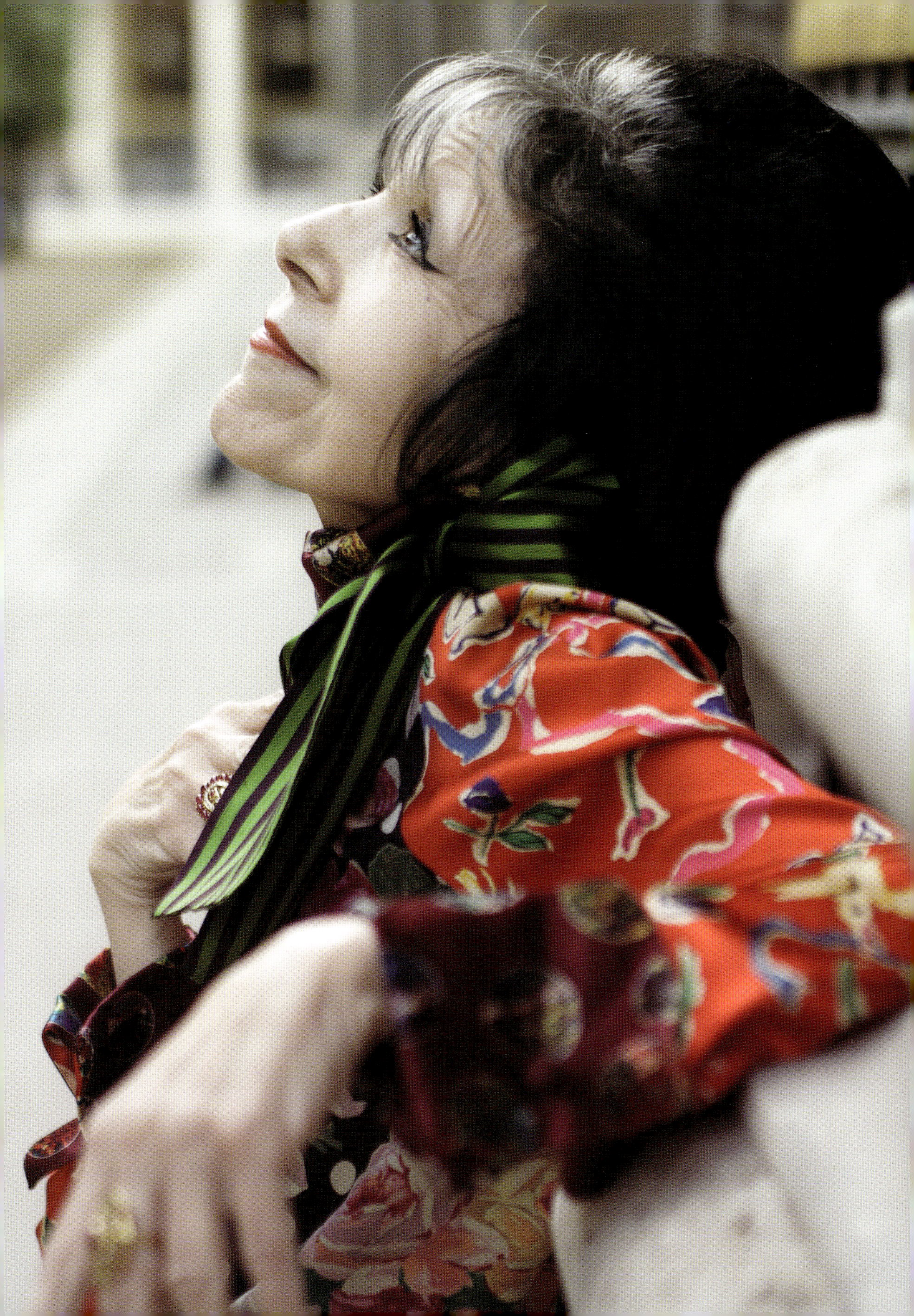

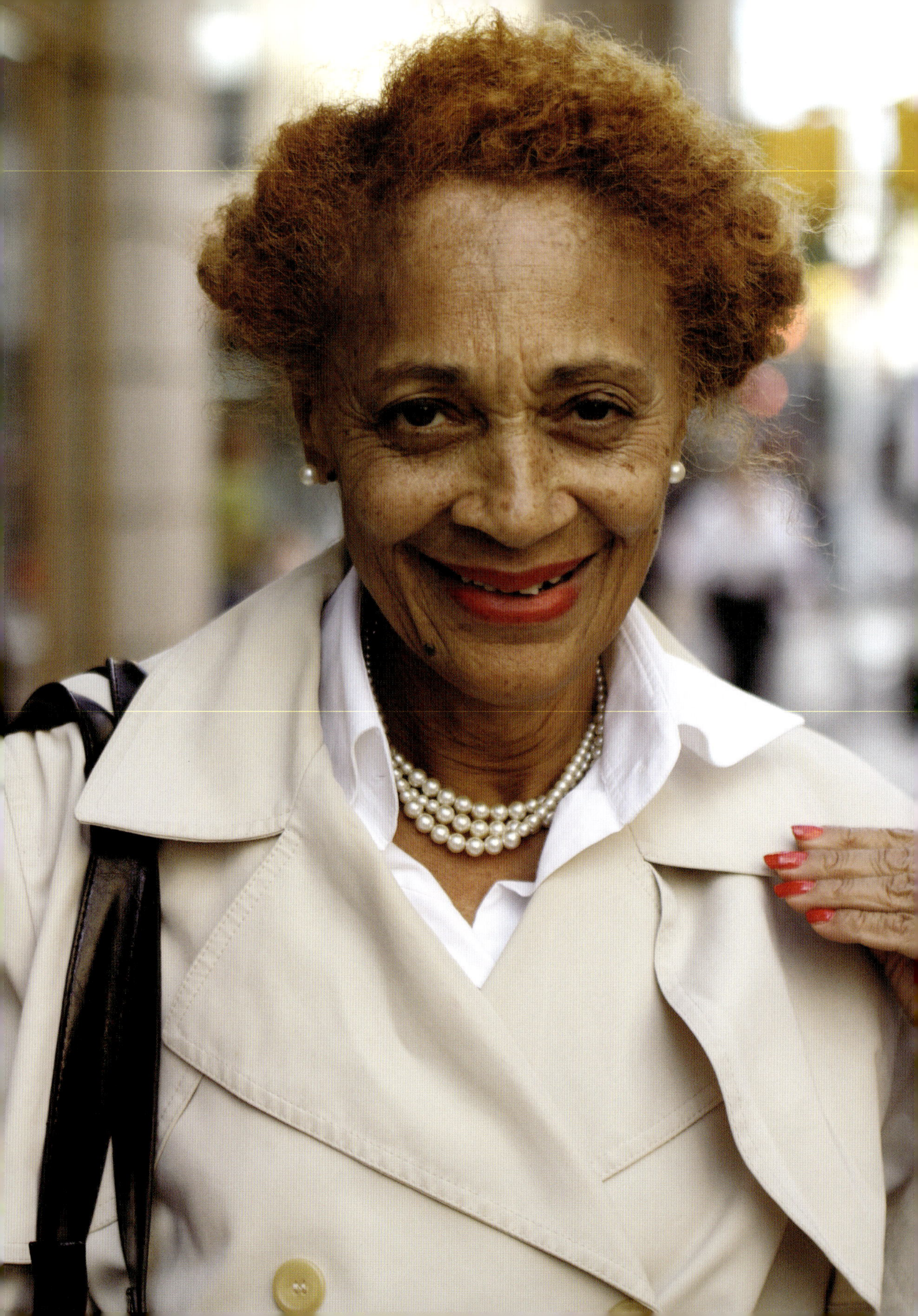

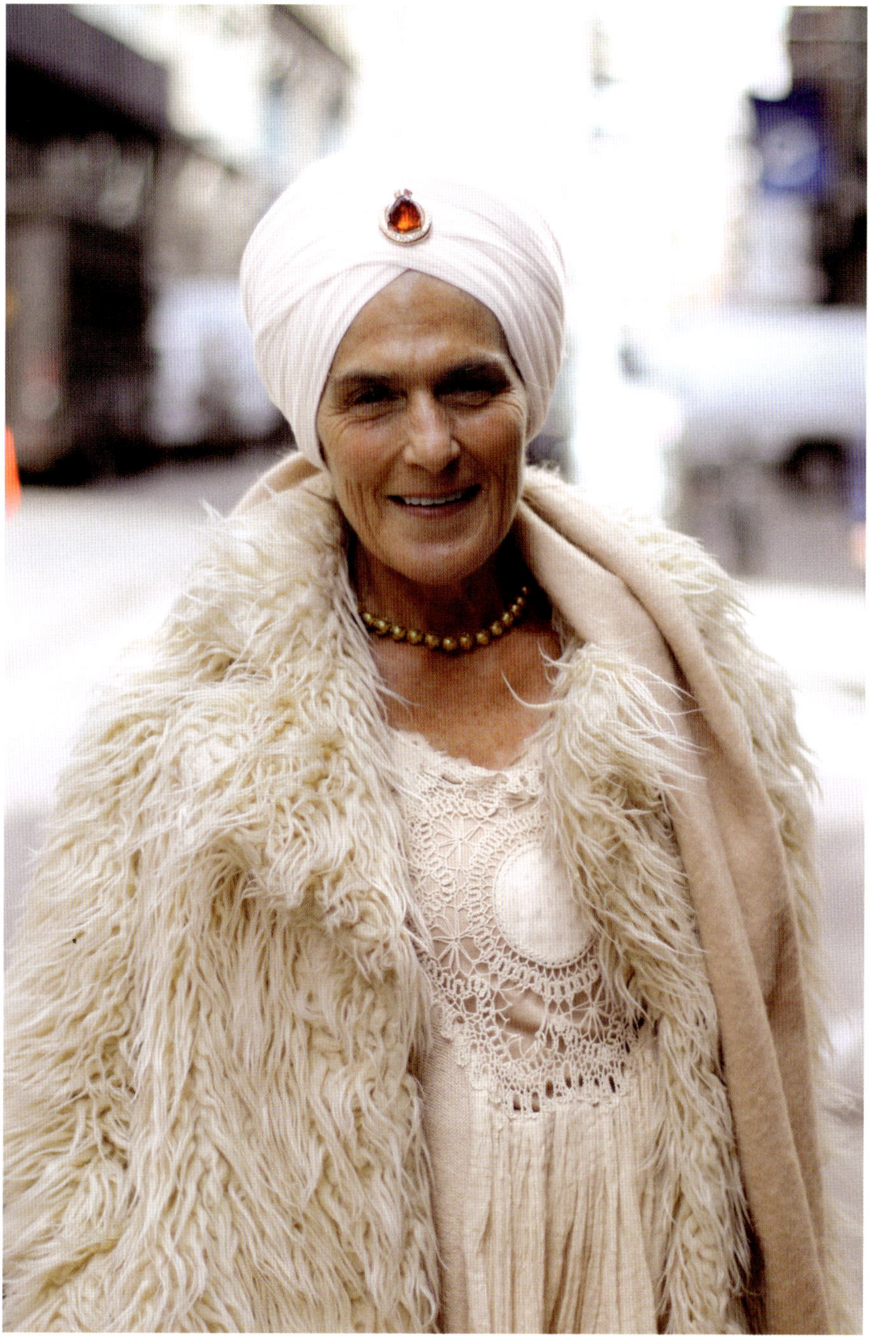

When I first saw **Ilona Royce Smithkin** and her amazing eyelashes, I realized immediately that I was in the presence of someone very special. Known primarily for her talent as an artist and more recently as a cabaret performer, Ilona's spirit and artistic nature shine through her wild and wonderful costumes. Whether magically transforming old scarves into beautiful dresses, or fashioning capes out of discarded umbrellas, Ilona constantly proves she is a true original.

はじめてイロナ・ロイス・スミスキンと、彼女の素晴らしいまつげを見たとき、
僕はすぐに、ものすごく特別な人に出逢ったと気づいた。
かつてはアーティストとして、最近はキャバレー・パフォーマーとしても知られるイロナ。
彼女がもつスピリットと芸術的な気質は、ワイルドで素晴らしいコスチュームを輝かせている。
昔のスカーフを魔法のように美しいドレスに変えてみせたり、使えない傘をケープコートにしたりと、
イロナはいかに自身がオリジナルであるかということを証明している。

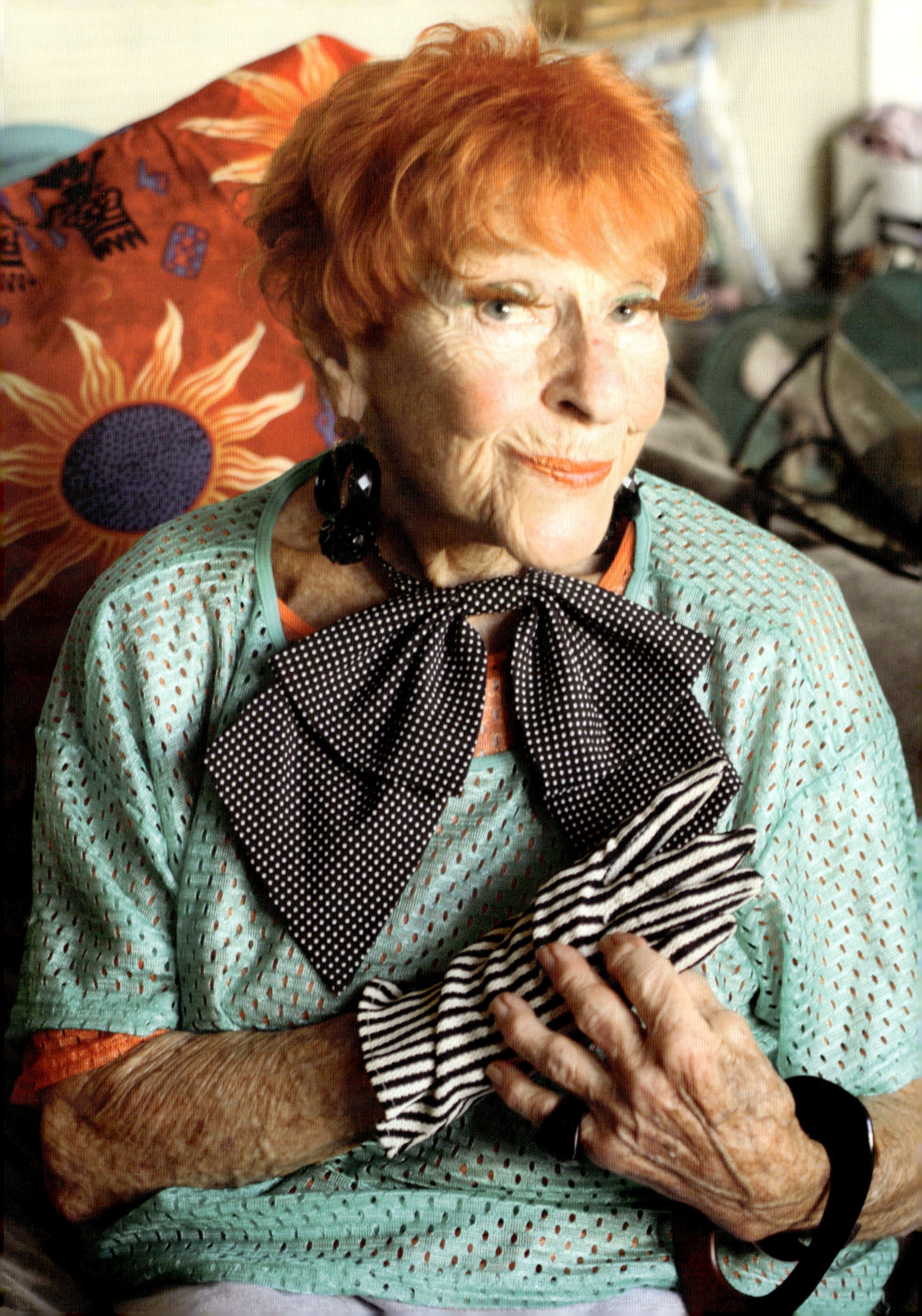

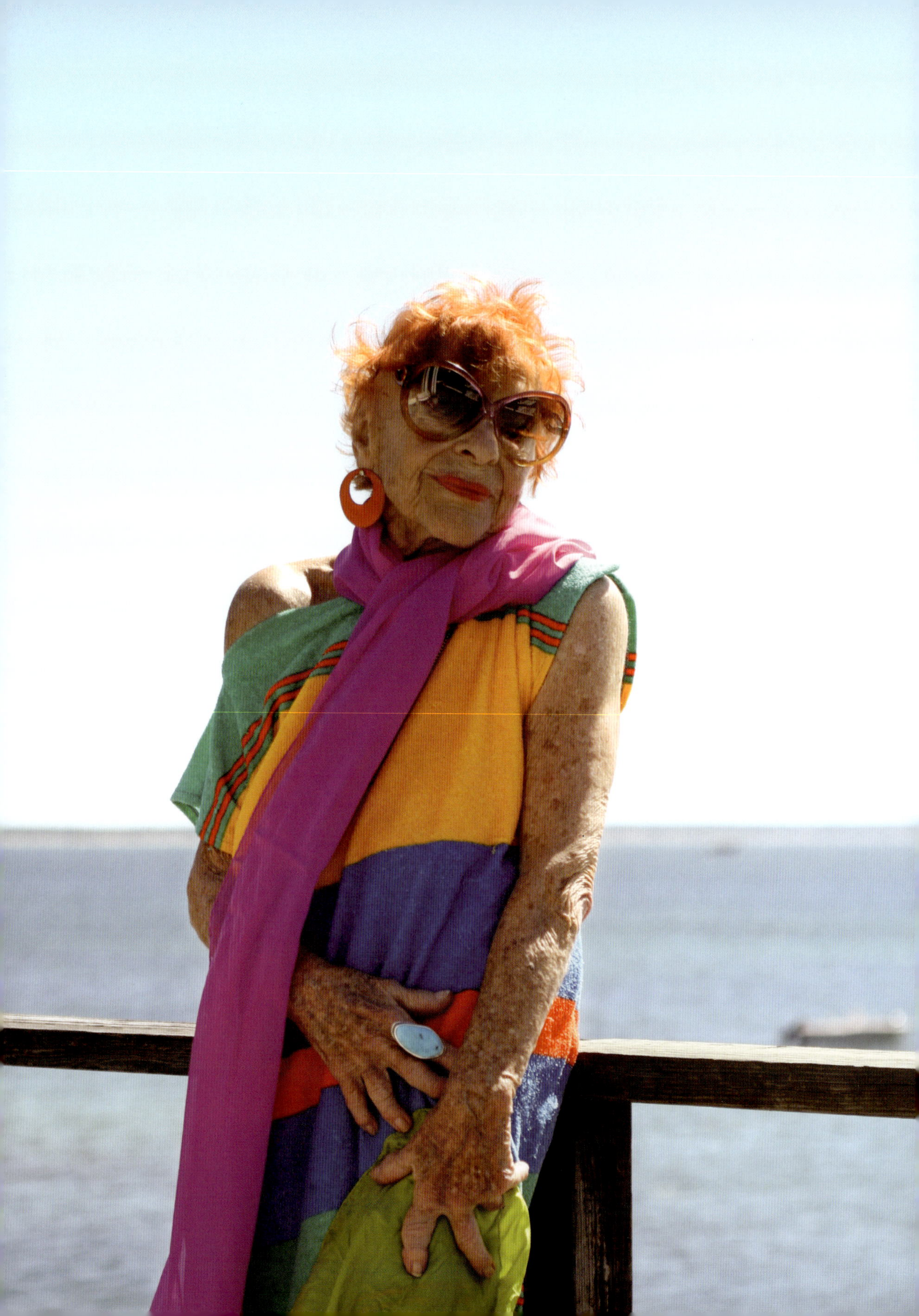

"Feel beautiful inside, and you will be beautiful outside."

「物事の美しさを感じる心があれば、外見も美しくなるのよ」

"If you try to imitate too much, you will look like nothing. Never compare. You are you!"

「人の真似をしすぎると、誰でもなくなってしまうわ。まわりと比べないこと。あなたはあなたでしかないんだから！」

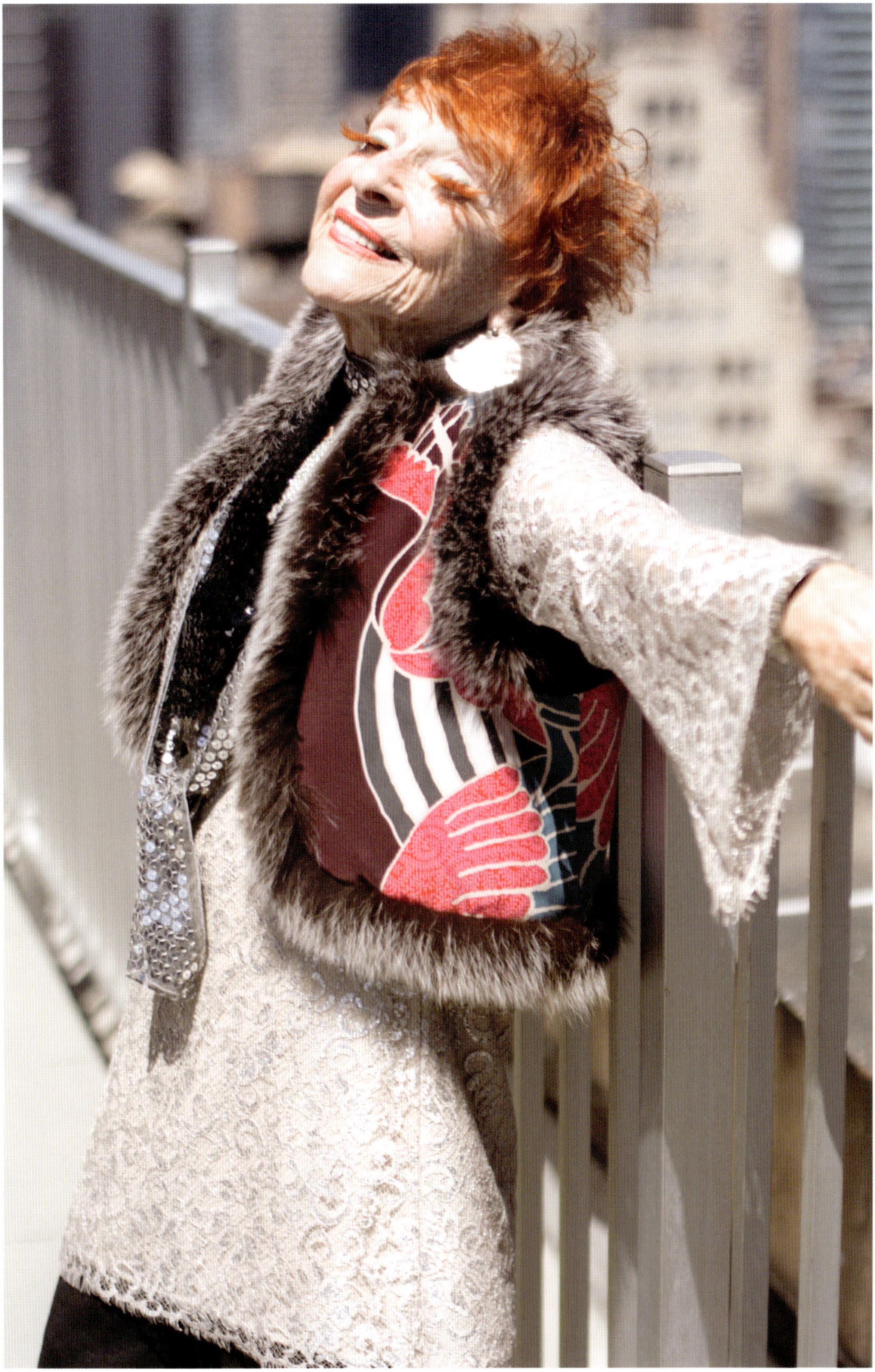

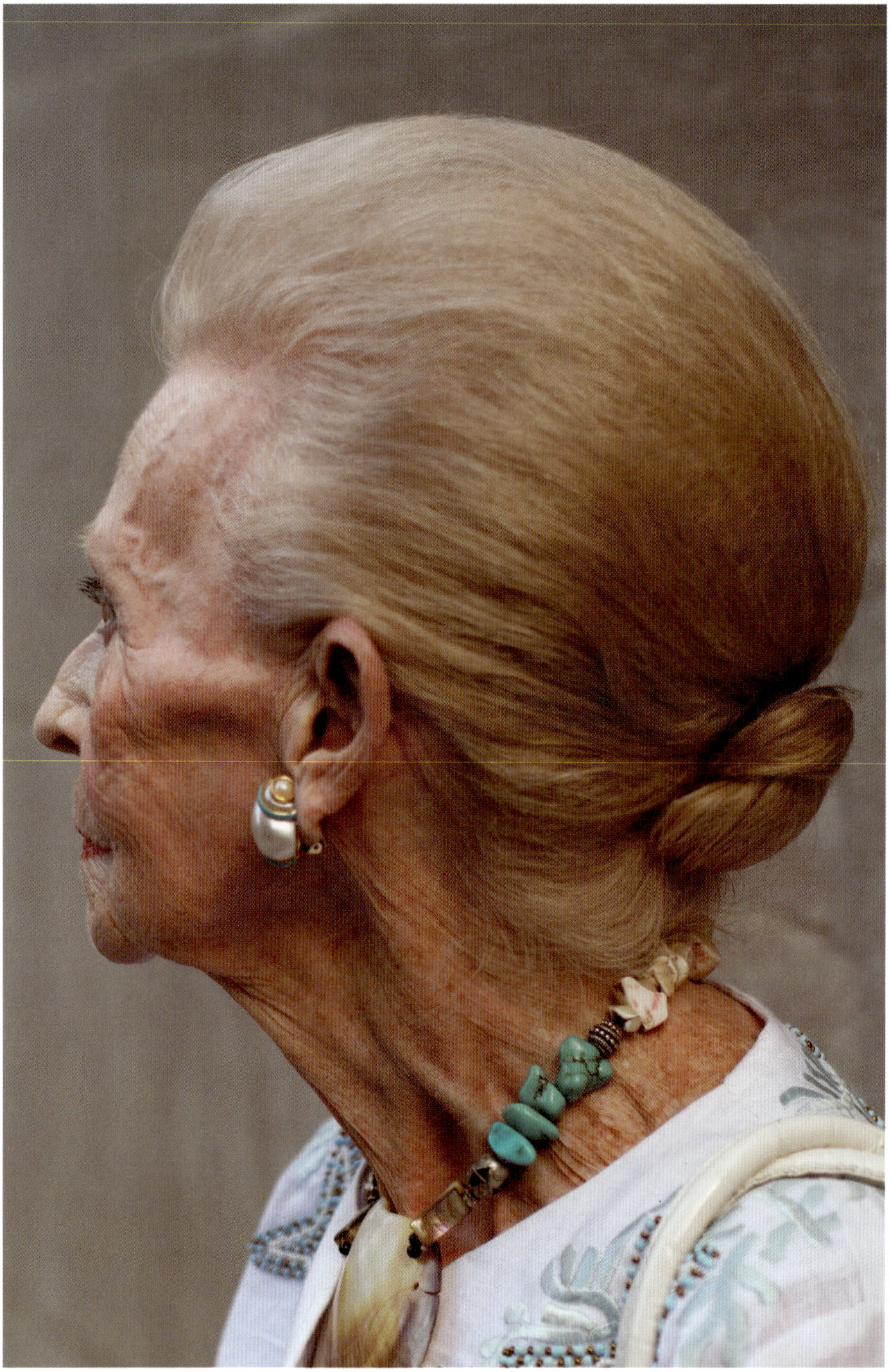

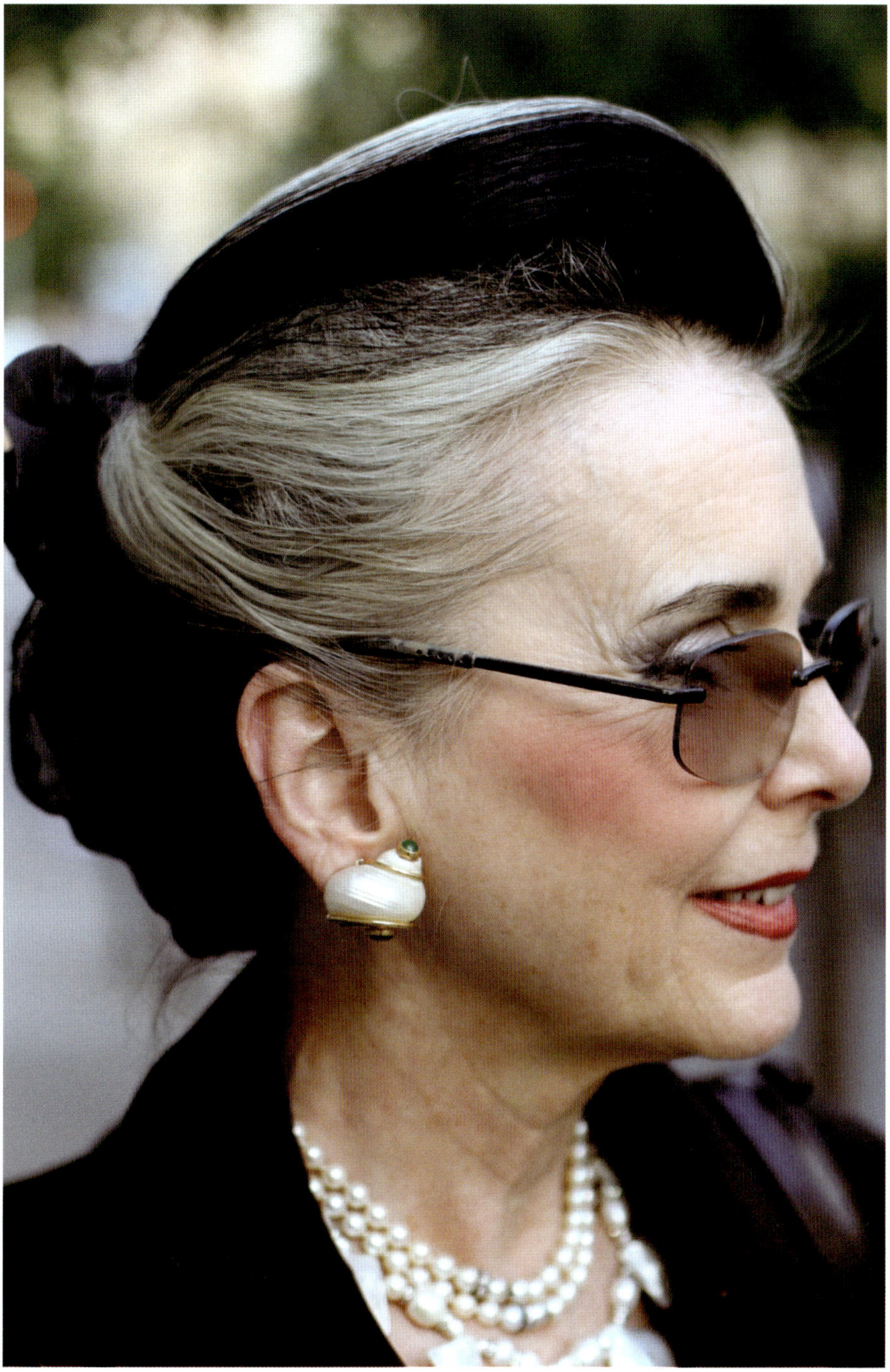

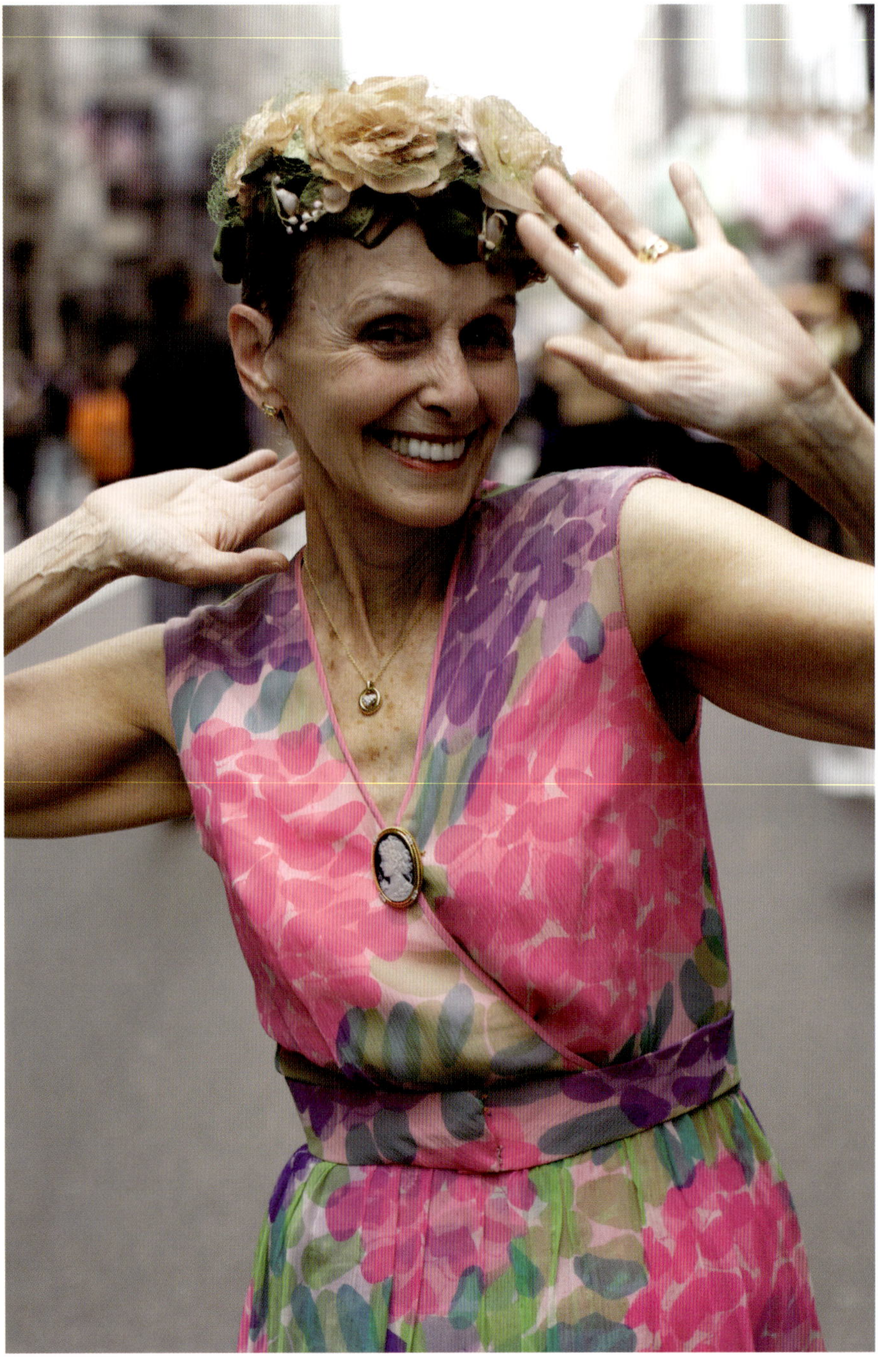

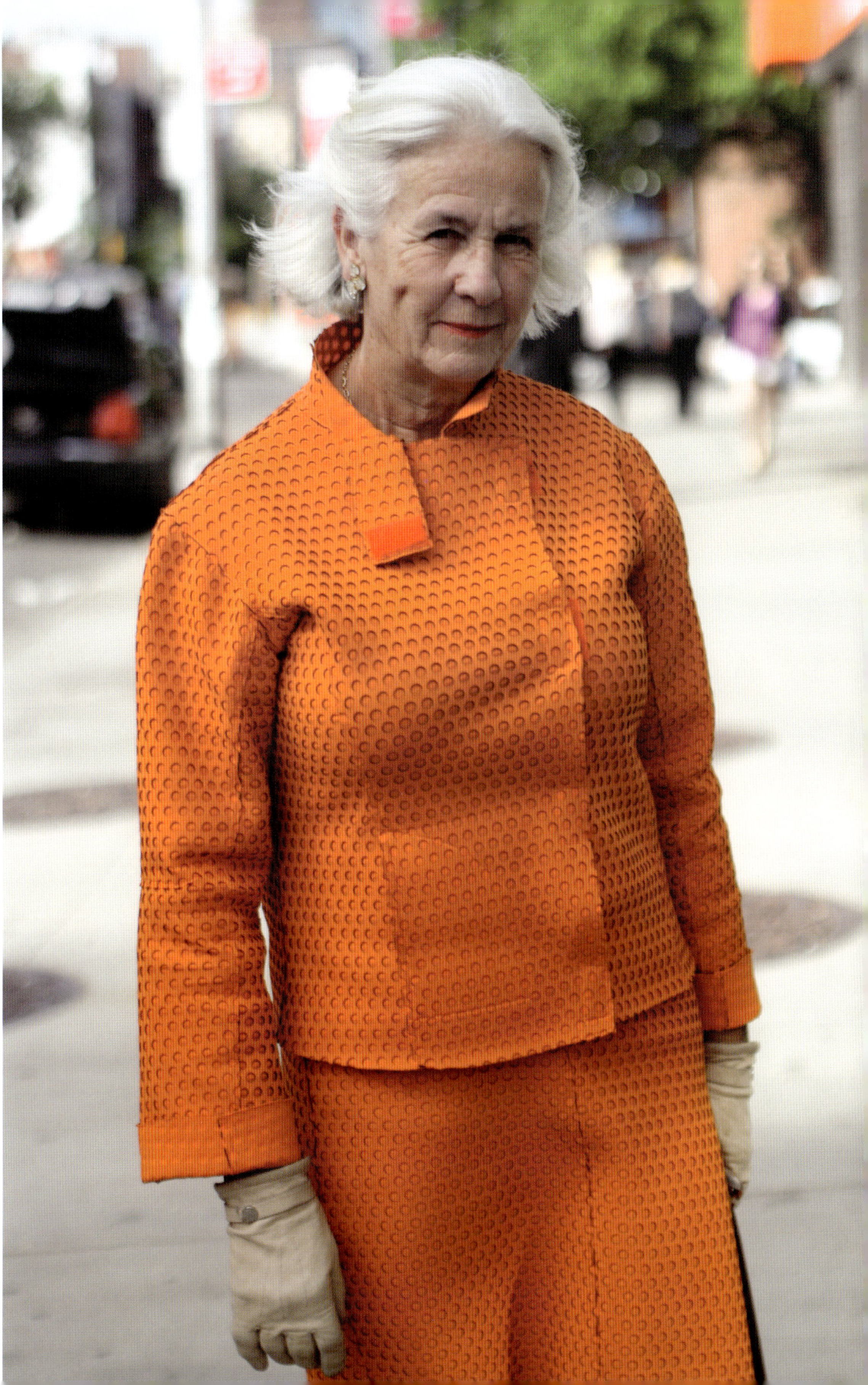

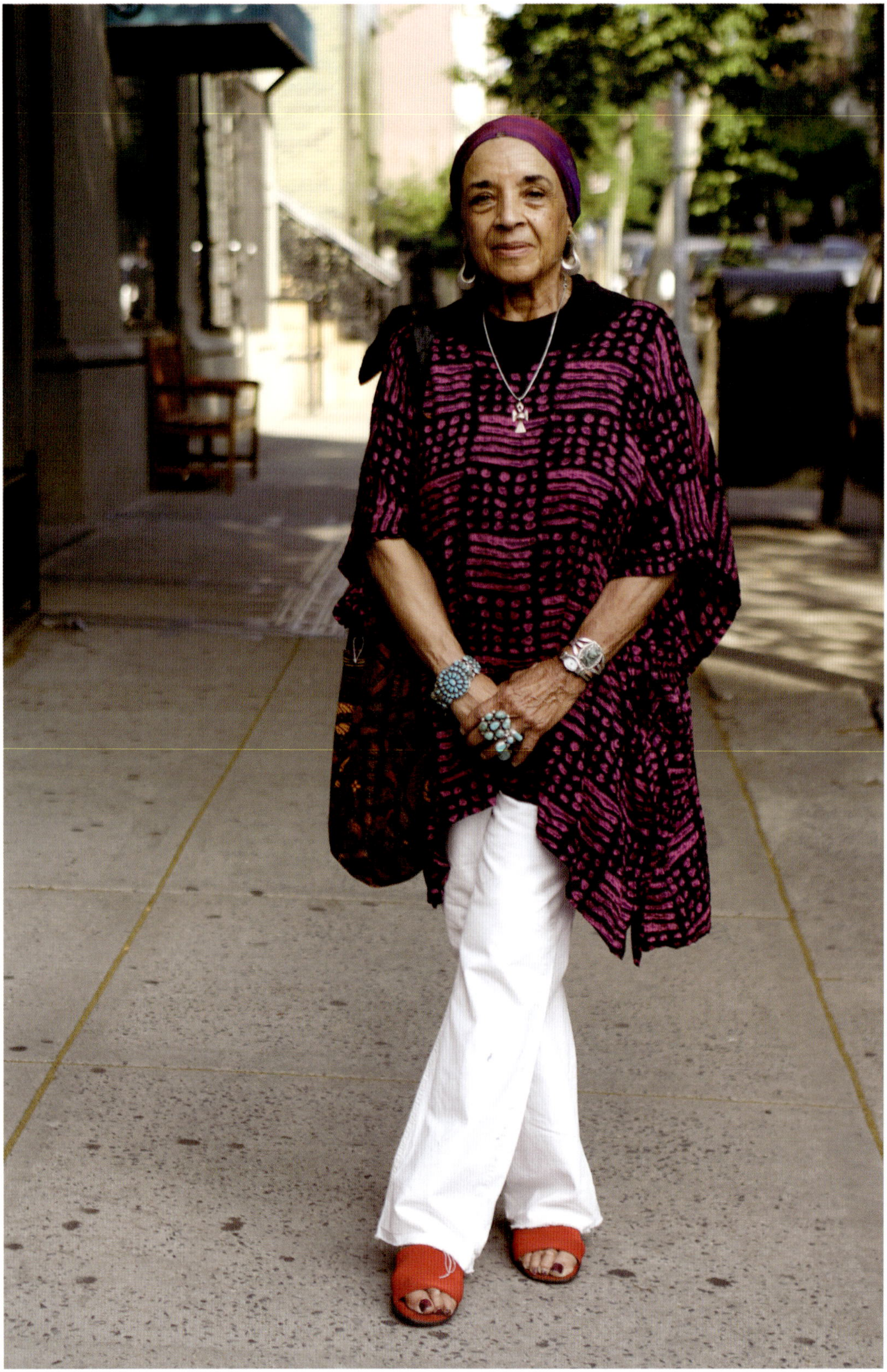

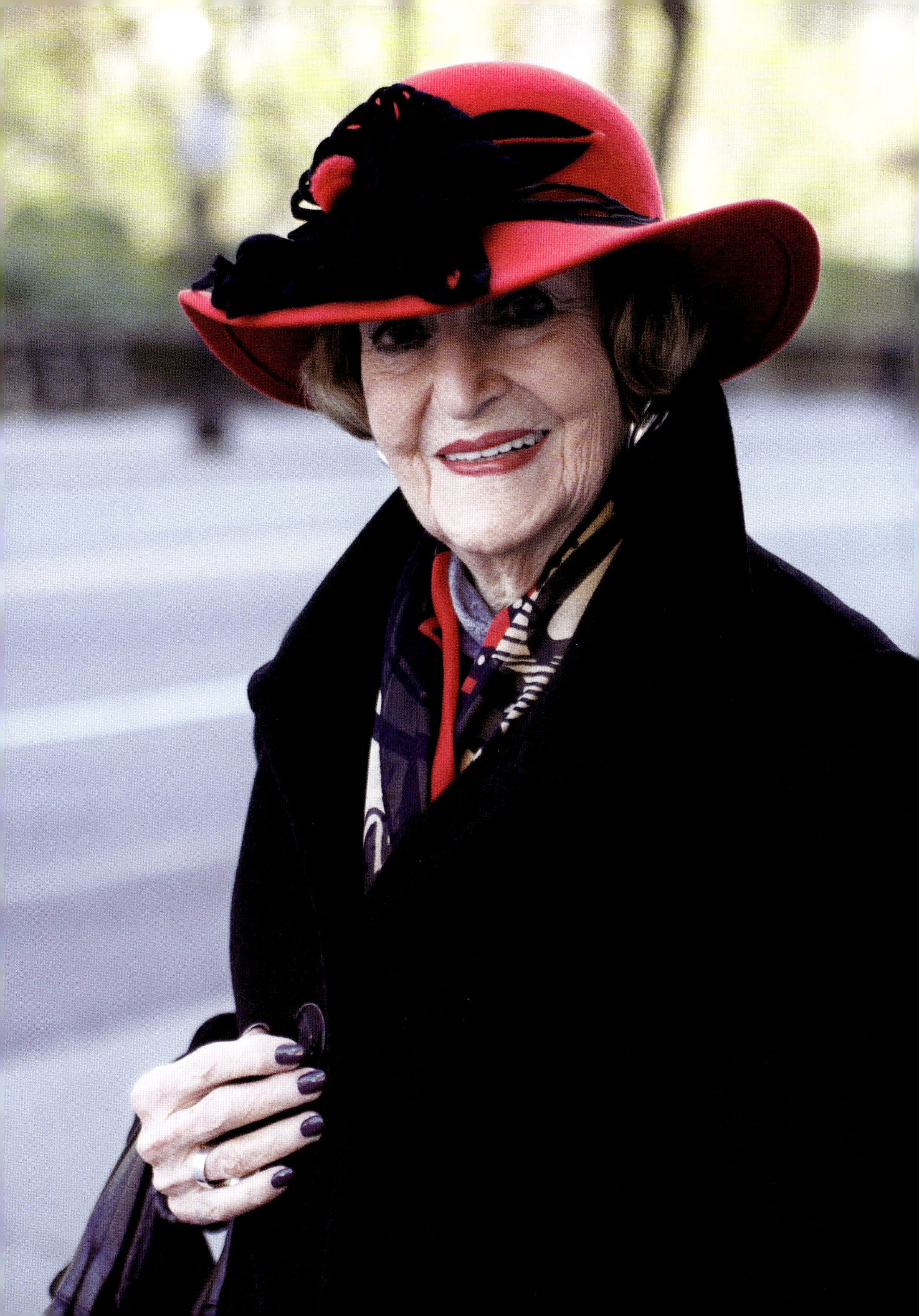

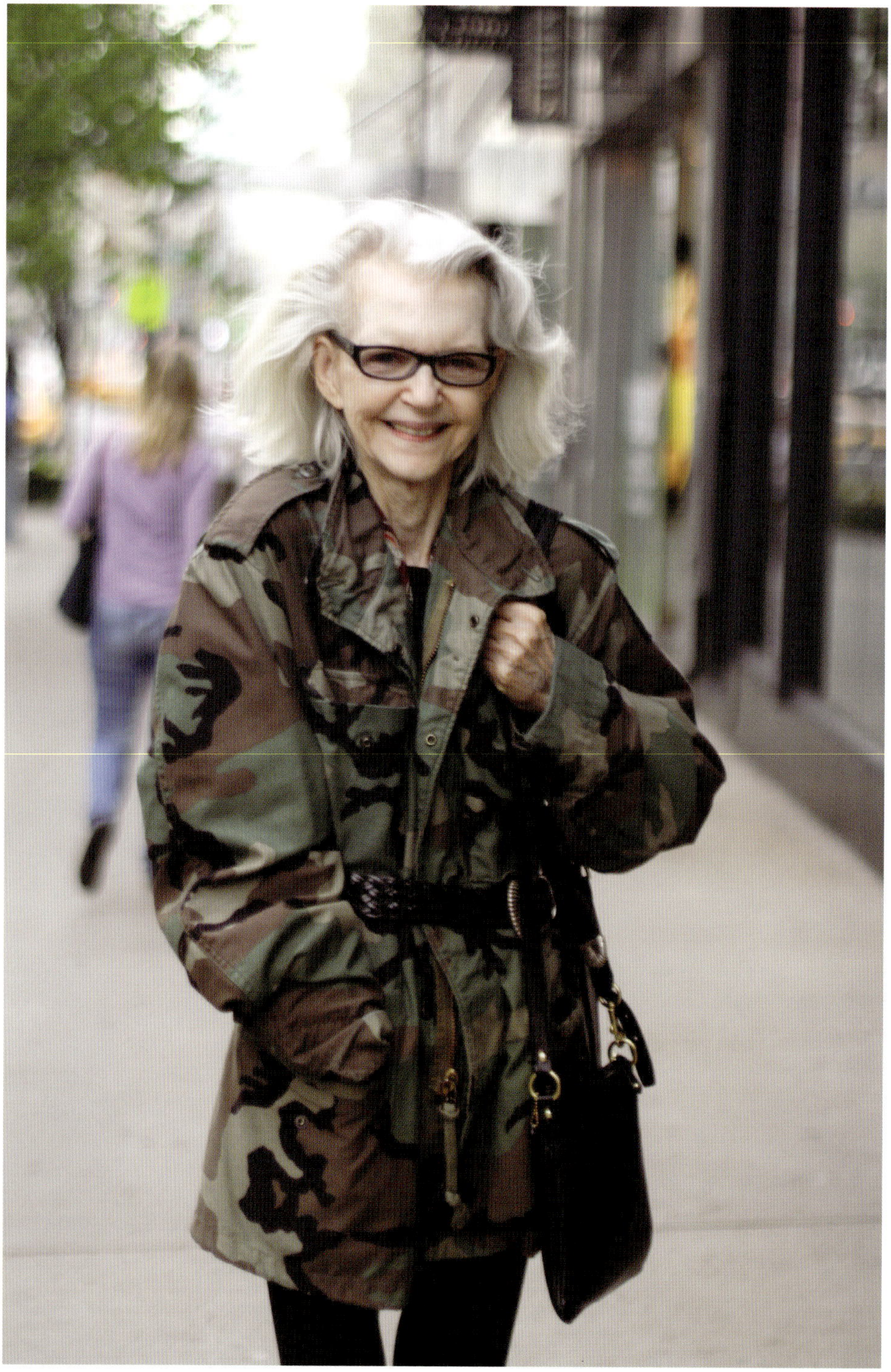

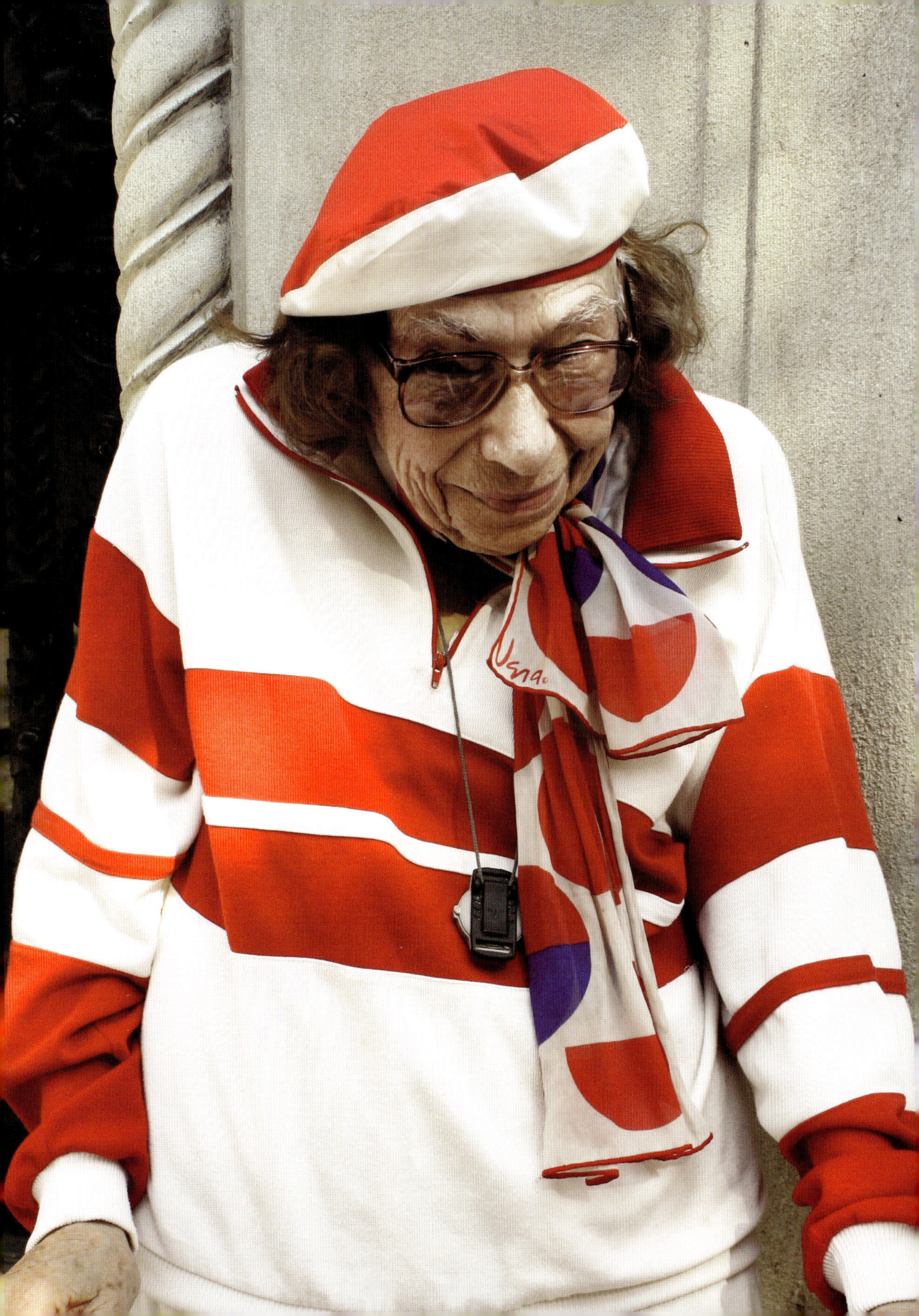

My first sighting of artist and writer **Beatrix Ost** in Central Park stopped me dead in my tracks. Her dark lipstick, elegant black hat, and hint of blue hair against her pale complexion made for a stunning combination. Beatrix believes that great style starts with good food. She scribbled the words "food and love is art enough" on her kitchen wall to remind herself that feeling good is the first step towards looking good.

アーティストでライターのベアトリックス・オストをセントラルパークで見かけたとき、
僕はその場で固まってしまった。
彼女の濃い色の口紅、エレガントな黒い帽子、そして青白い顔色とかすかに見えた青い髪が、
呆然とするほど美しいコンビネーションだったから。
ベアトリックスは、卓越したスタイルは体に良い食べ物からはじまると言う。
彼女はキッチンの壁に"食べ物とラヴは、十分にアートだ"と落書きをしている。
その落書きは、気分を良くすることが見た目の良さへの
最初のステップだということを、つねに想起させてくれるのだそう。

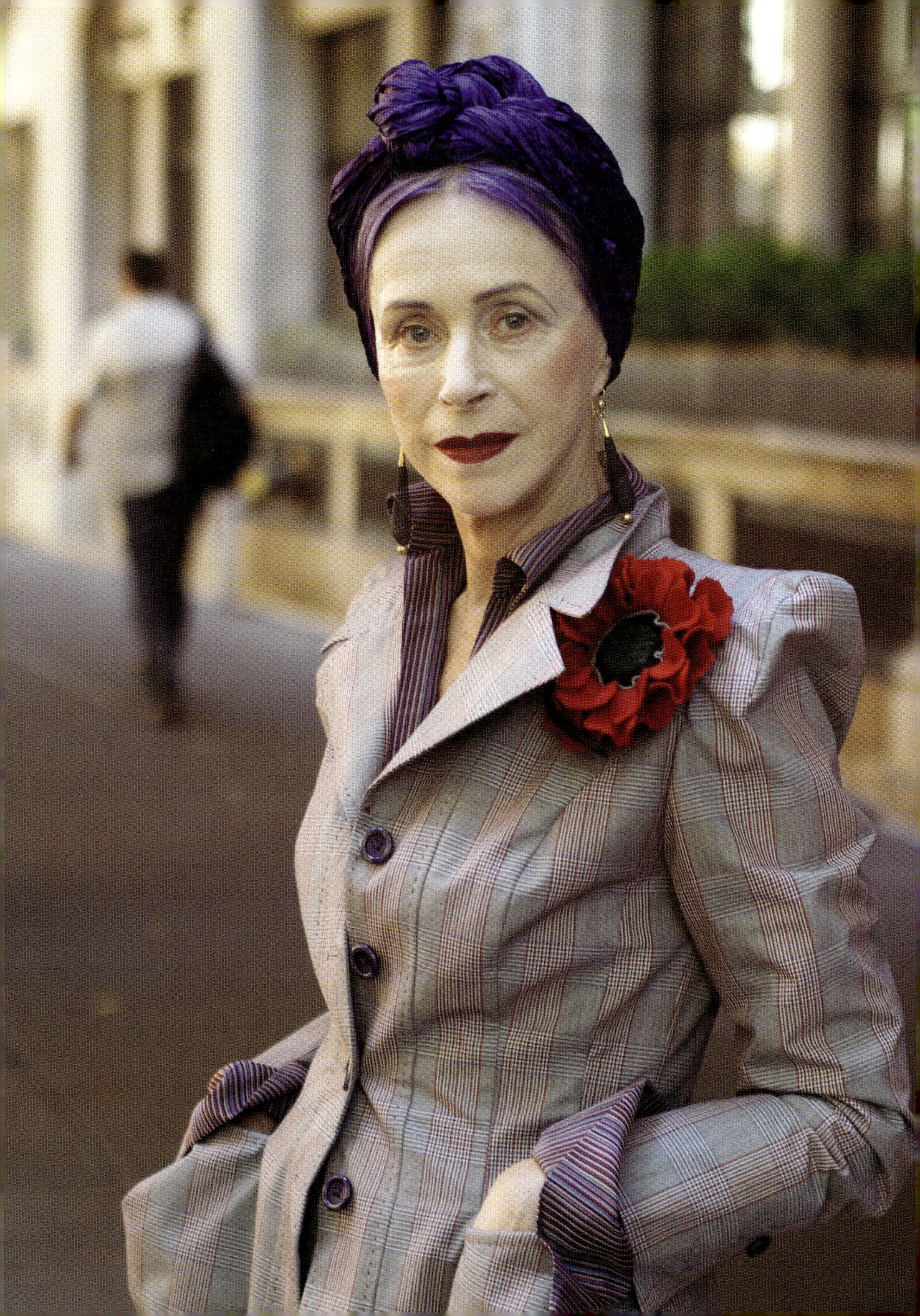

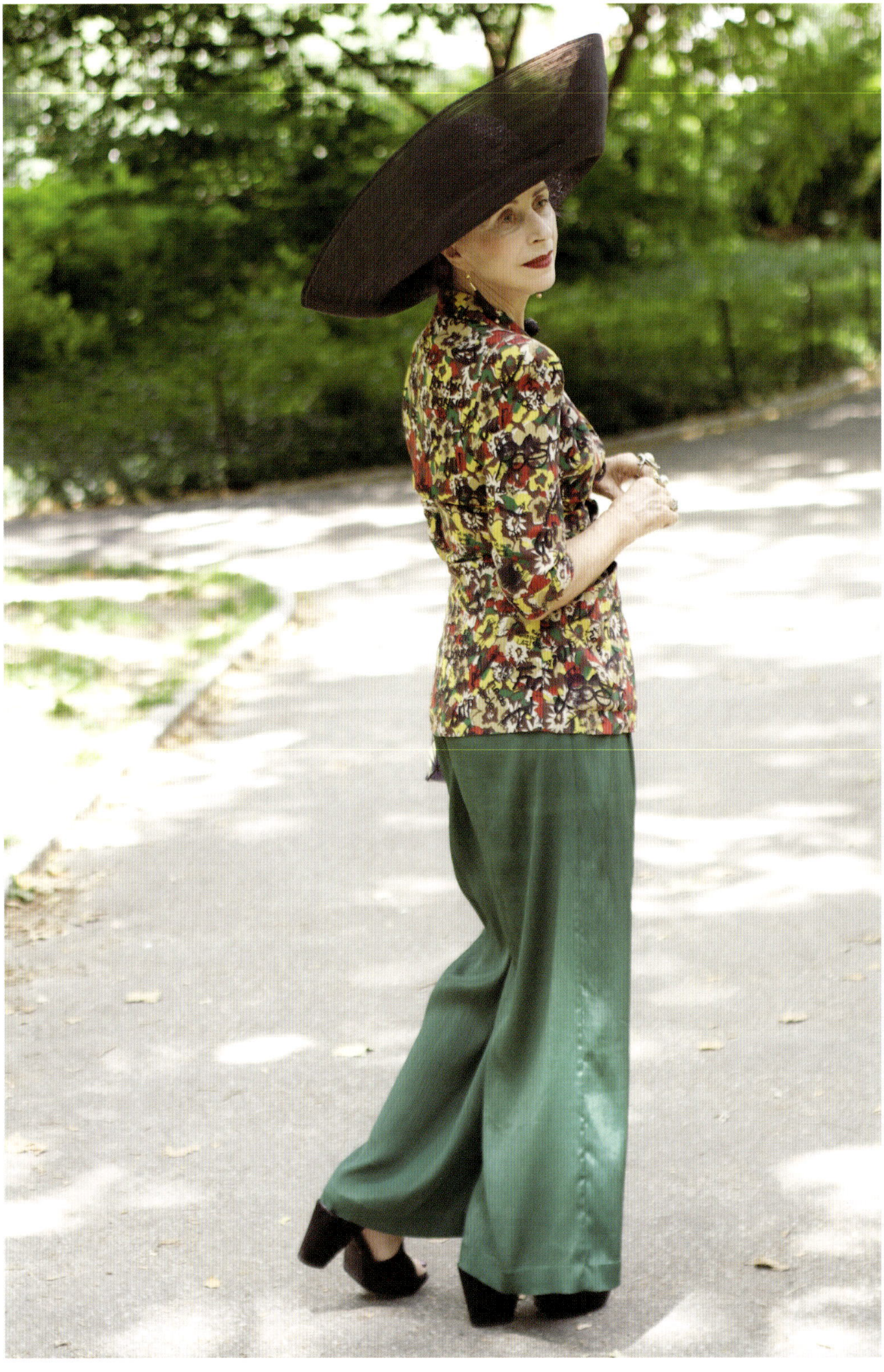

"I think most people give up. In some ways you should always be in love and never say I can't wear that because of my age. It's all how you feel."

「きっと、たくさんの女性が
ギブアップしていると思うの。
ある意味、いつも恋をして、
年齢を気にせずにいればいいのよね。
すべては、気持ち次第なんだから」

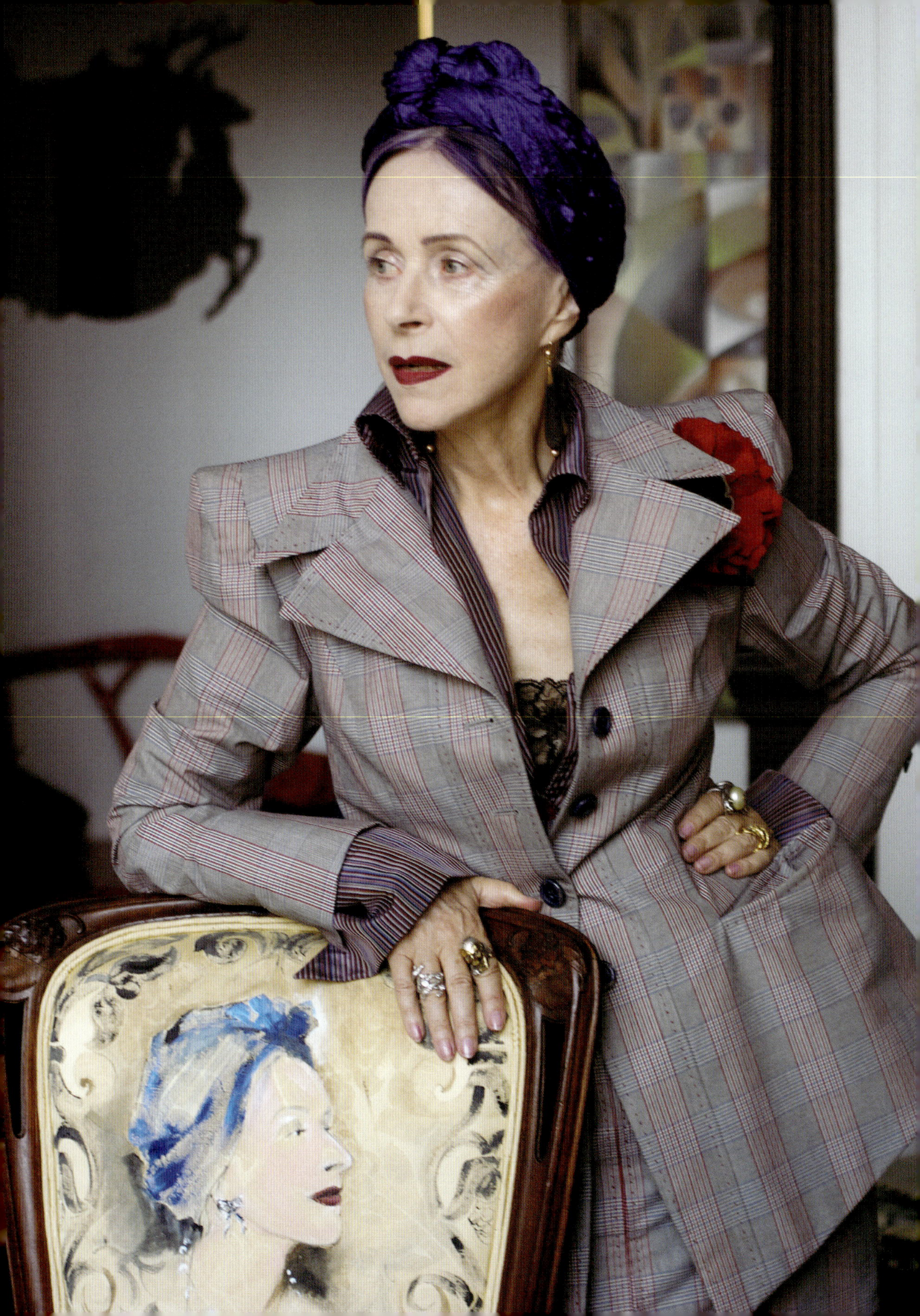

"In your body is a good place to be."

「自分の体の中こそが、心地よい場所」

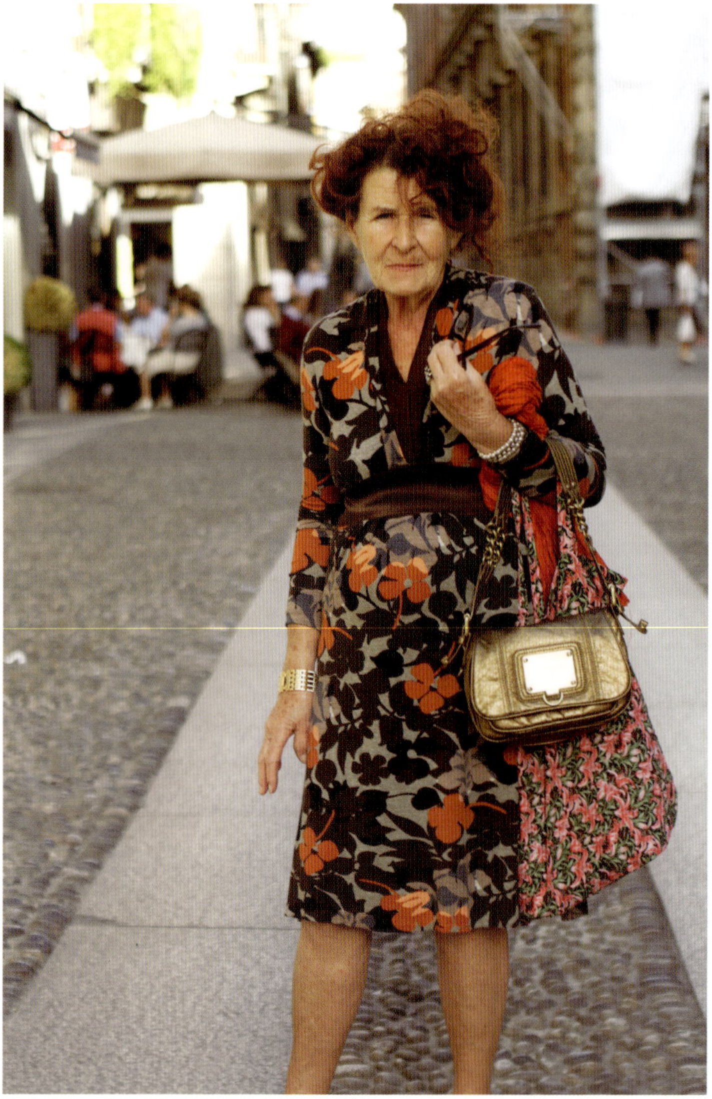

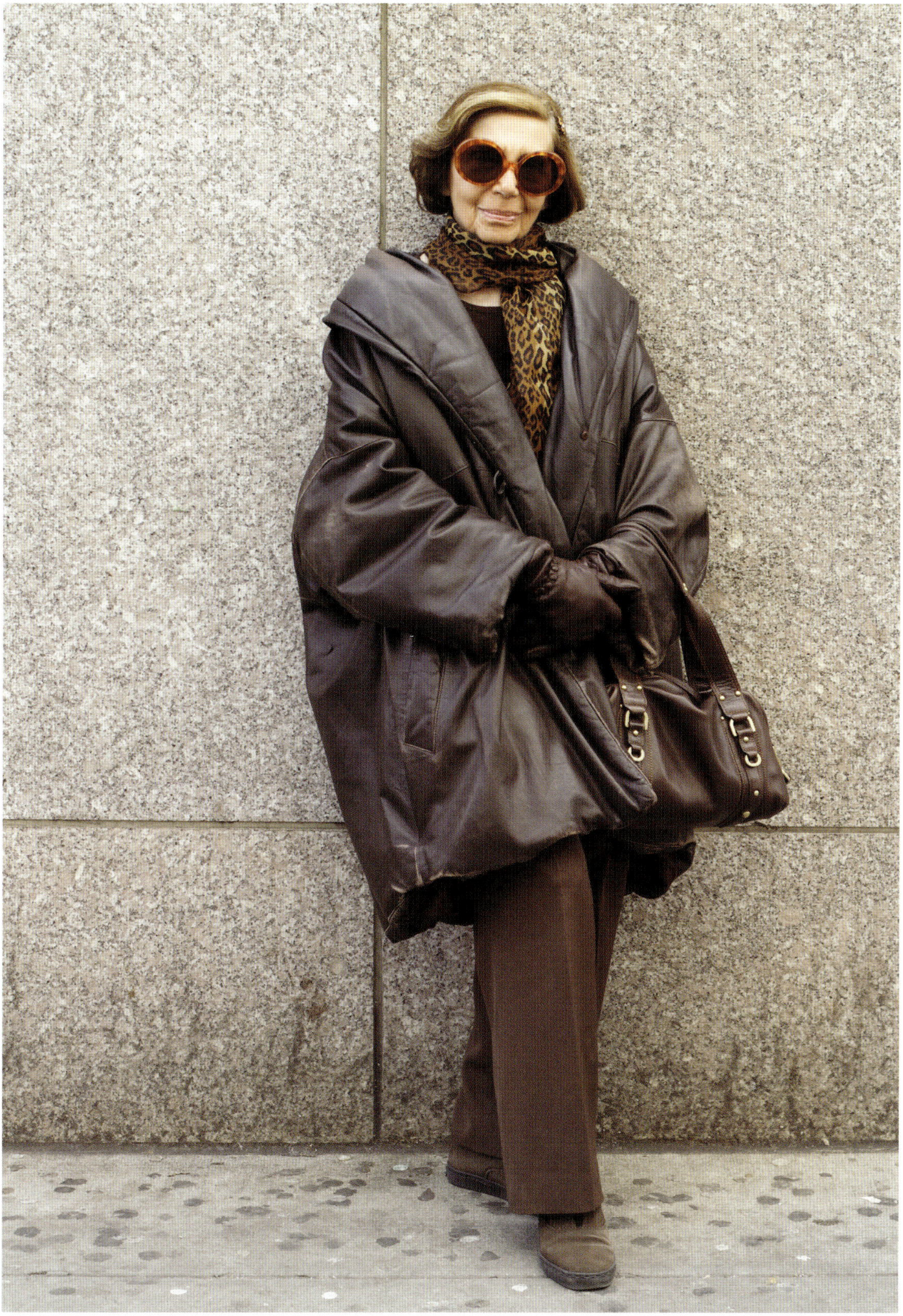

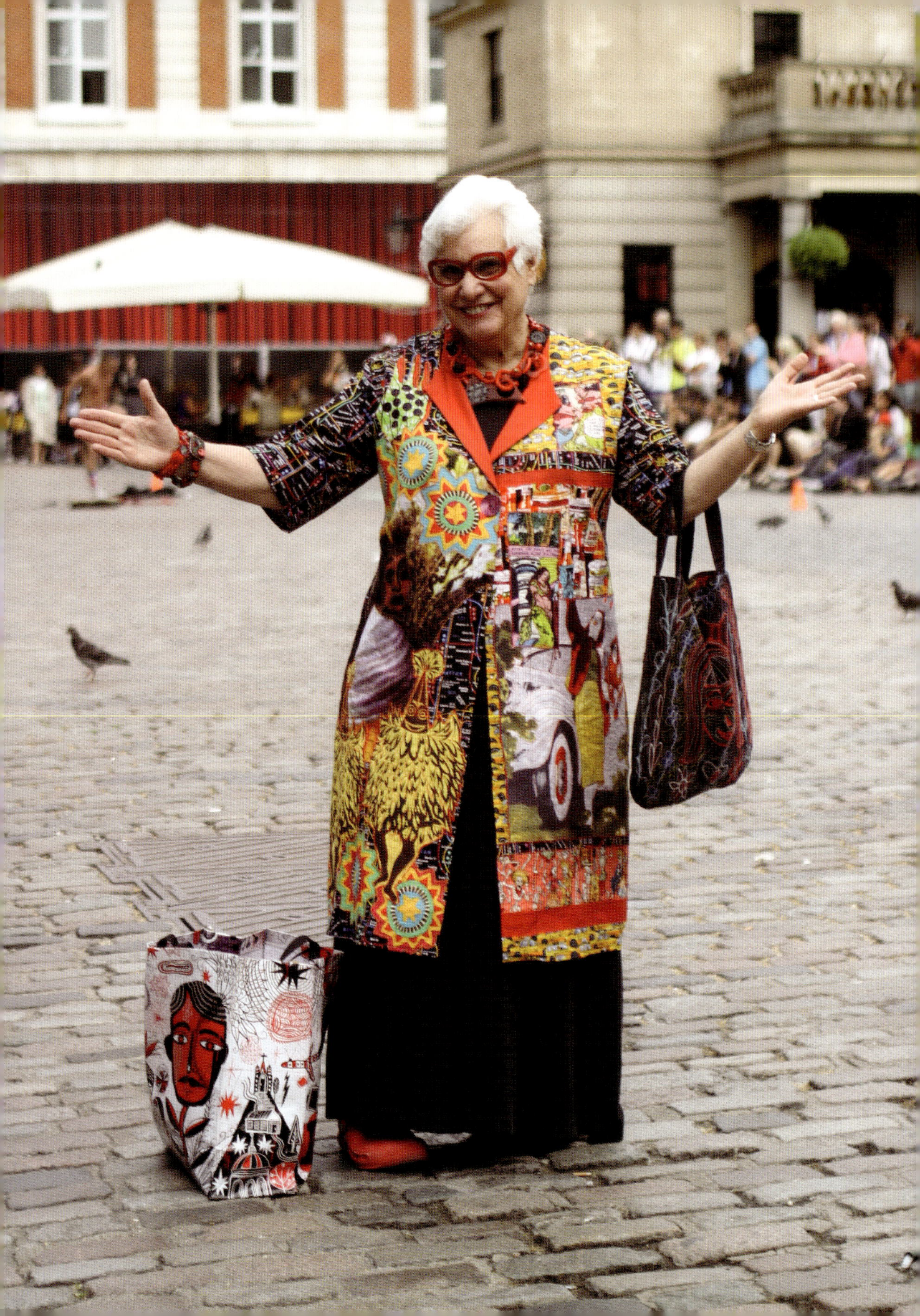

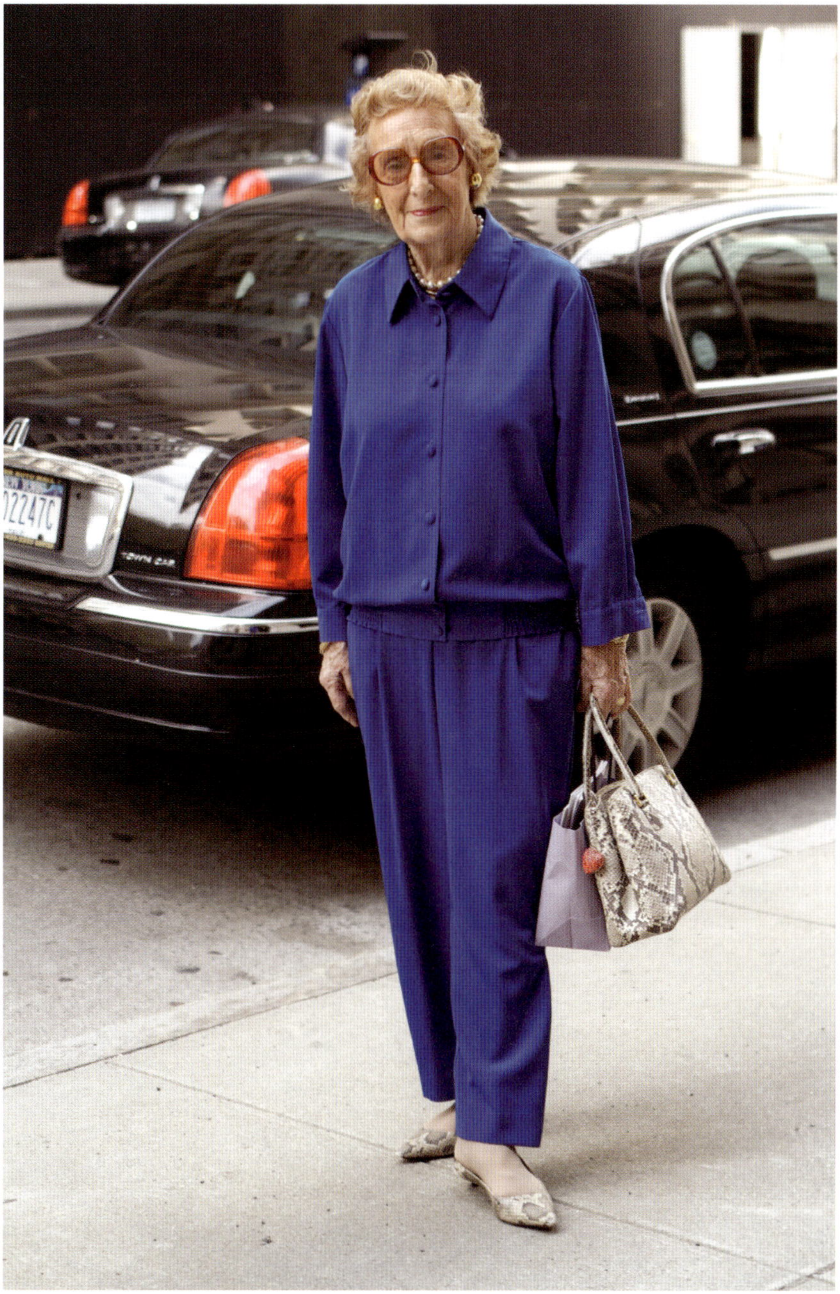

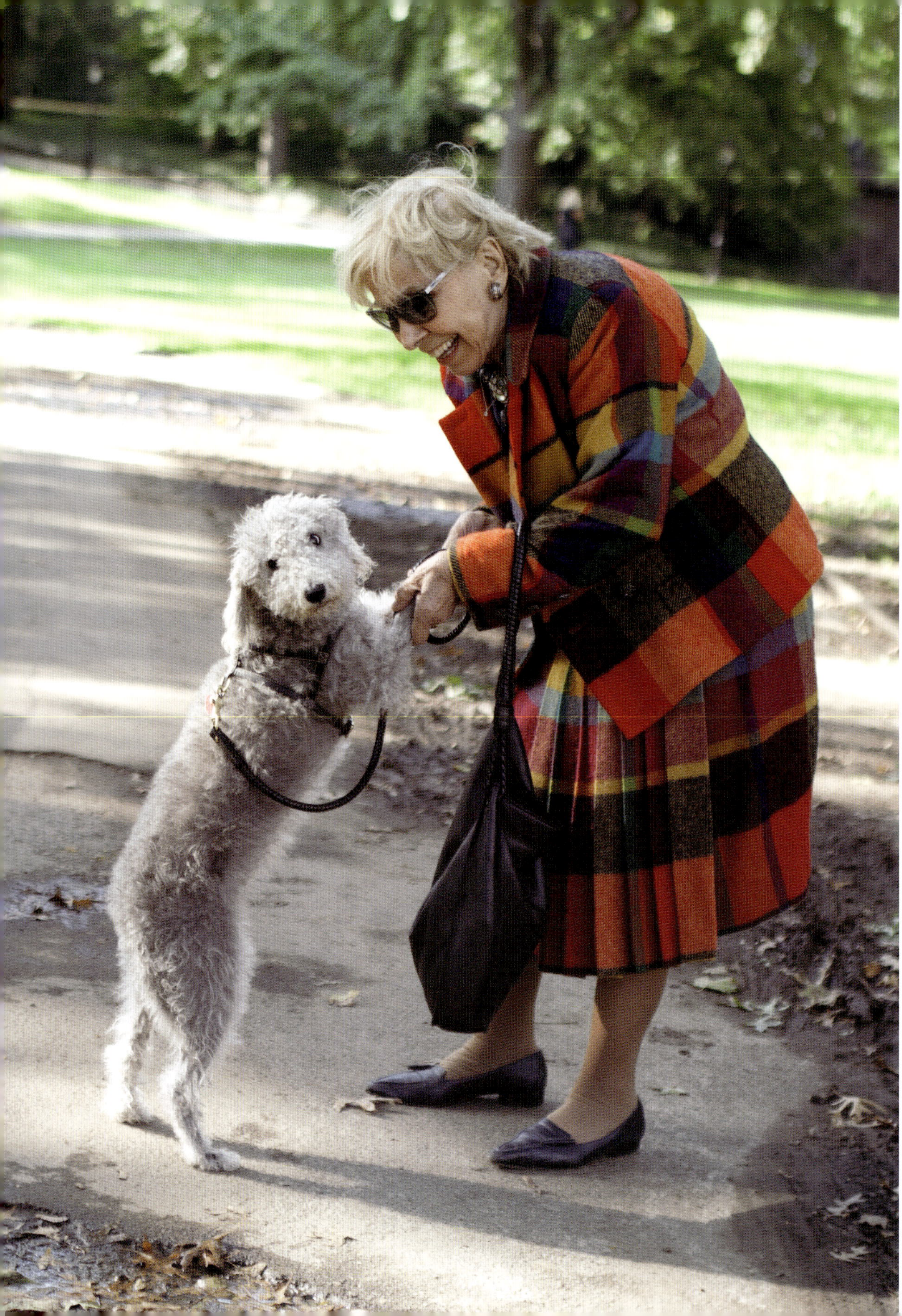

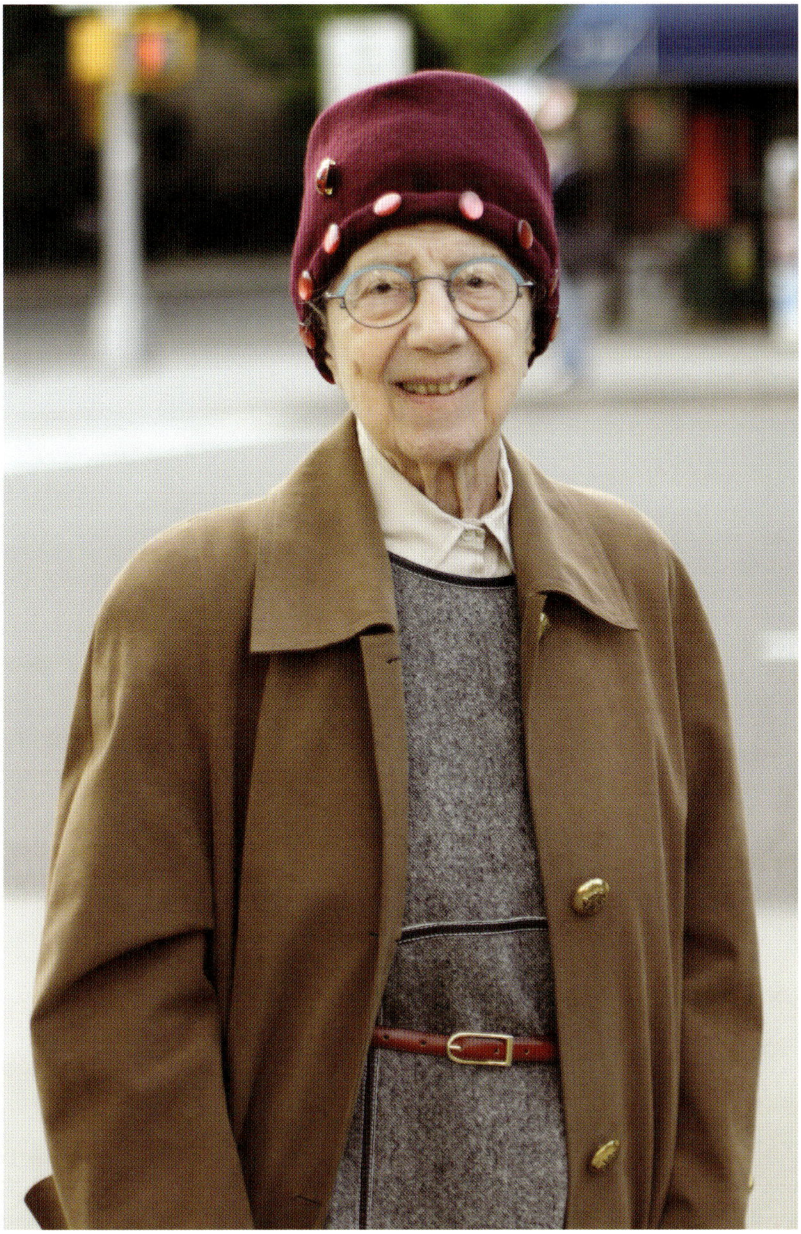

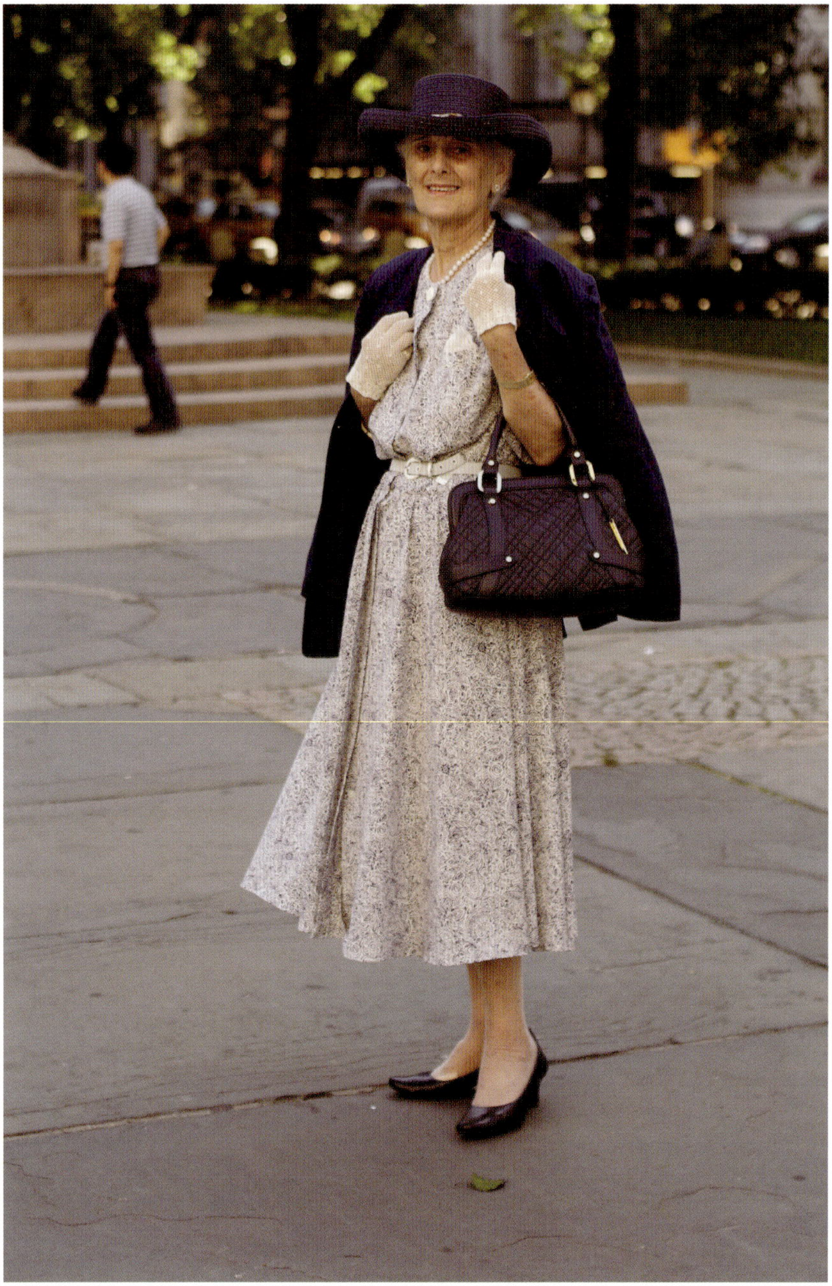

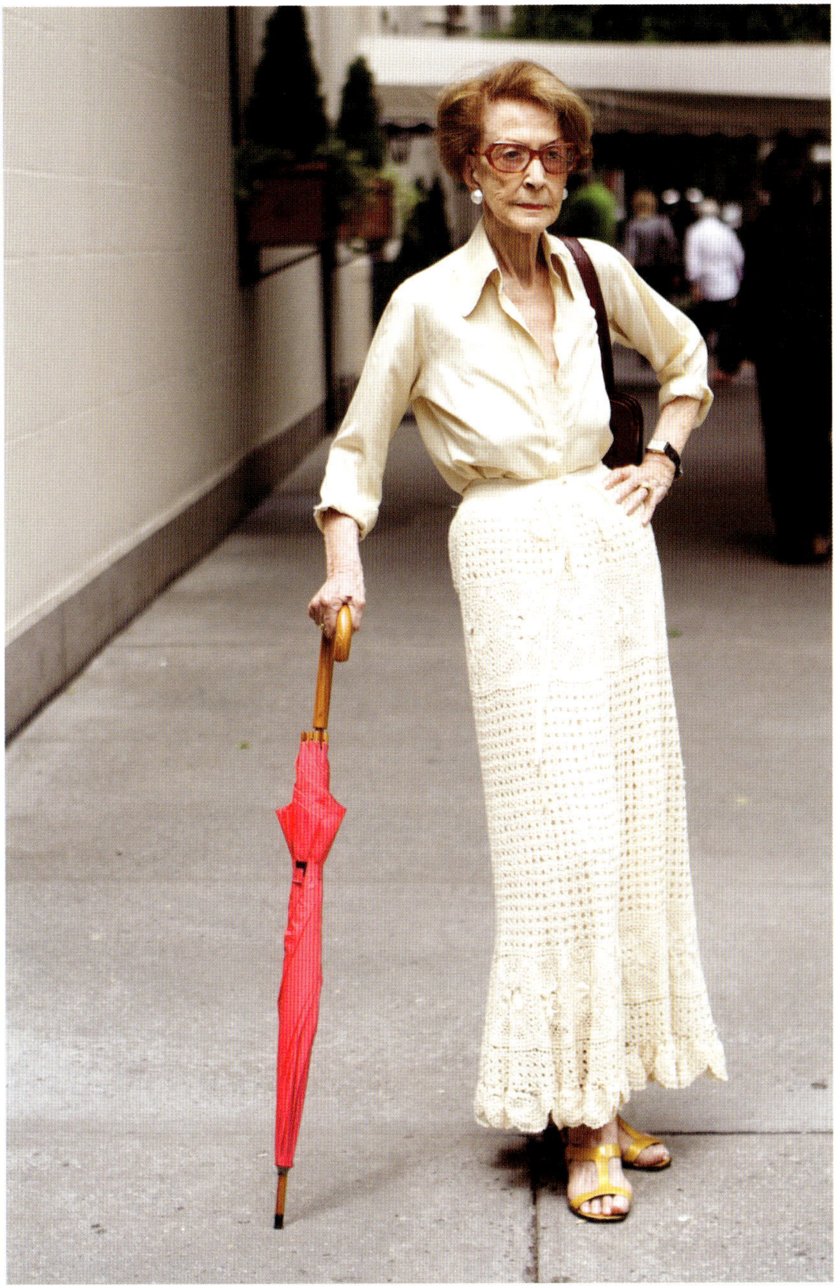

At 80 years old, **Joyce** has acquired a lifetime of style wisdom and insight. For her, elegance is of the utmost importance—a quality, in her opinion, that is refined with age. Rarely seen without her signature pearls and a gorgeous pair of gloves, Joyce is the epitome of classic beauty and charm.

80歳のジョイスは、今まで一生分のファッションの知恵と洞察力を身につけてきた。
その中でも彼女にとってもっとも大切なスタイルの要素は、エレガンスだ。
そしてクオリティーは年齢によって洗練されていくものなのだと言う。
特徴的なパールとゴージャスな手袋をしていない姿はあまり見かけることのないジョイス、
彼女はクラシック・ビューティーとその魅力の縮図なのである。

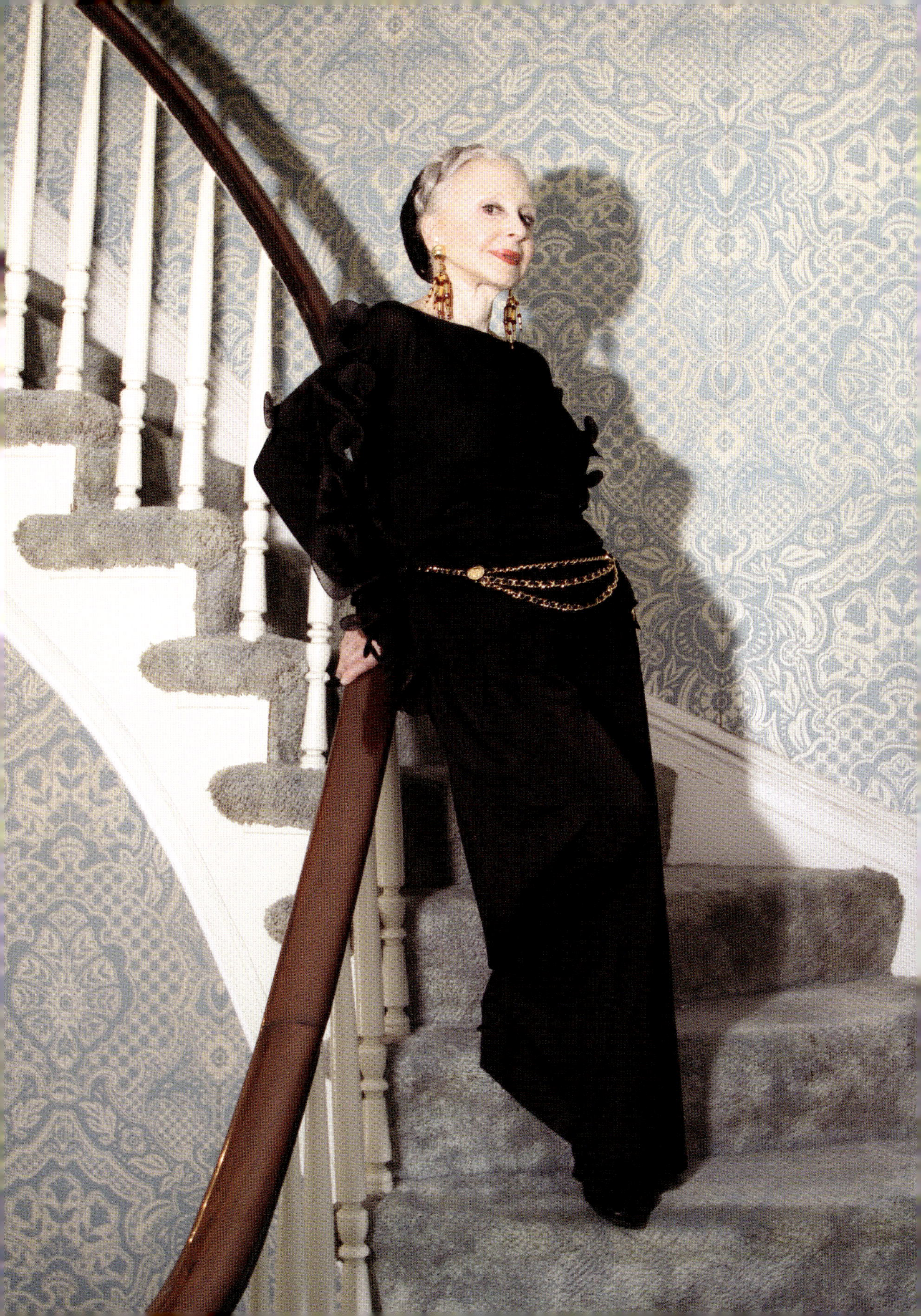

"Style is about the right jewelry, the right know-how, the right neckline, and above all, the right attitude."

「スタイルとは、正しいジュエリーと、
正しいノウハウに首のライン、
そして何よりも、正しい振る舞いだわ」

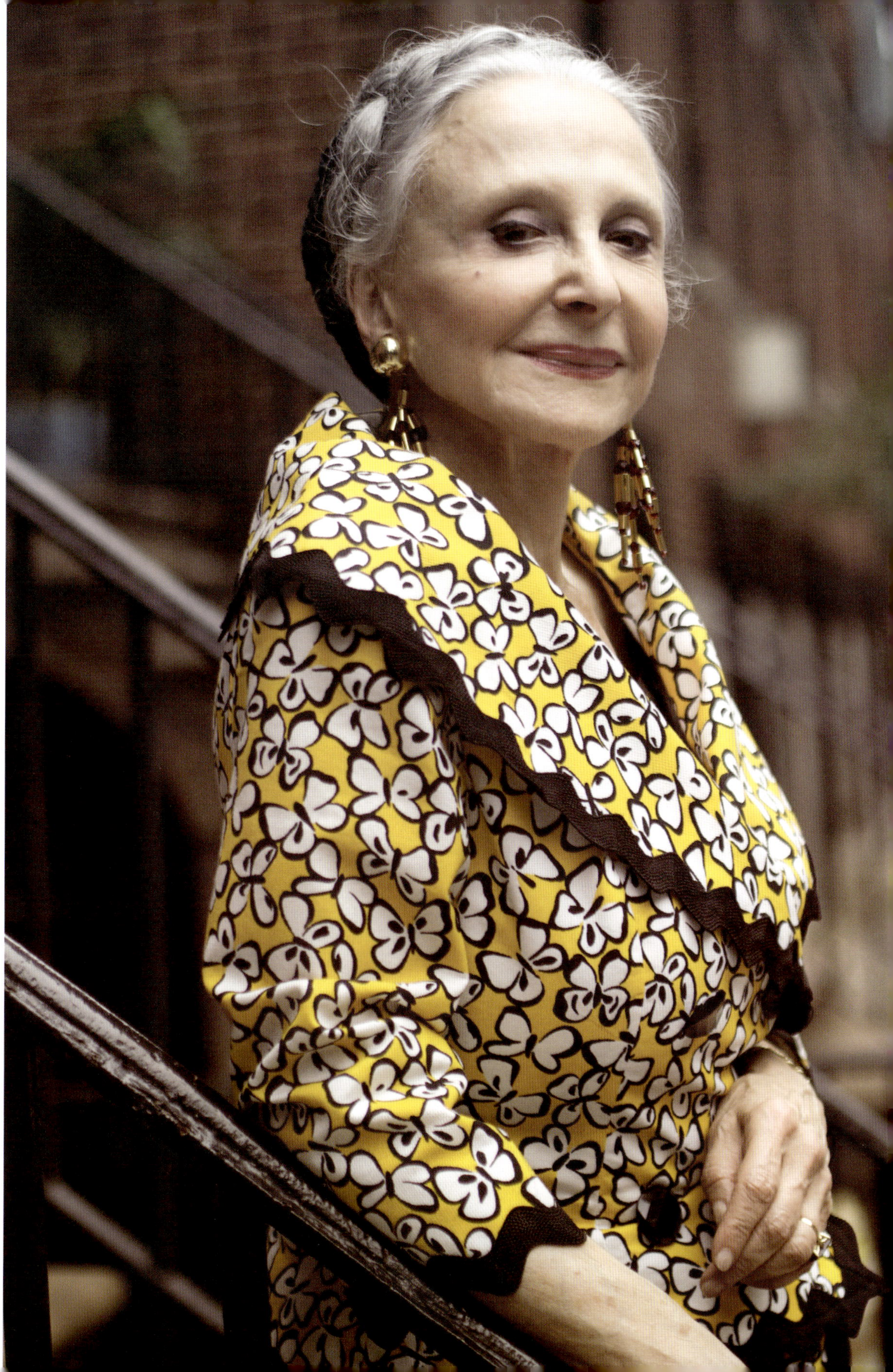

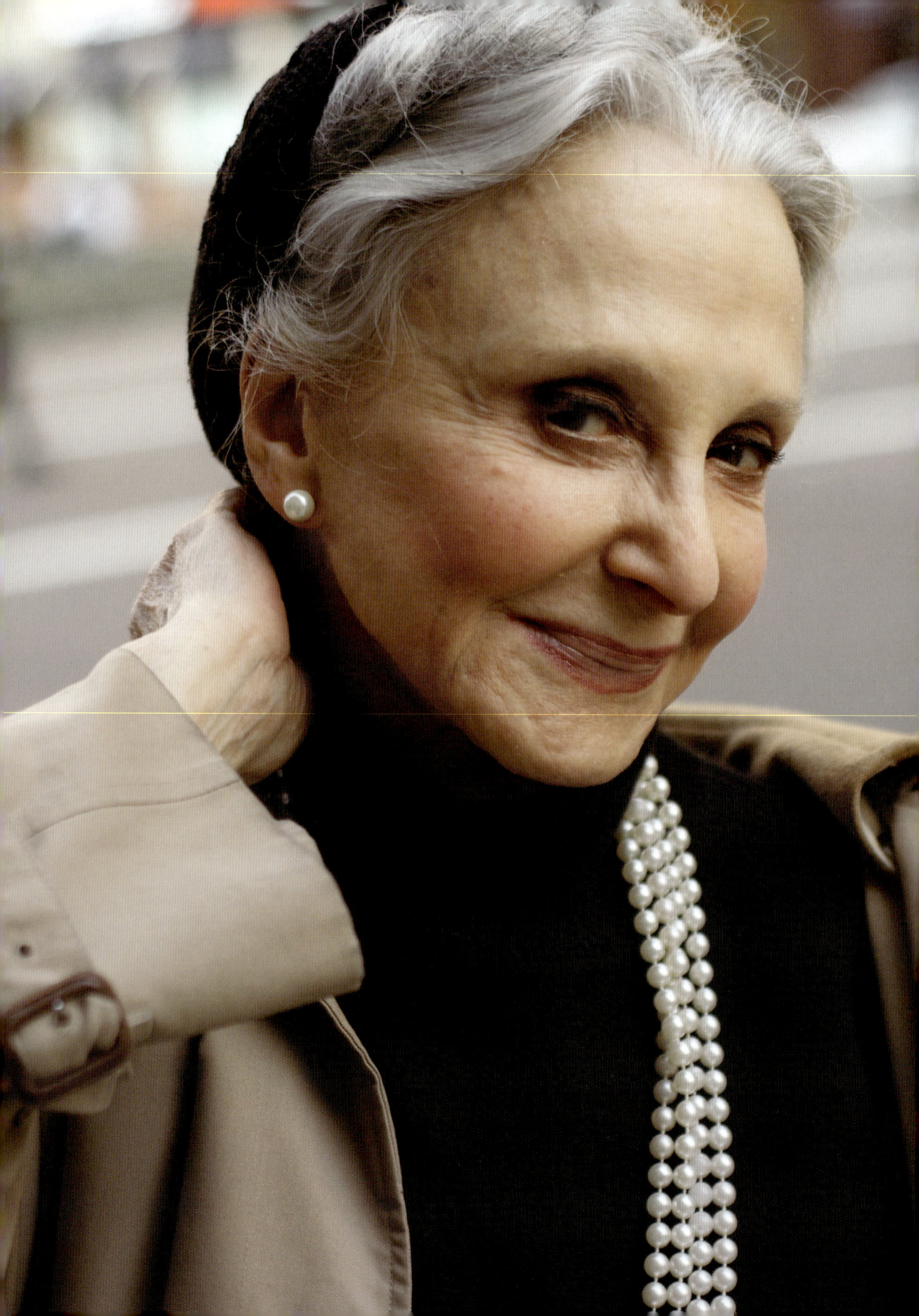

"You know, for an older woman I don't go for style, I go after elegance. That's what I go for. It was always elegance."

「大人の女性として、わたしは流行を追いかけずに、
エレガンスを追い求めているの。
常に、エレガンスをね」

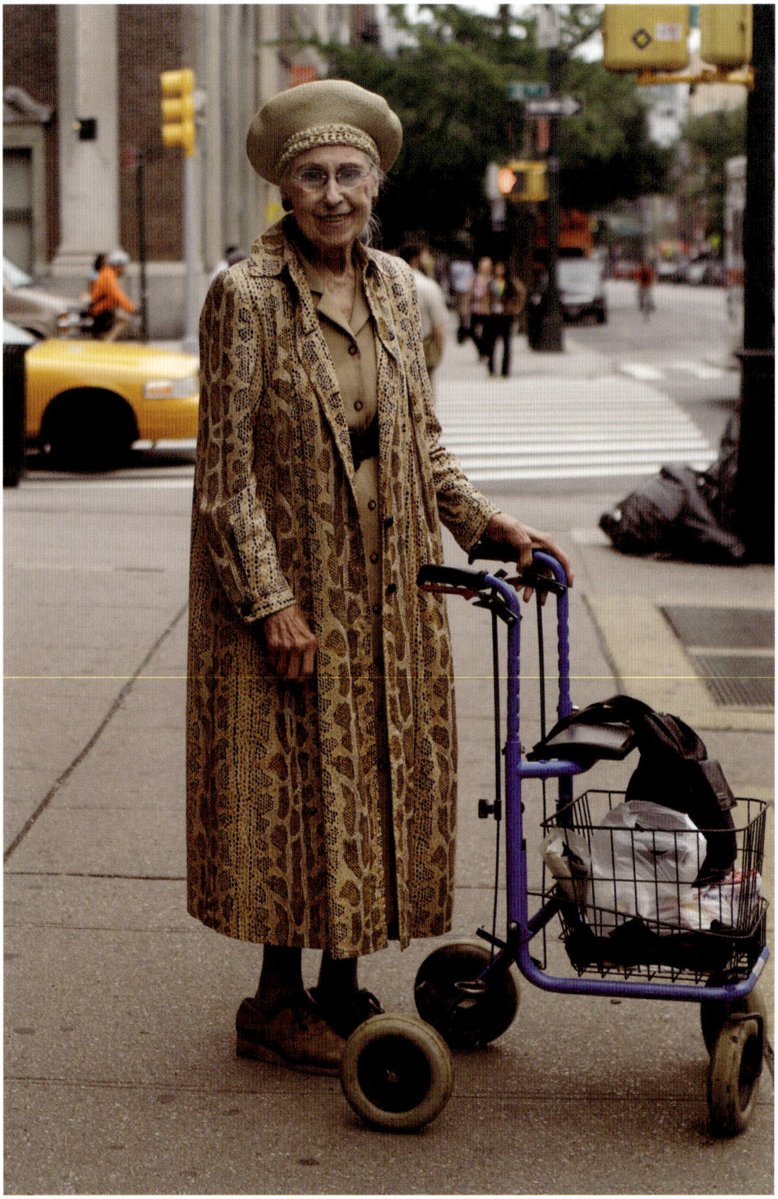

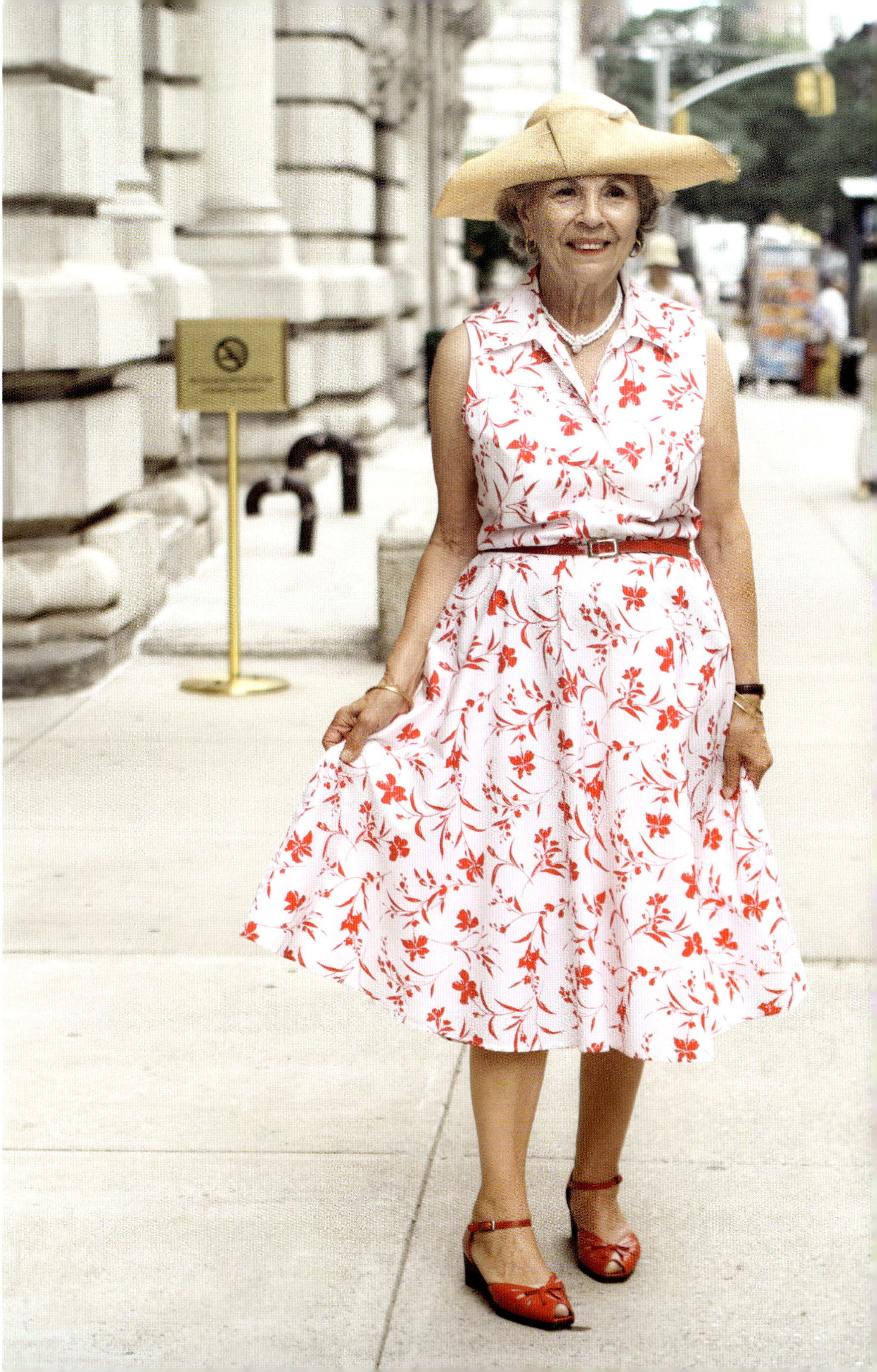

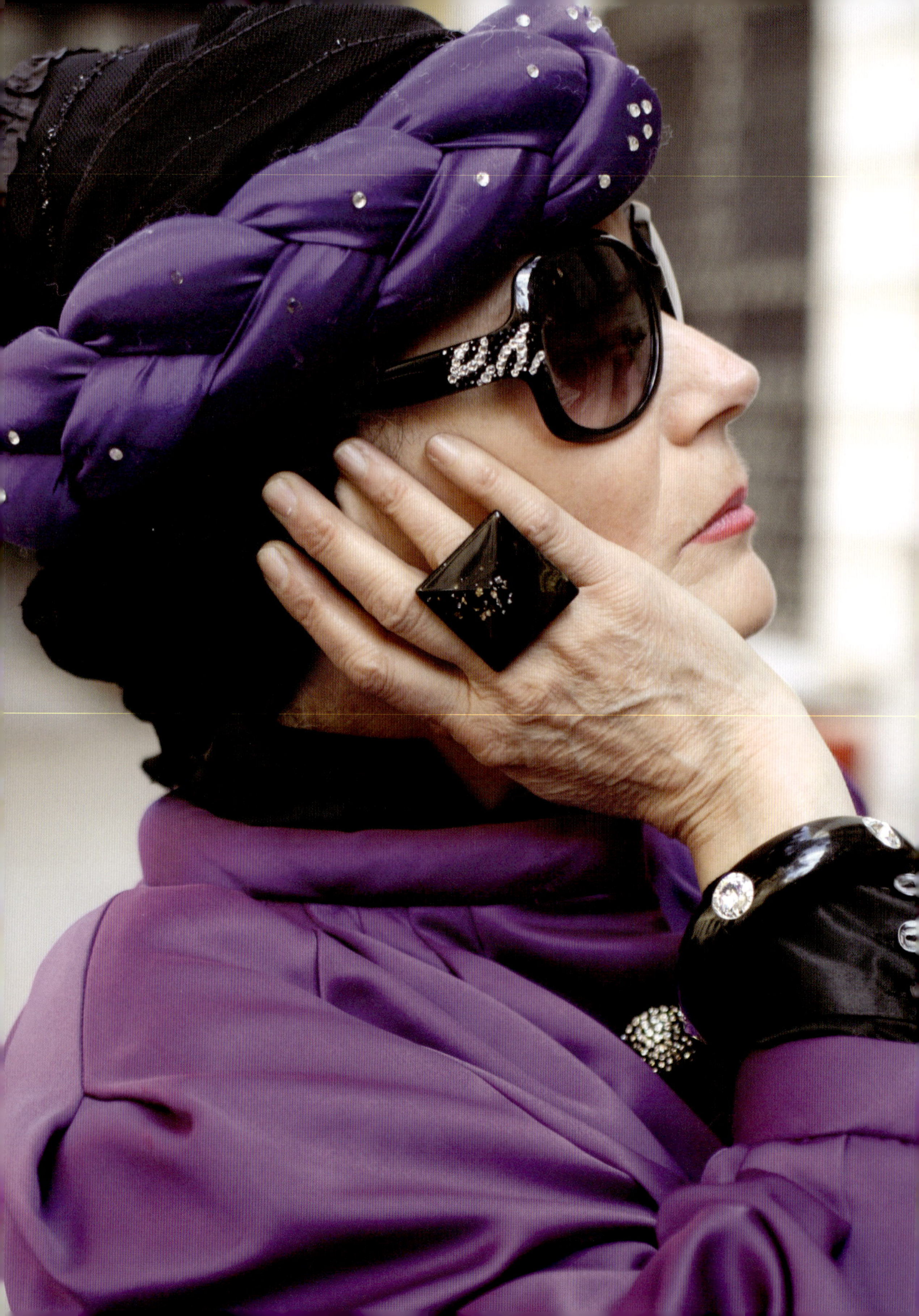

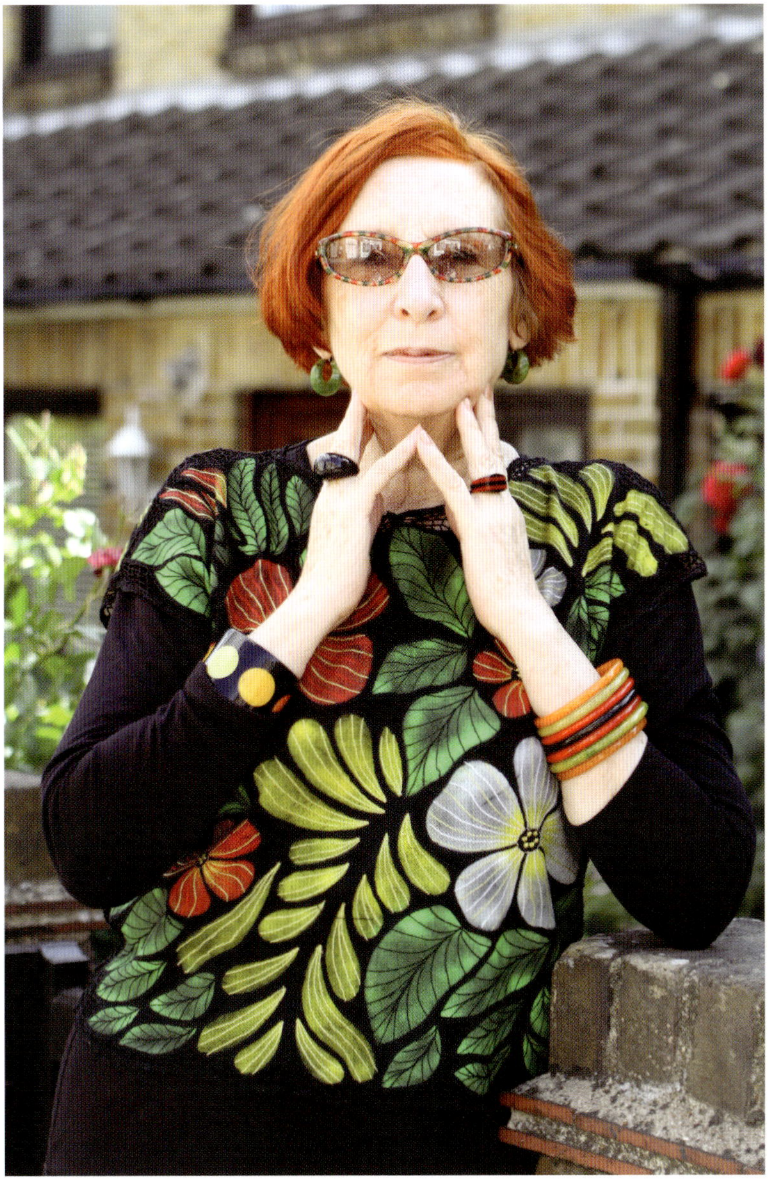

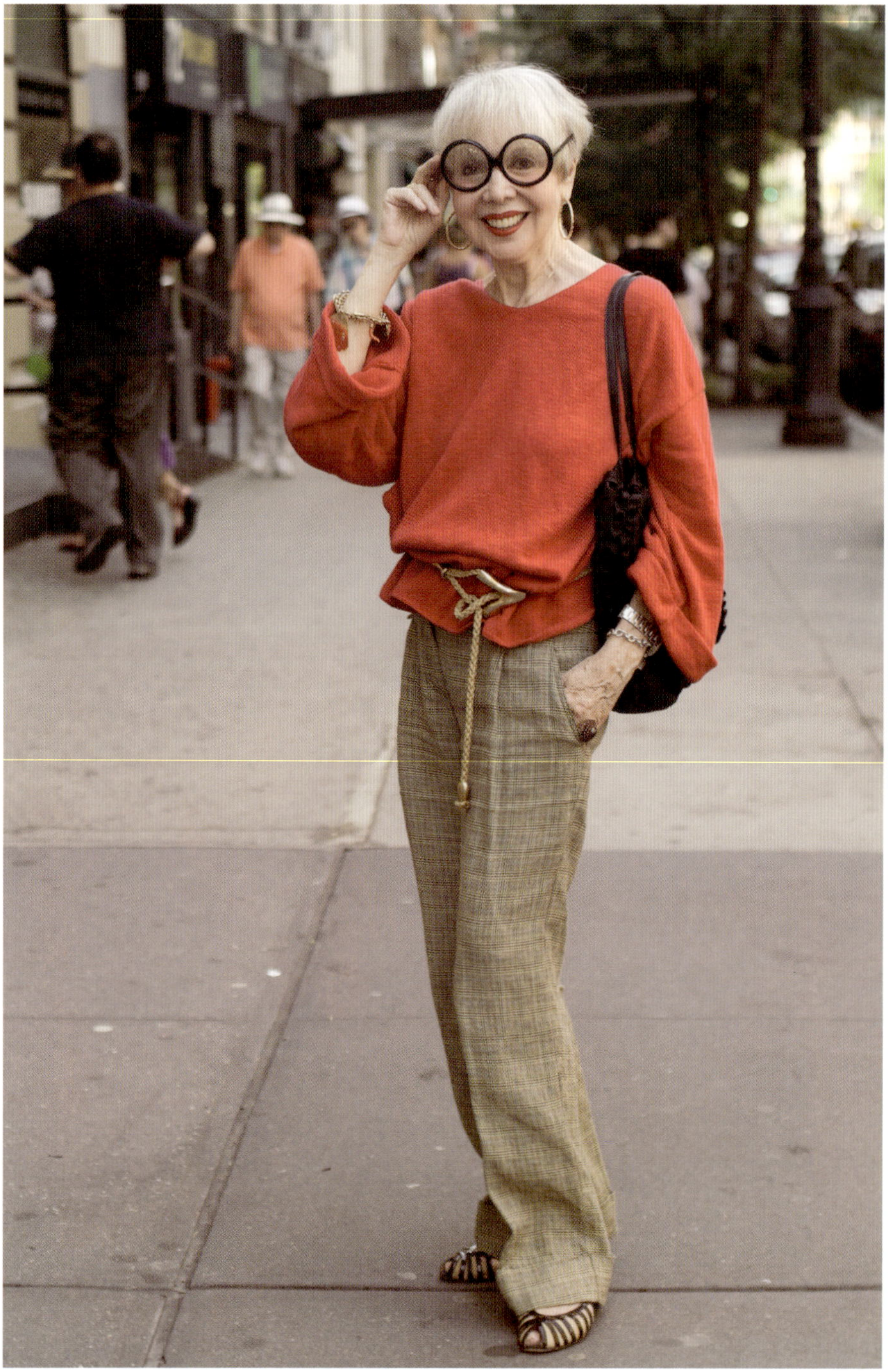

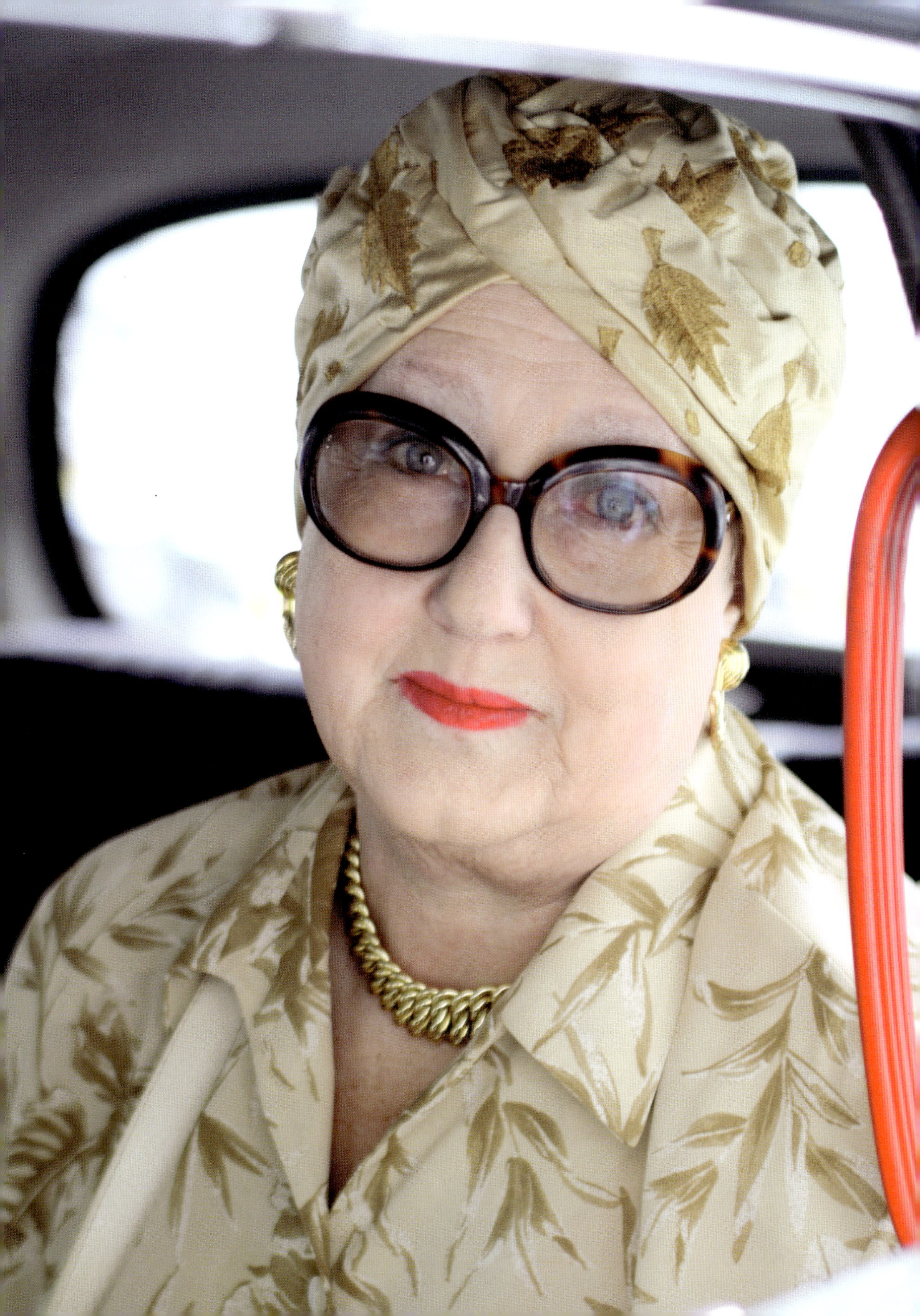

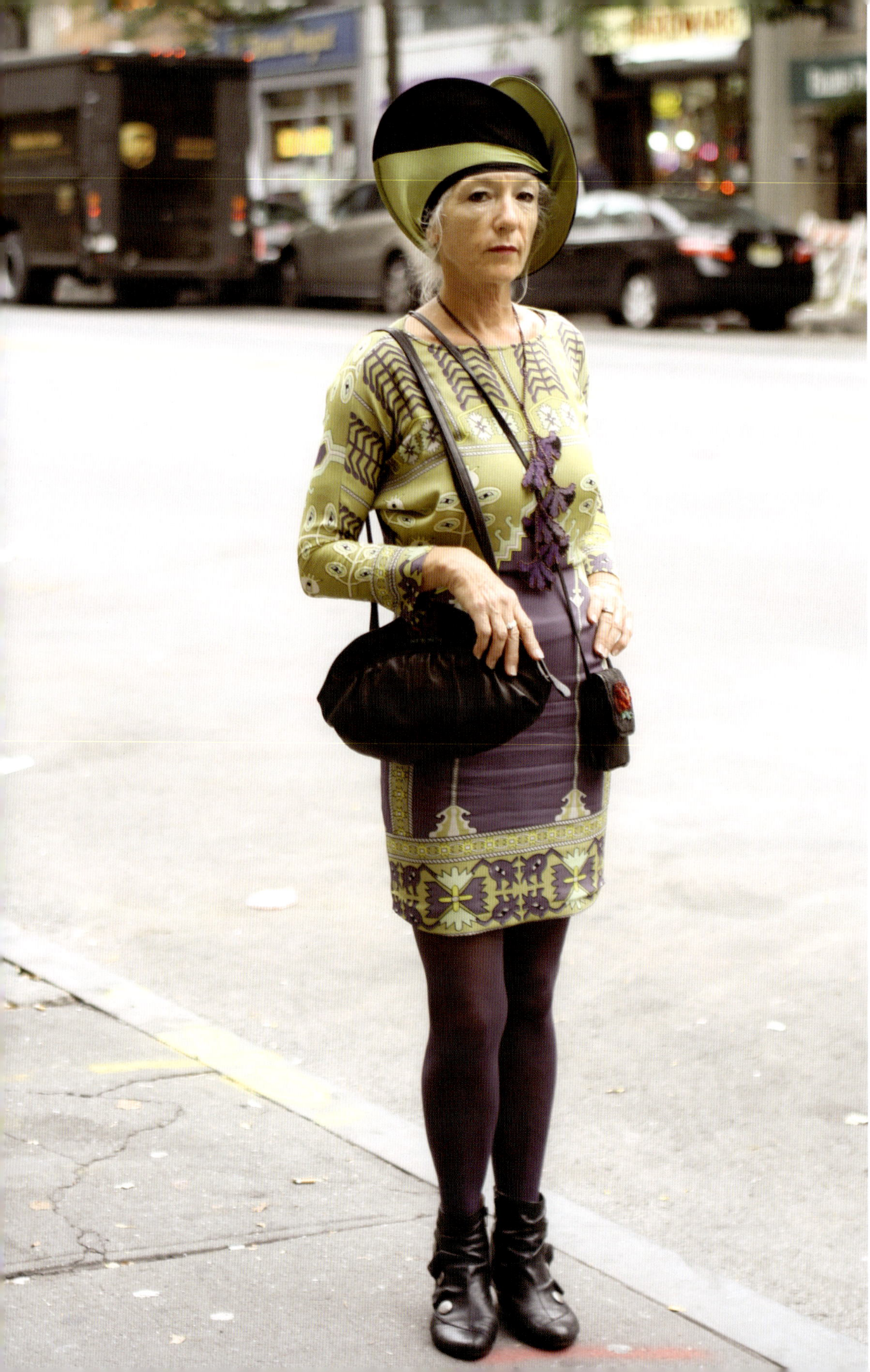

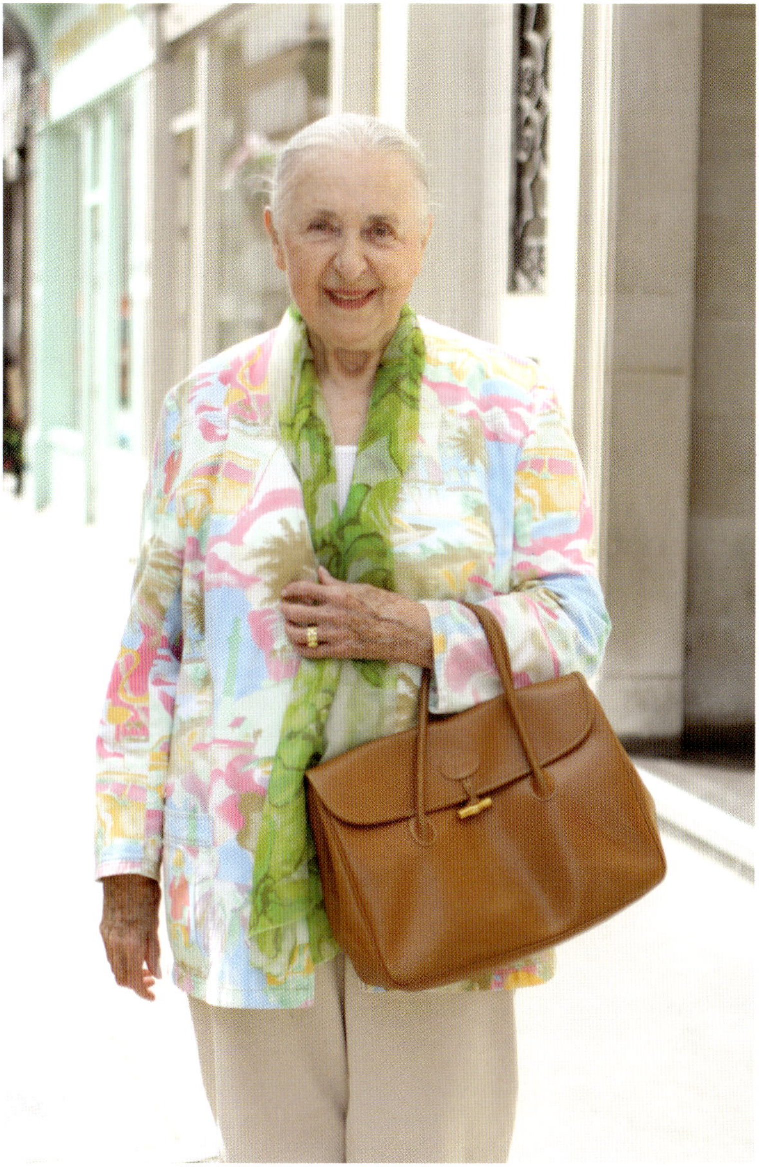

Vintage styles are a favorite among the *Advanced Style* set and **Linda** is definitely no exception. She wears her 1930s-inspired looks with a sophistication unique to women of a certain age. Linda's perfectly tailored suits aren't complete without one of her handsome hats and some well-chosen accessories.

ヴィンテージ・スタイルはAdvanced Styleの女性たちに人気で、リンダも例外ではない。
彼女は1930年代のファッションを洗練させて、この年代の女性にしてはユニークな着こなしをしている。
リンダの完璧に仕立てられたスーツは、かっこいい帽子と選び抜かれたアクセサリーなしには完成しない。

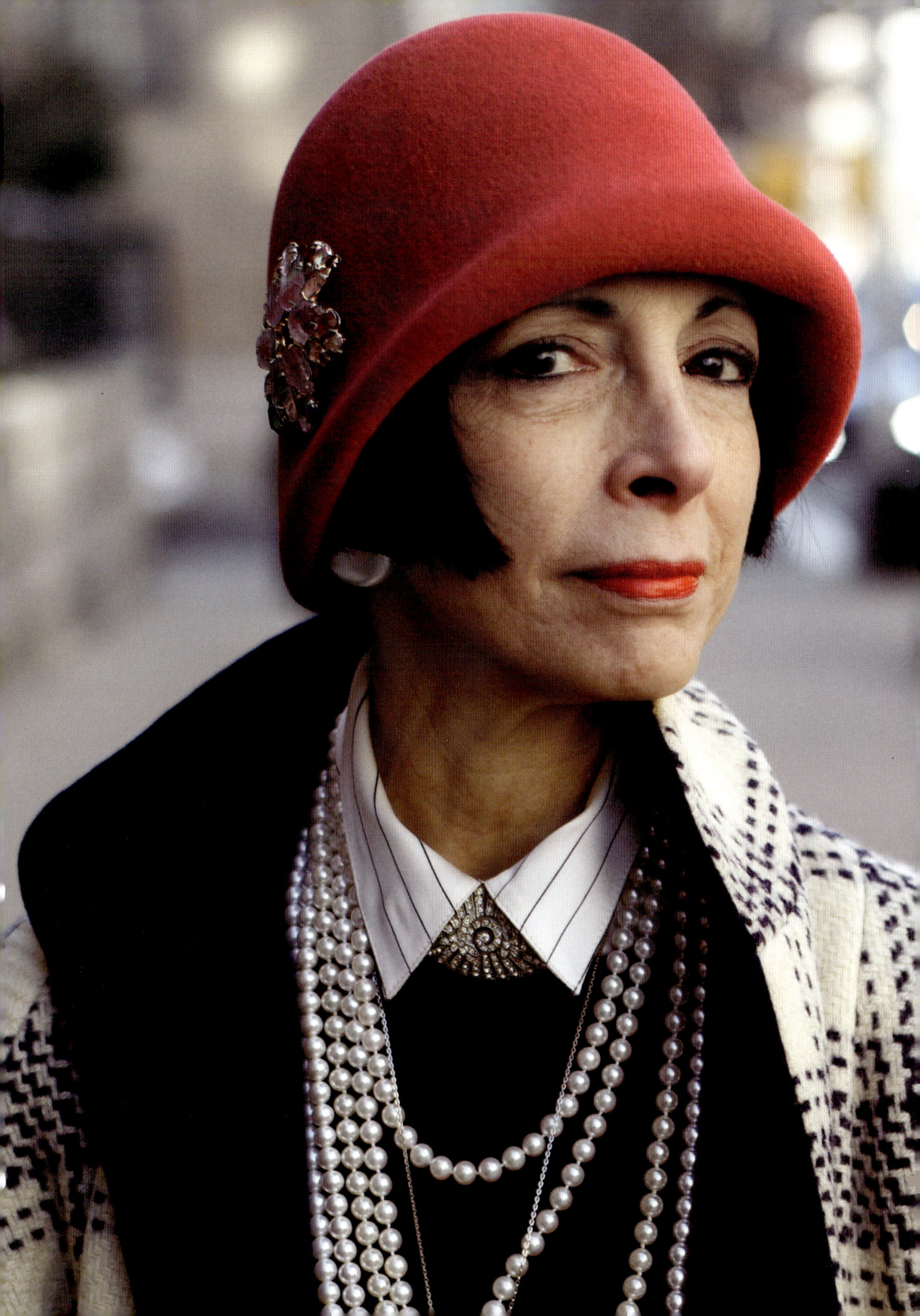

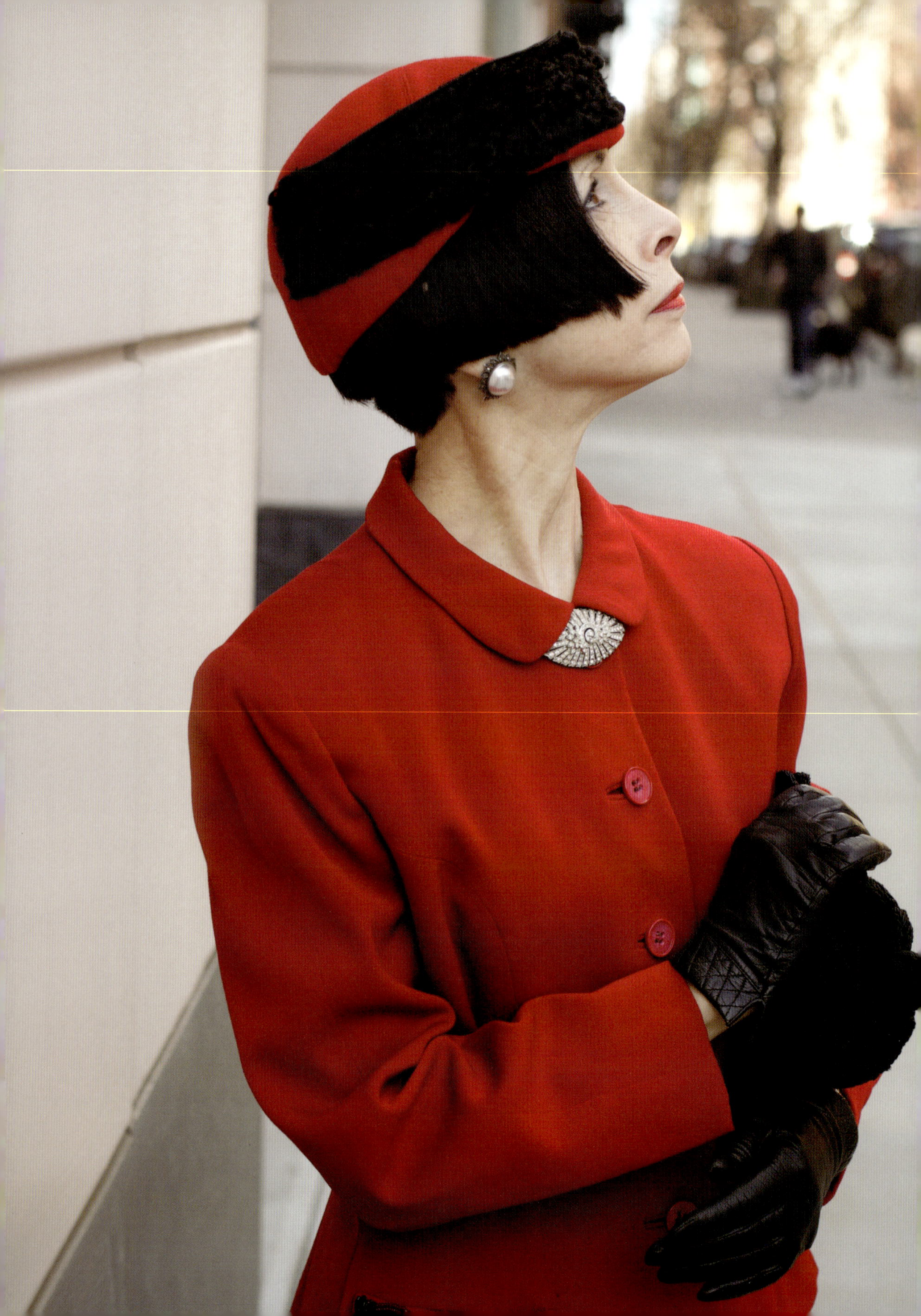

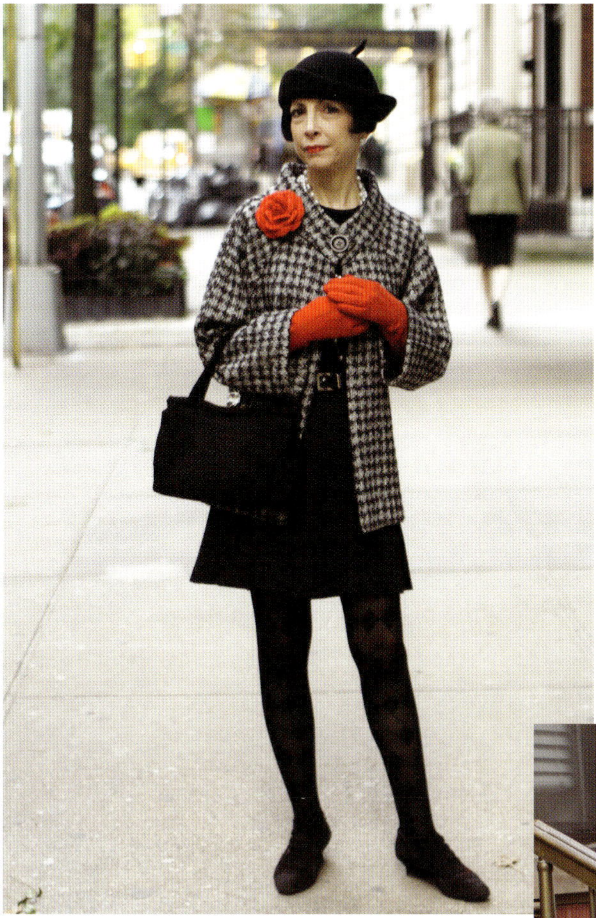

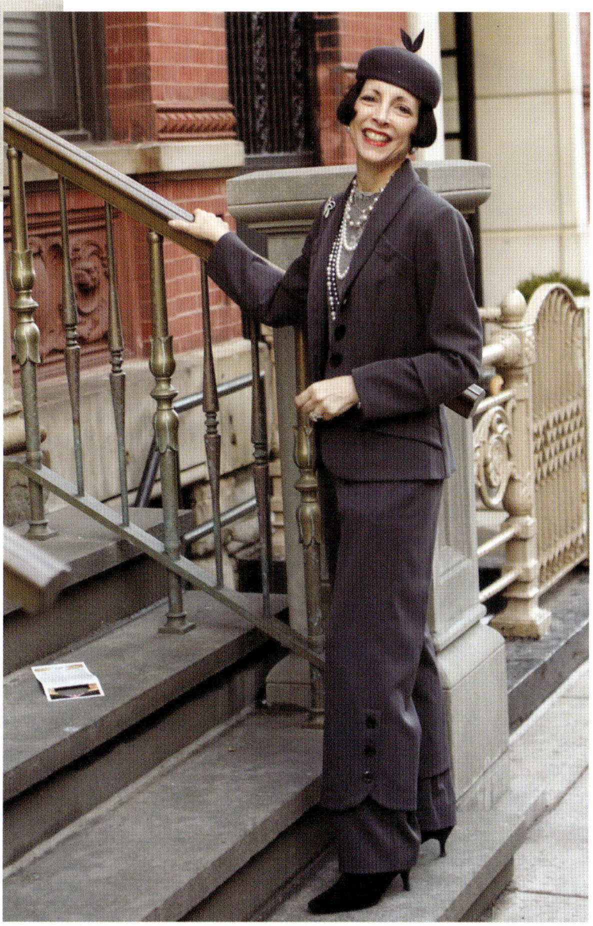

"When you are younger, you dress for other people. When you are older, you dress for yourself."

「若い頃は、他の人のためにドレスアップするのよね。
でも大人になると、自分のためにおめかしするのよ」

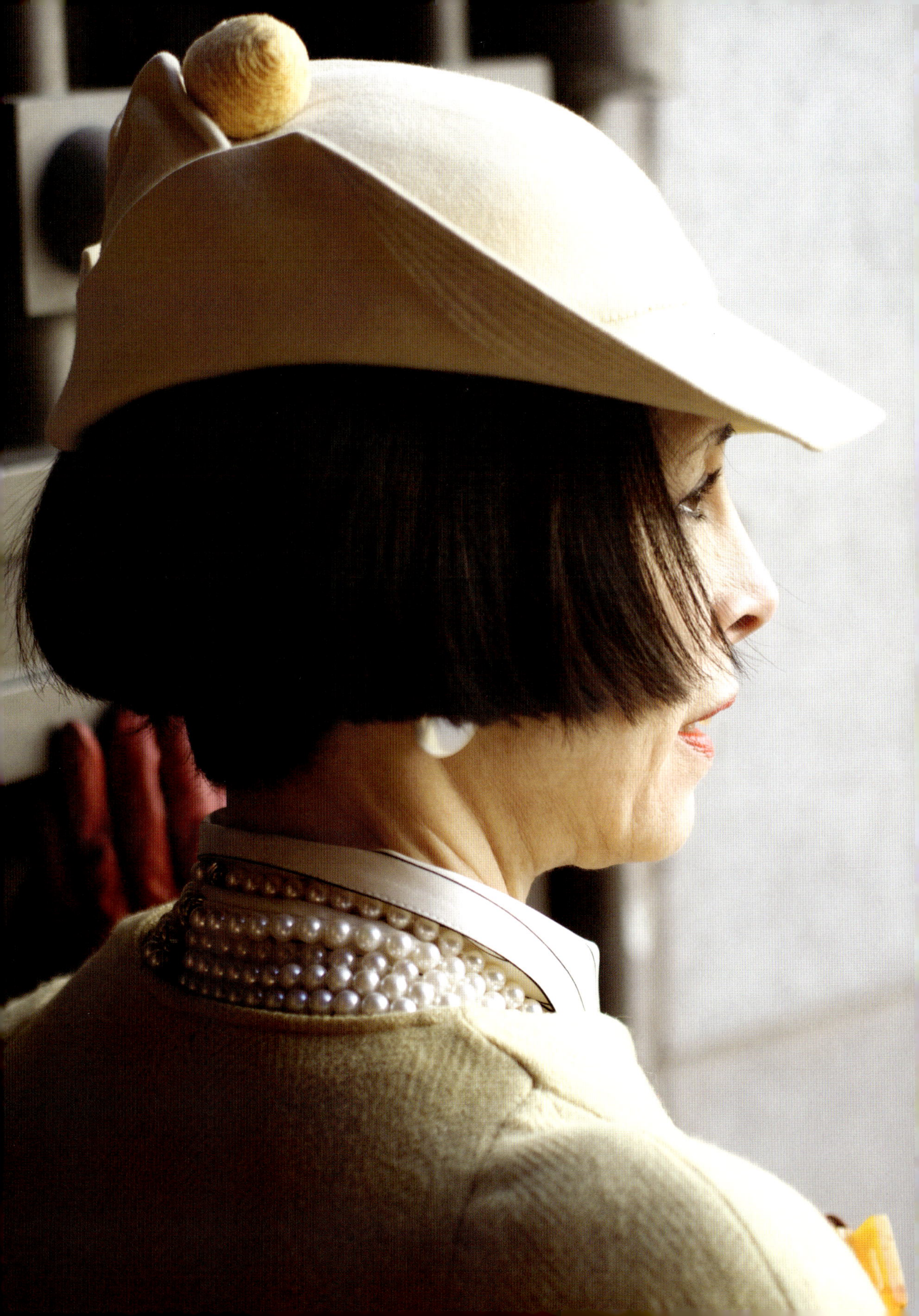

114

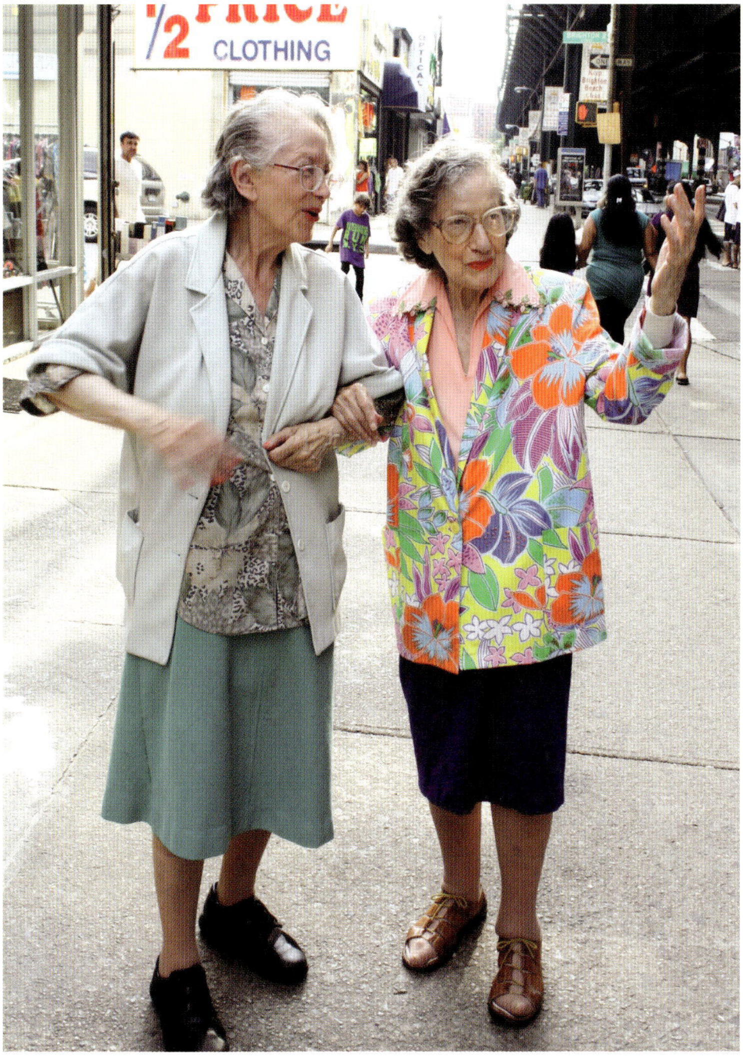
CLOTHING

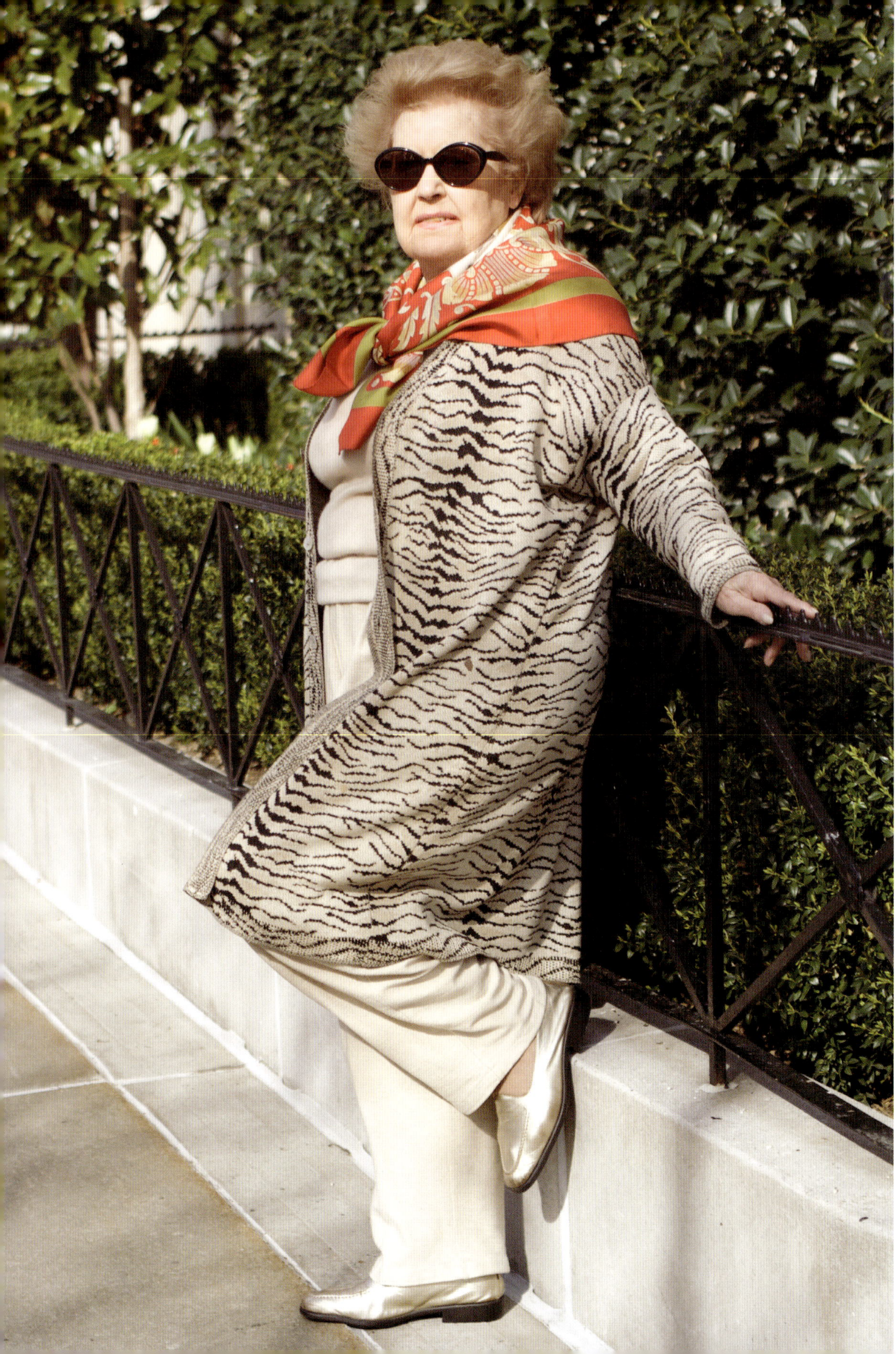

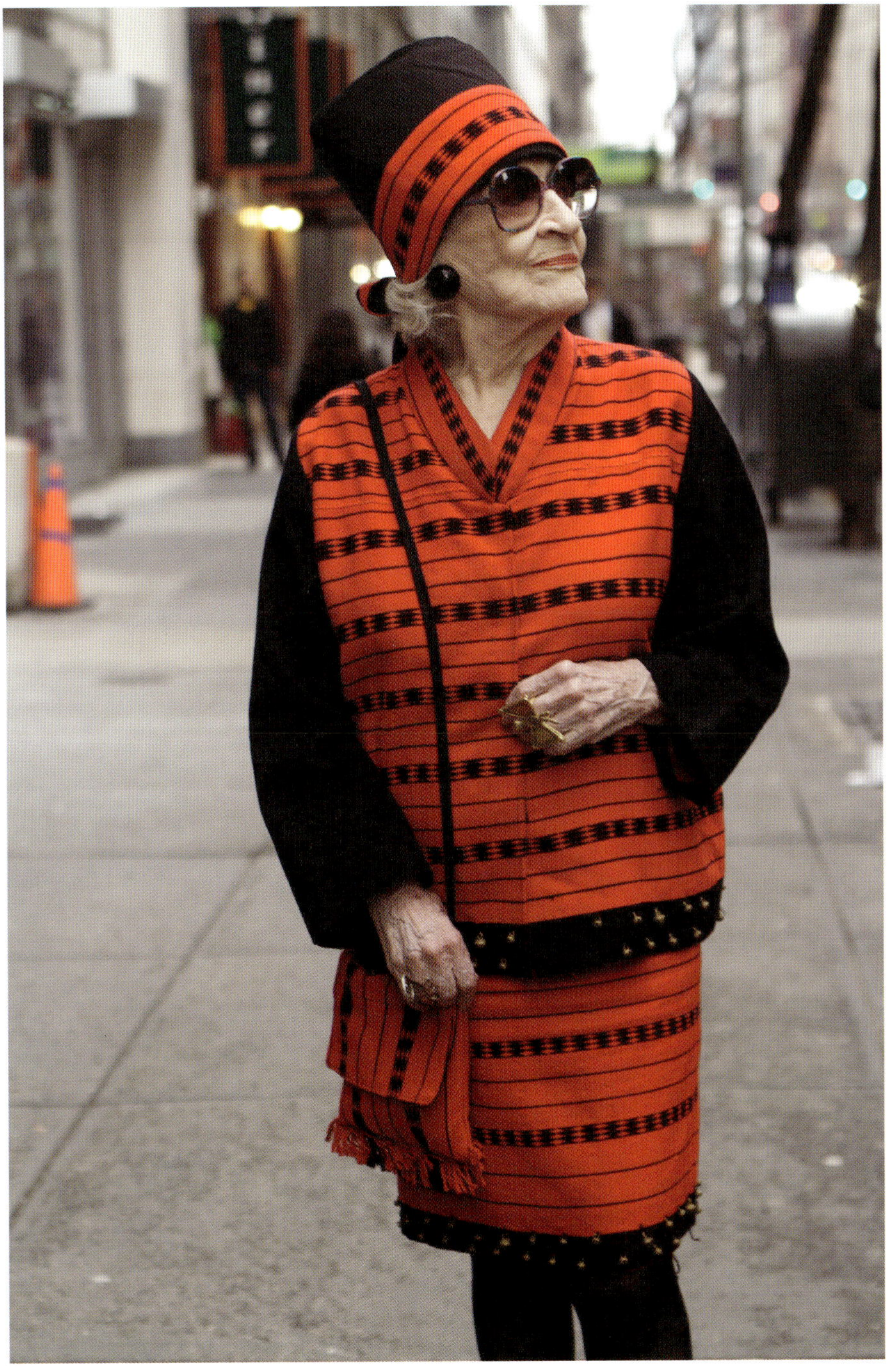

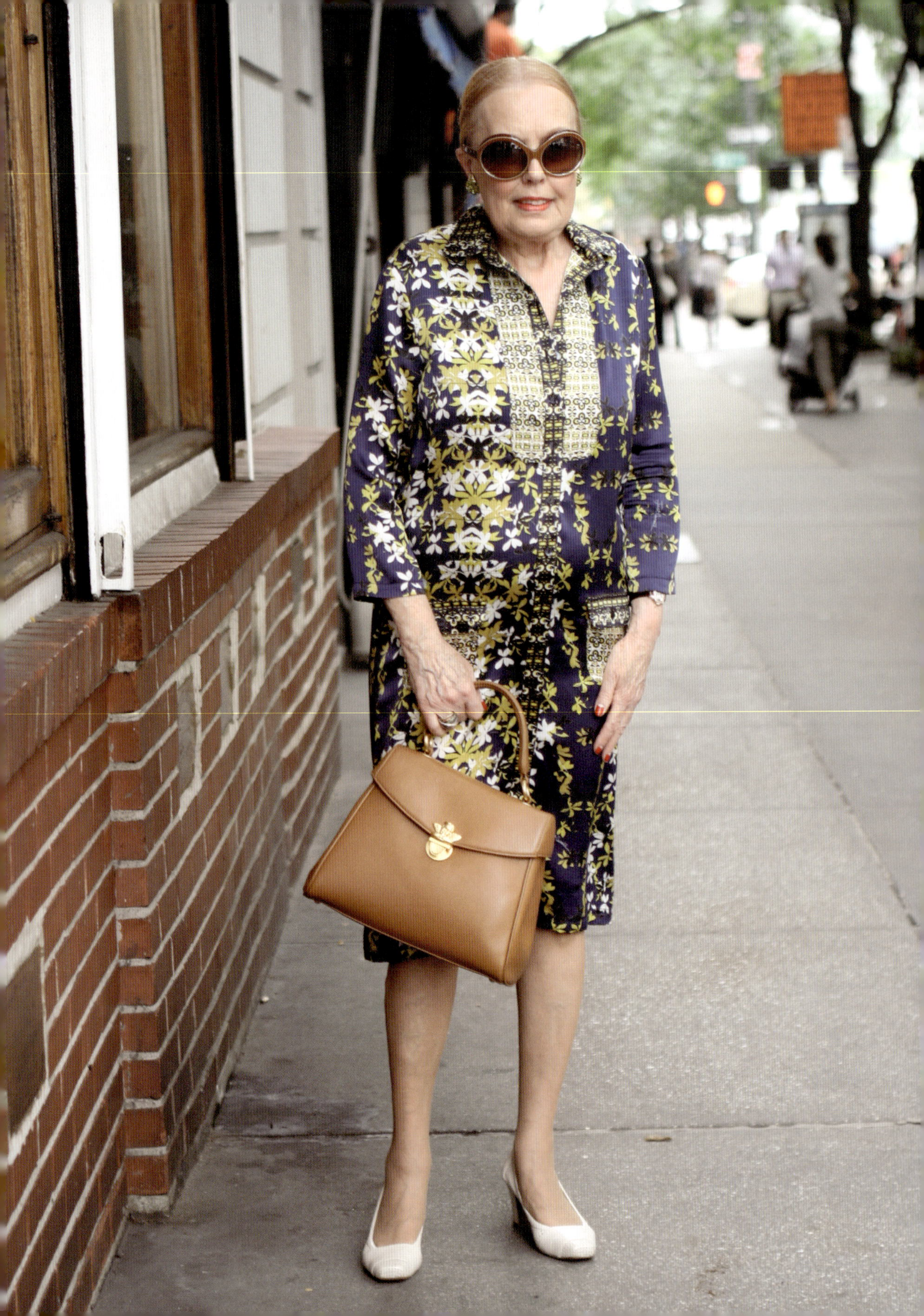

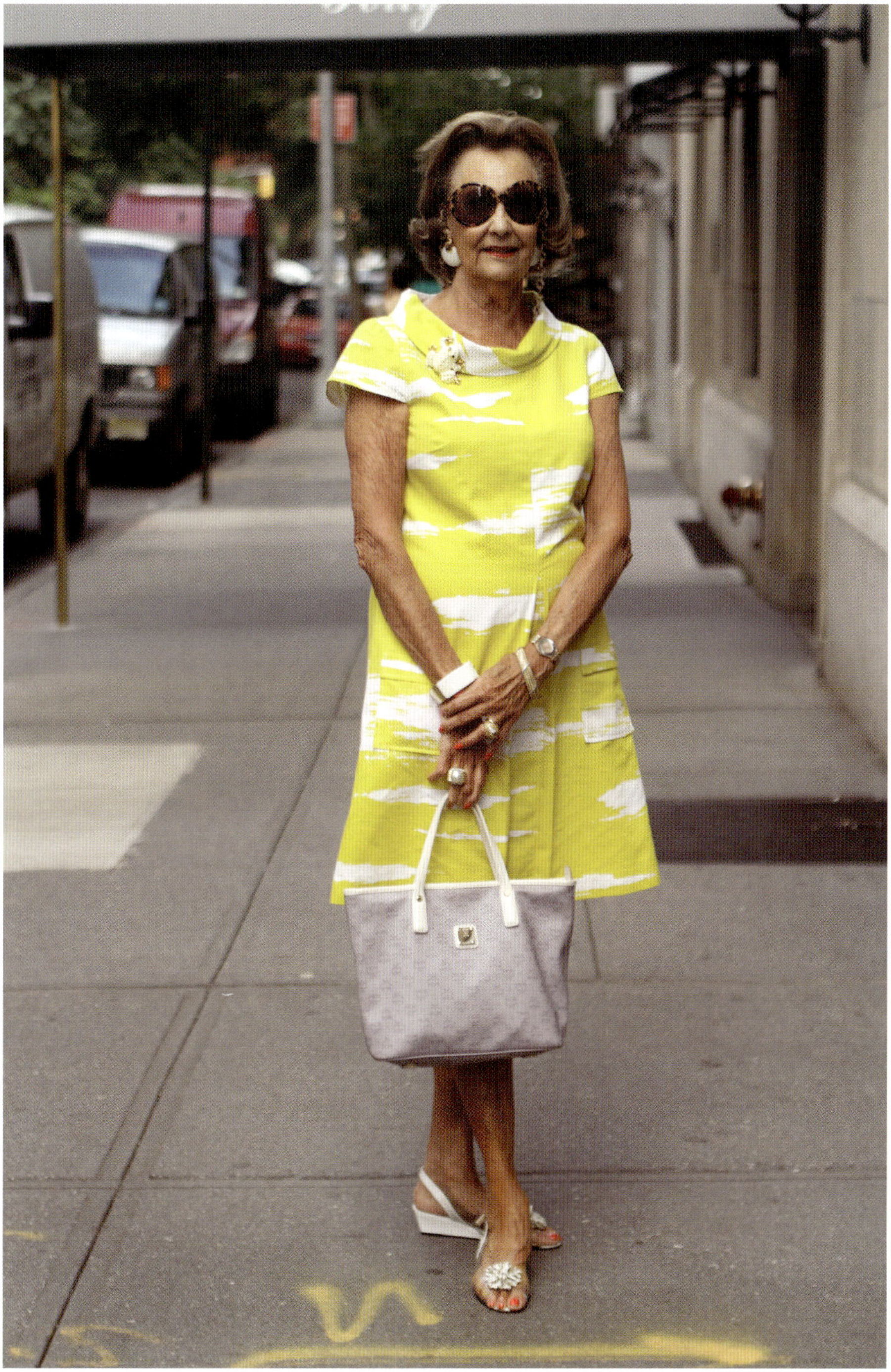

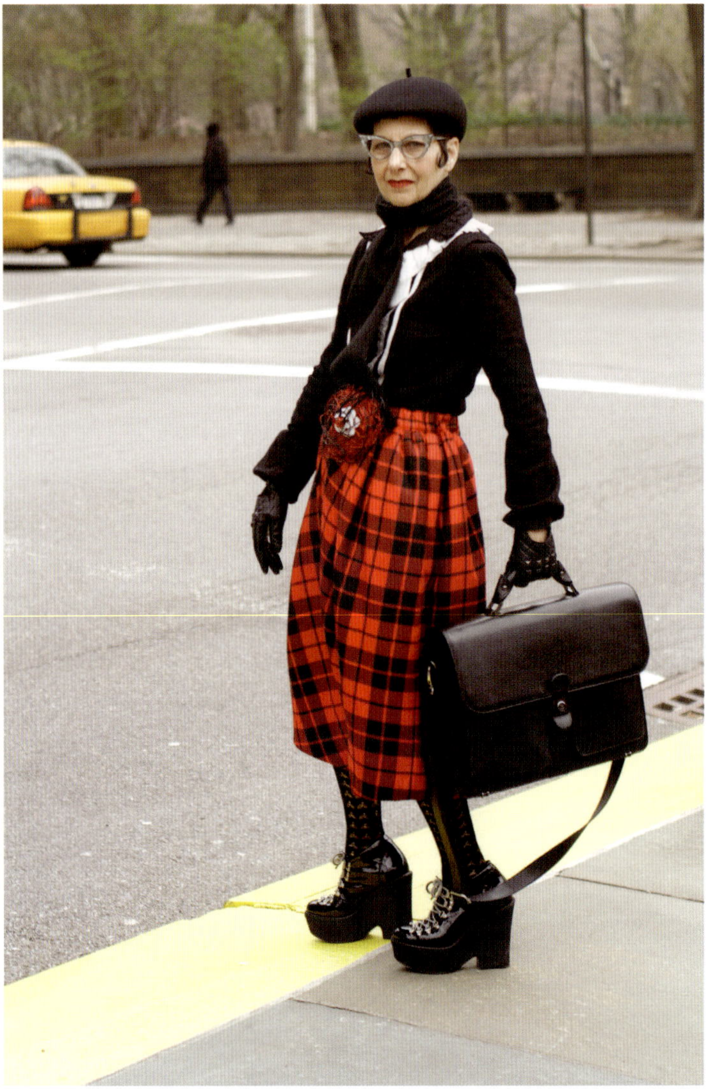

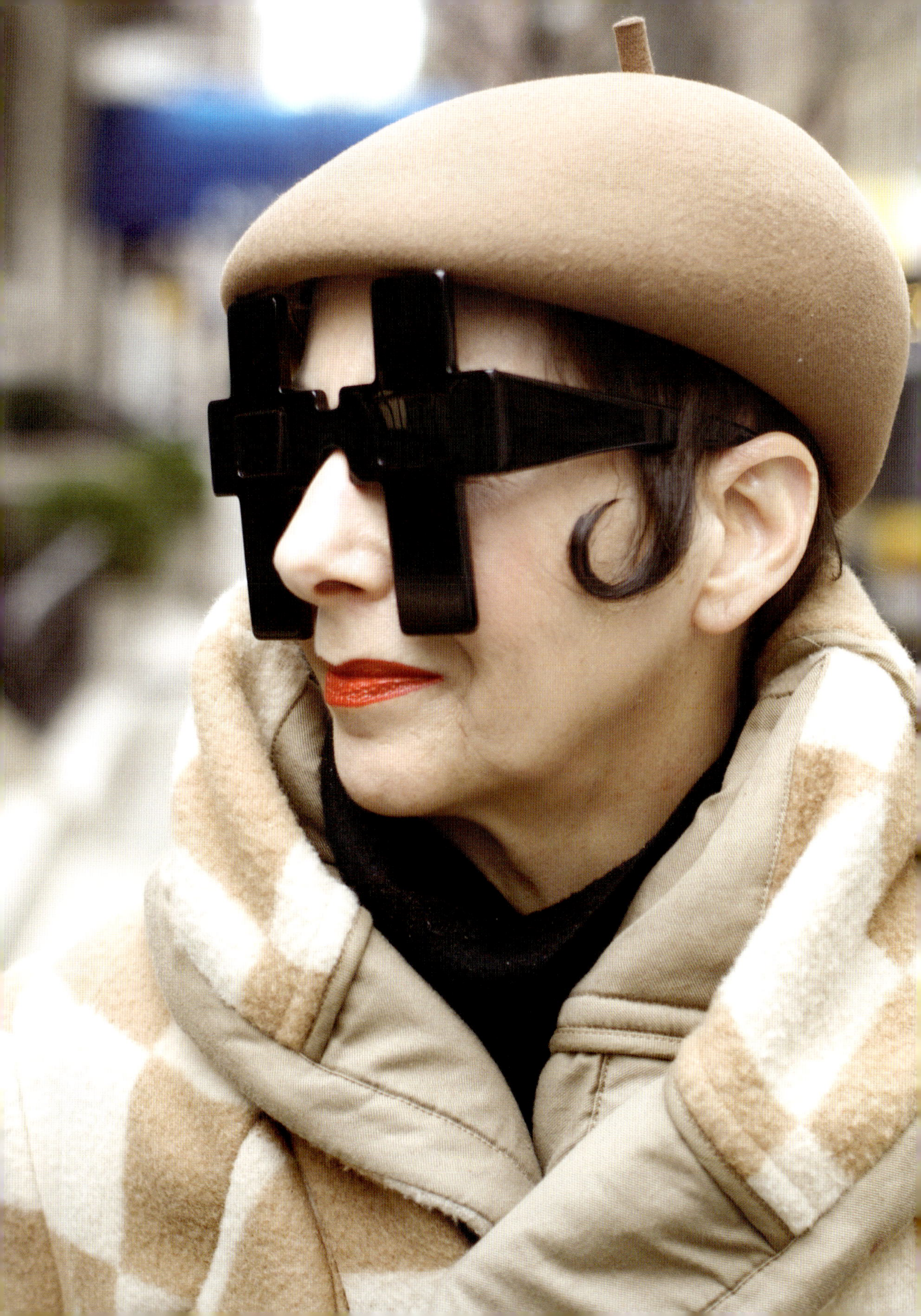

I met **Lubi** while wandering the galleries of New York's New Museum. Although she hails from my hometown of San Diego, her avant-garde sensibilities seem better suited for the streets of New York. Her chunky platinum bangs, bright red lipstick, and minimal aesthetic made her a shoo-in for *Advanced Style*. Lubi prefers a "less is more" approach, but she has never been afraid of being extraordinarily different.

ニューヨークのニュー・ミュージアムでルビに出逢った。
僕と同じサンディエゴの出身だけど、彼女のアバンギャルドな感性は
ニューヨークの街並みのほうが合っているように見える。
厚いプラチナ色の前髪や、真っ赤な唇、そして必要最小限の美意識が、
Advanced Styleの中でも彼女を圧倒的な成功者にしている。
ルビは"少ないほうが良い"というアプローチを好むが、
人と違っていることを決して恐れない女性である。

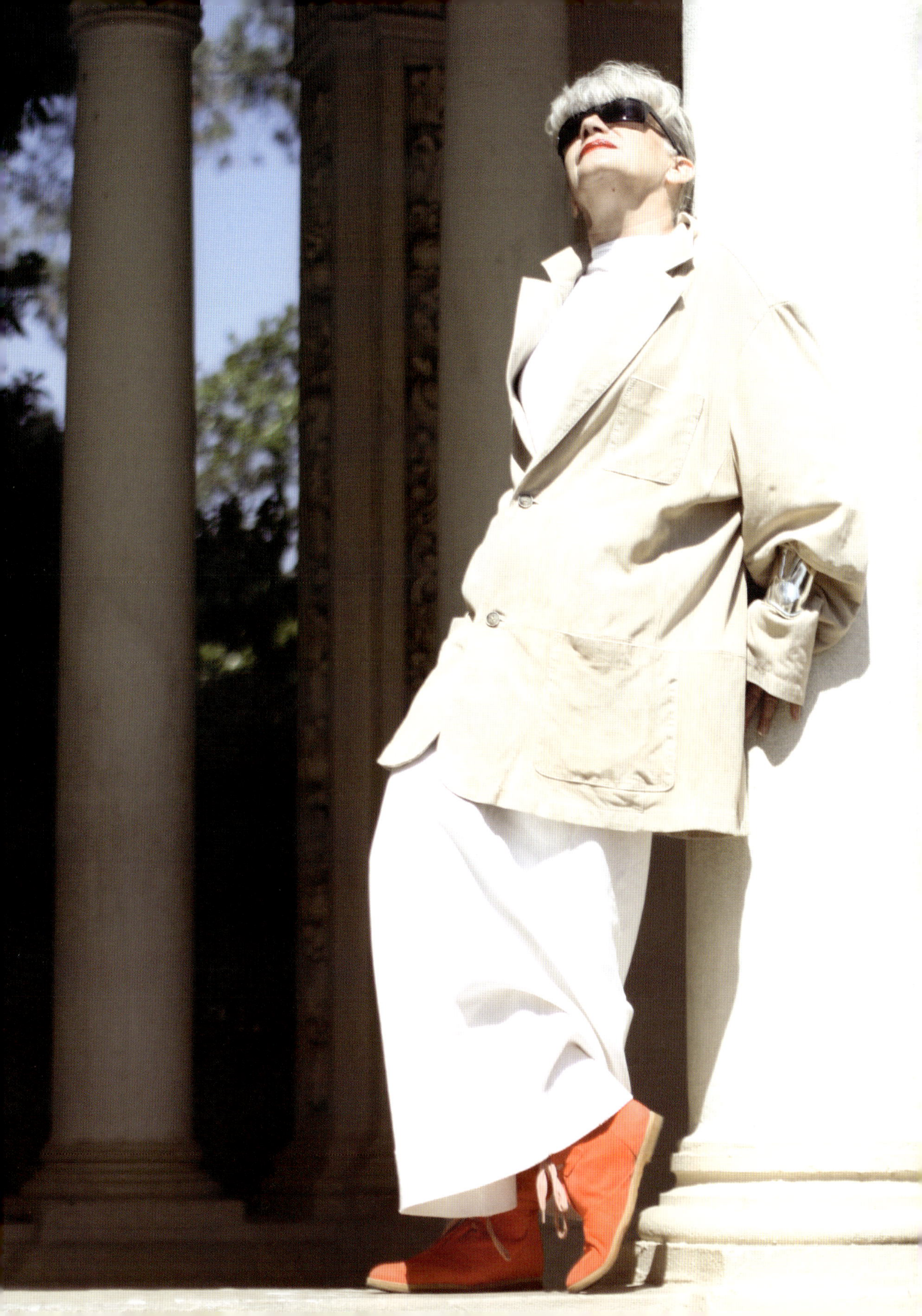

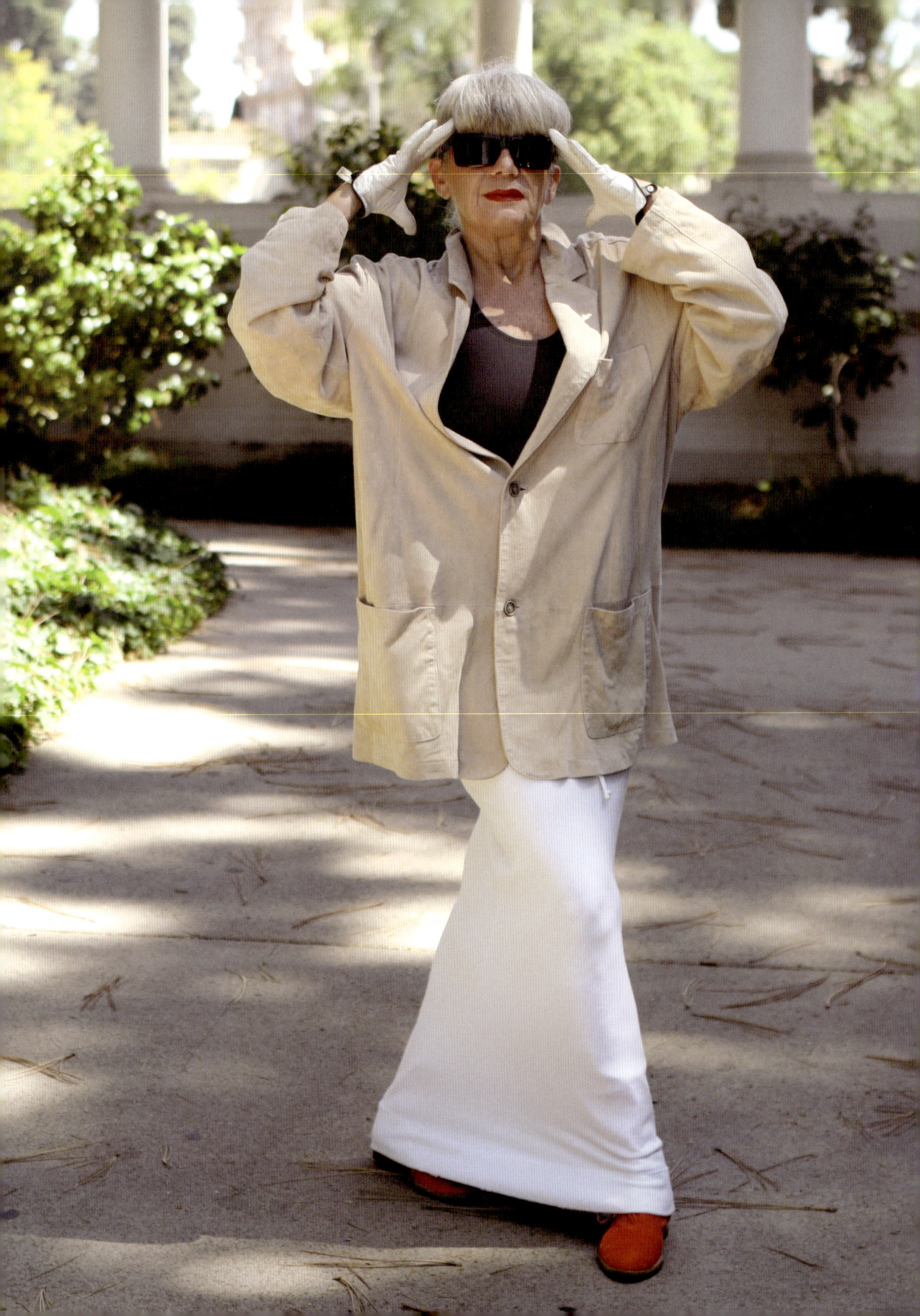

"Some might see it as gray hair, age, genetics, stress, etc. I see it differently. I see it as platinum elegance."

「白髪のことを、人は年齢、遺伝、またはストレスによるものだと言うかもしれない。でもわたしには違って見えるの。わたしには、プラチナ色のエレガンスに見えるのよ」

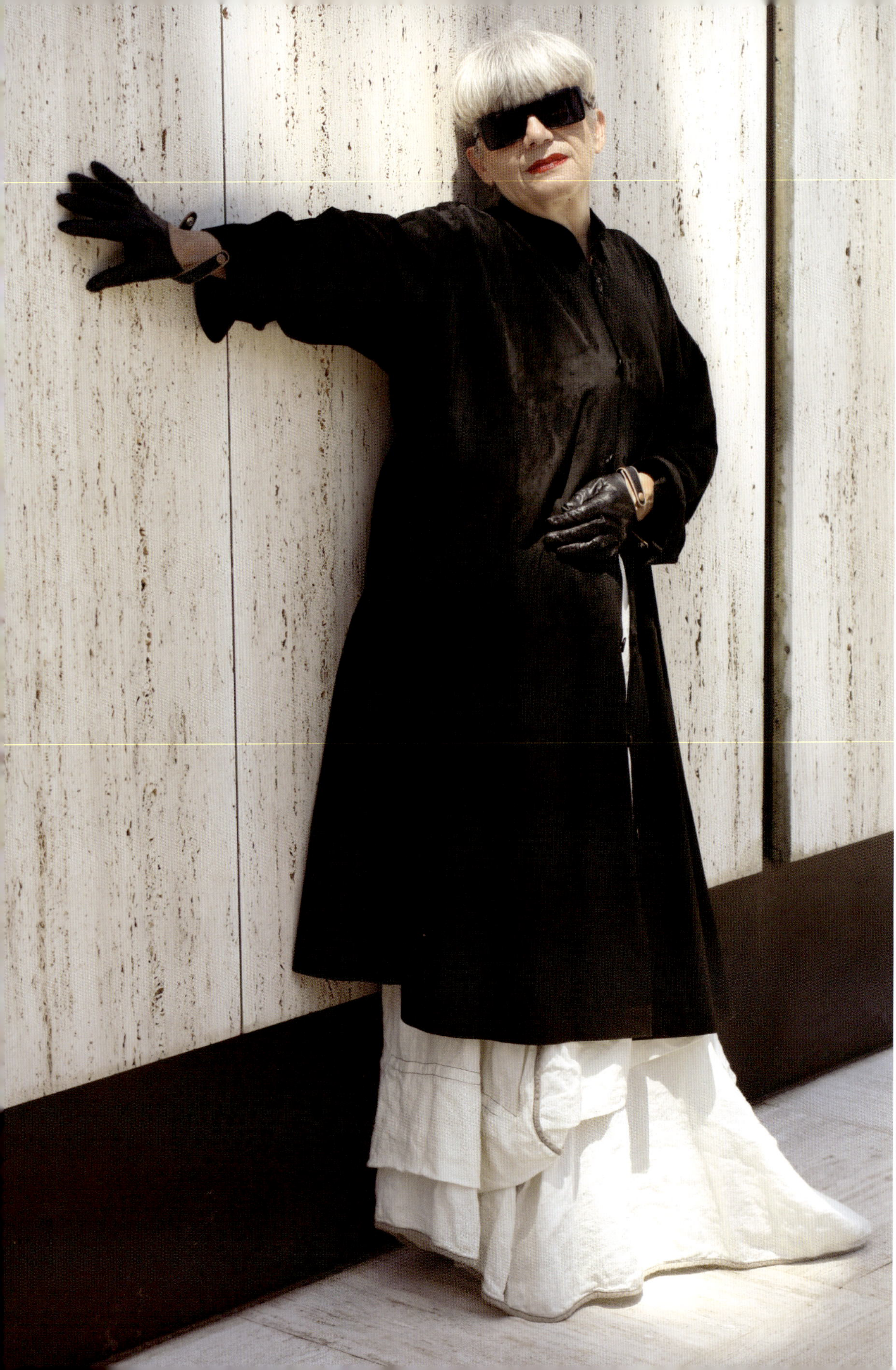

"I was never fearful of being extraordinarily different. I would rather be considered different and somewhat mysterious than ignored."

「人と全然違うことを恐れたことはないわ。見過ごされるくらいなら、人と違ってちょっとミステリアスと思われるほうがいいと思うから」

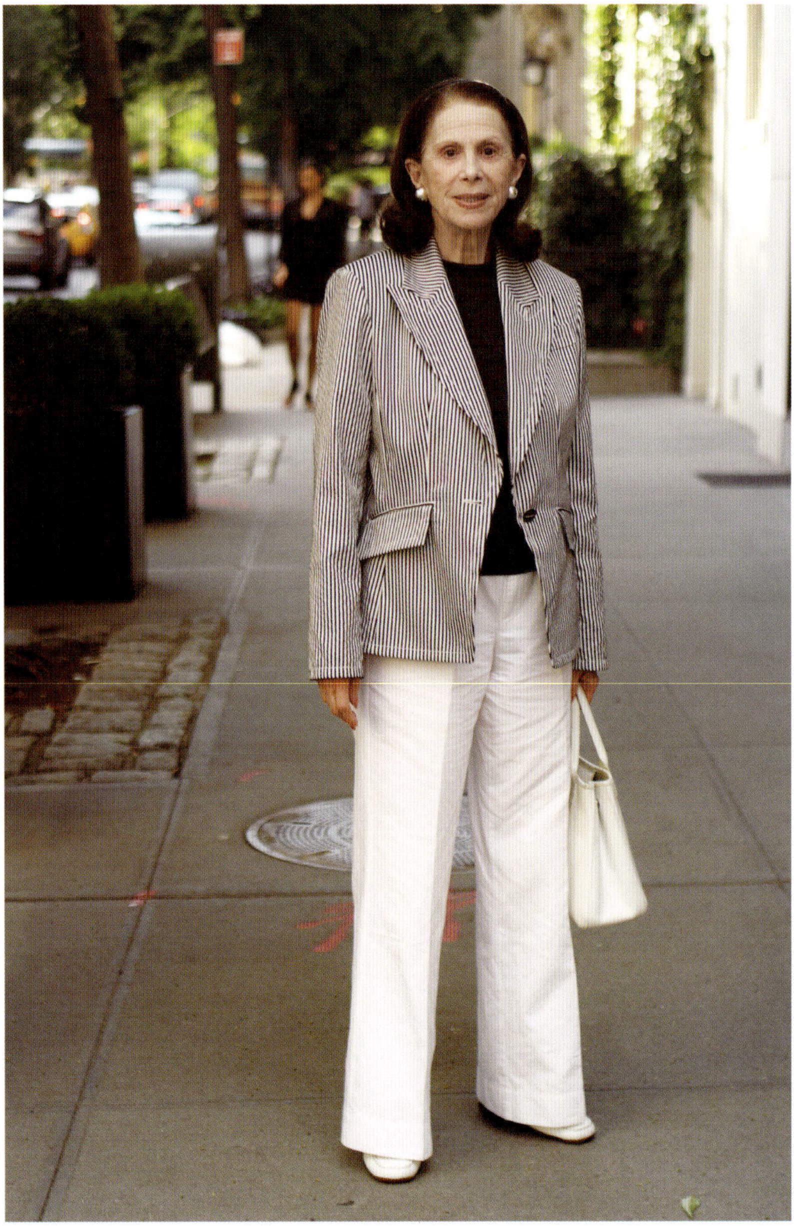

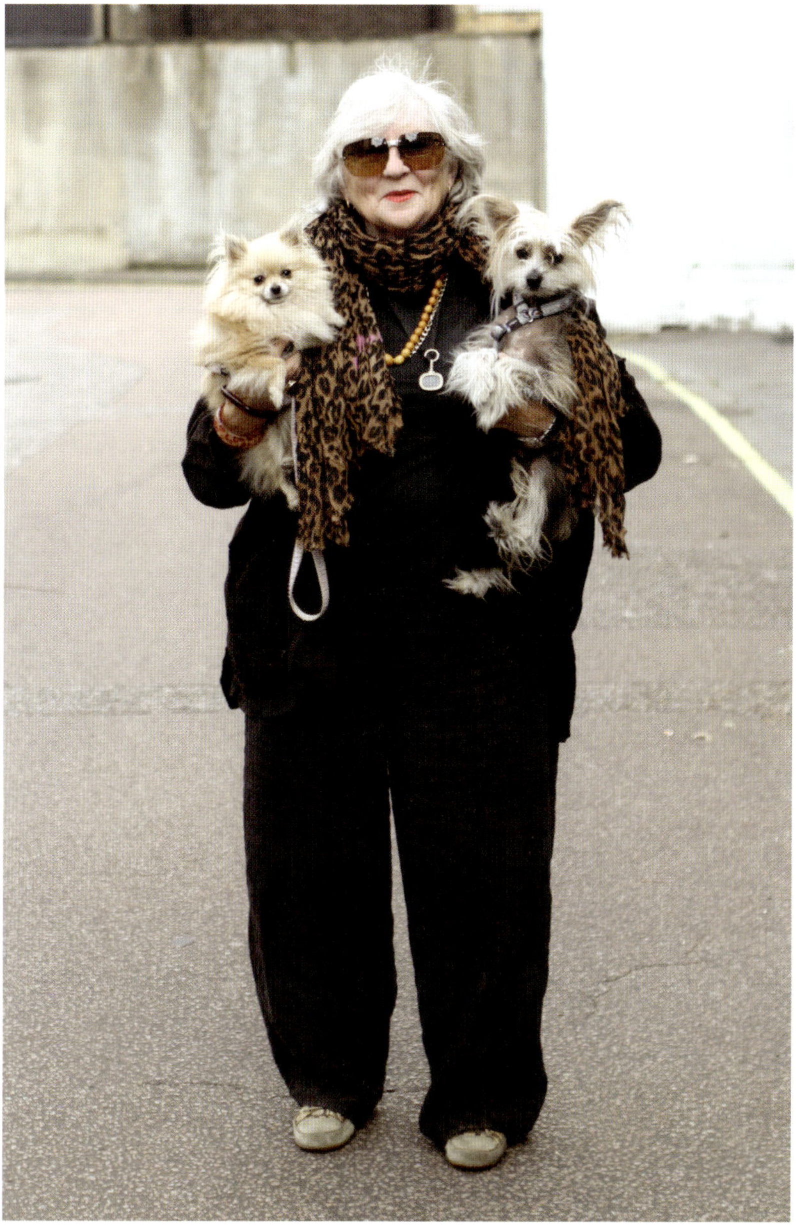

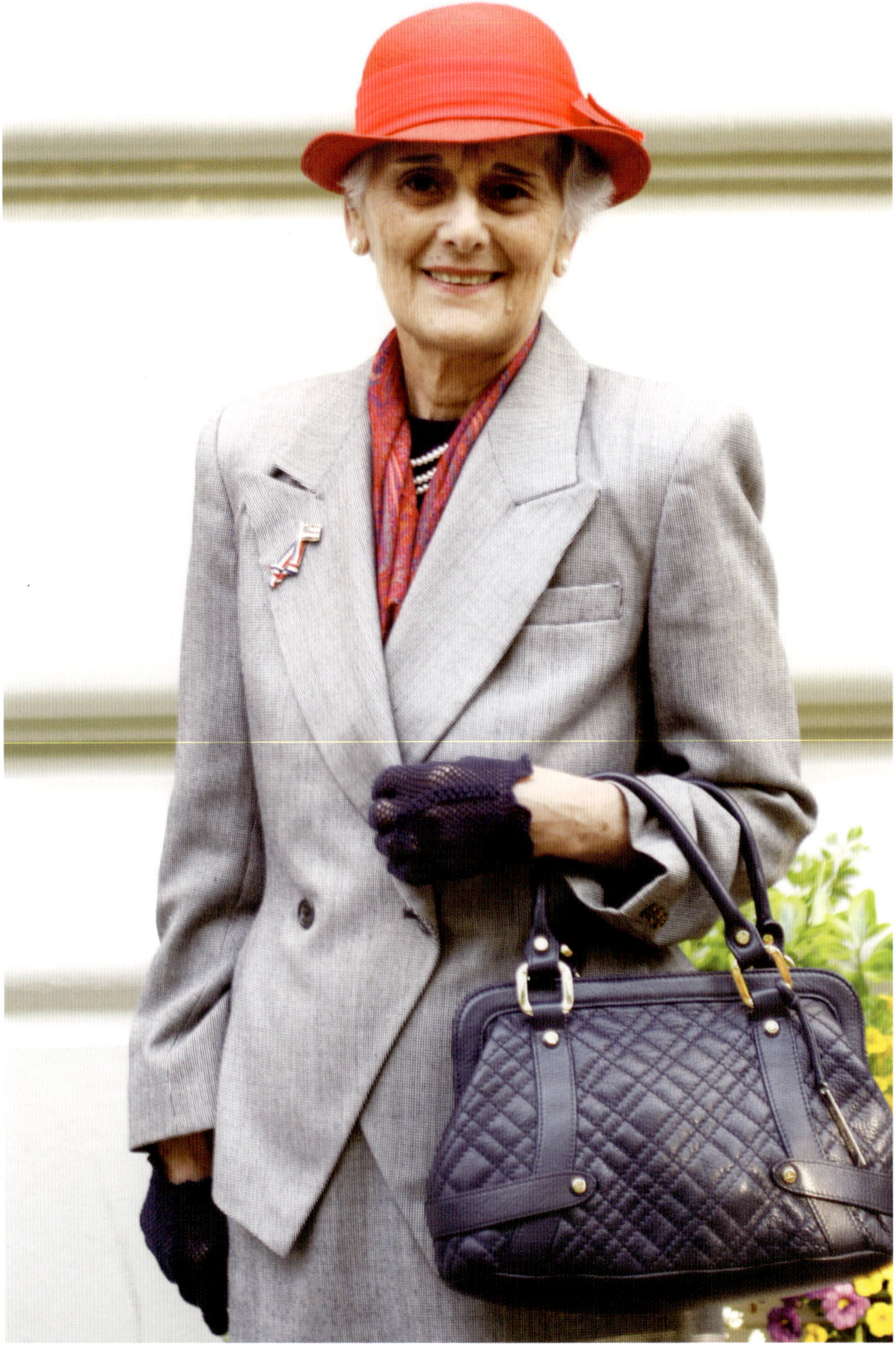

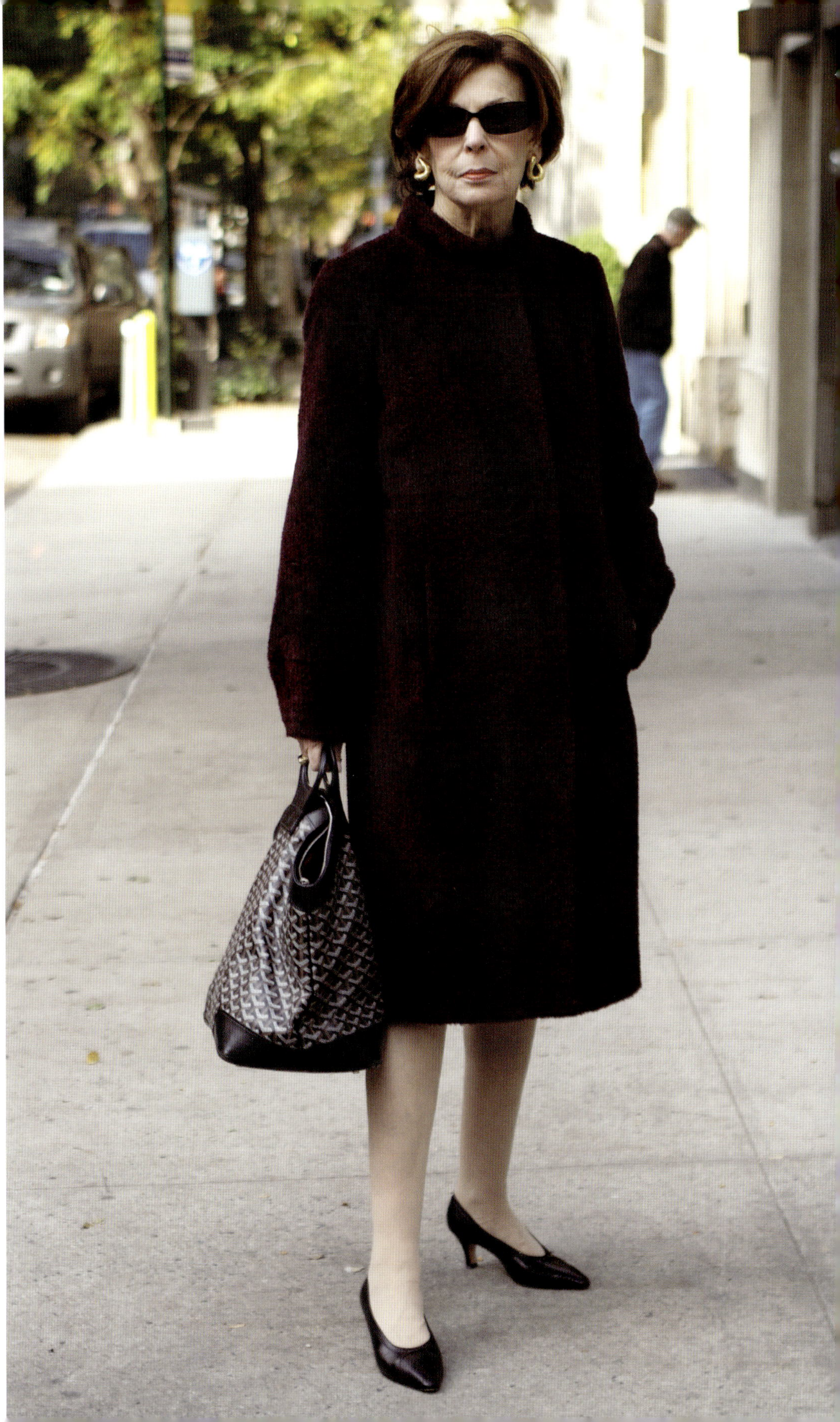

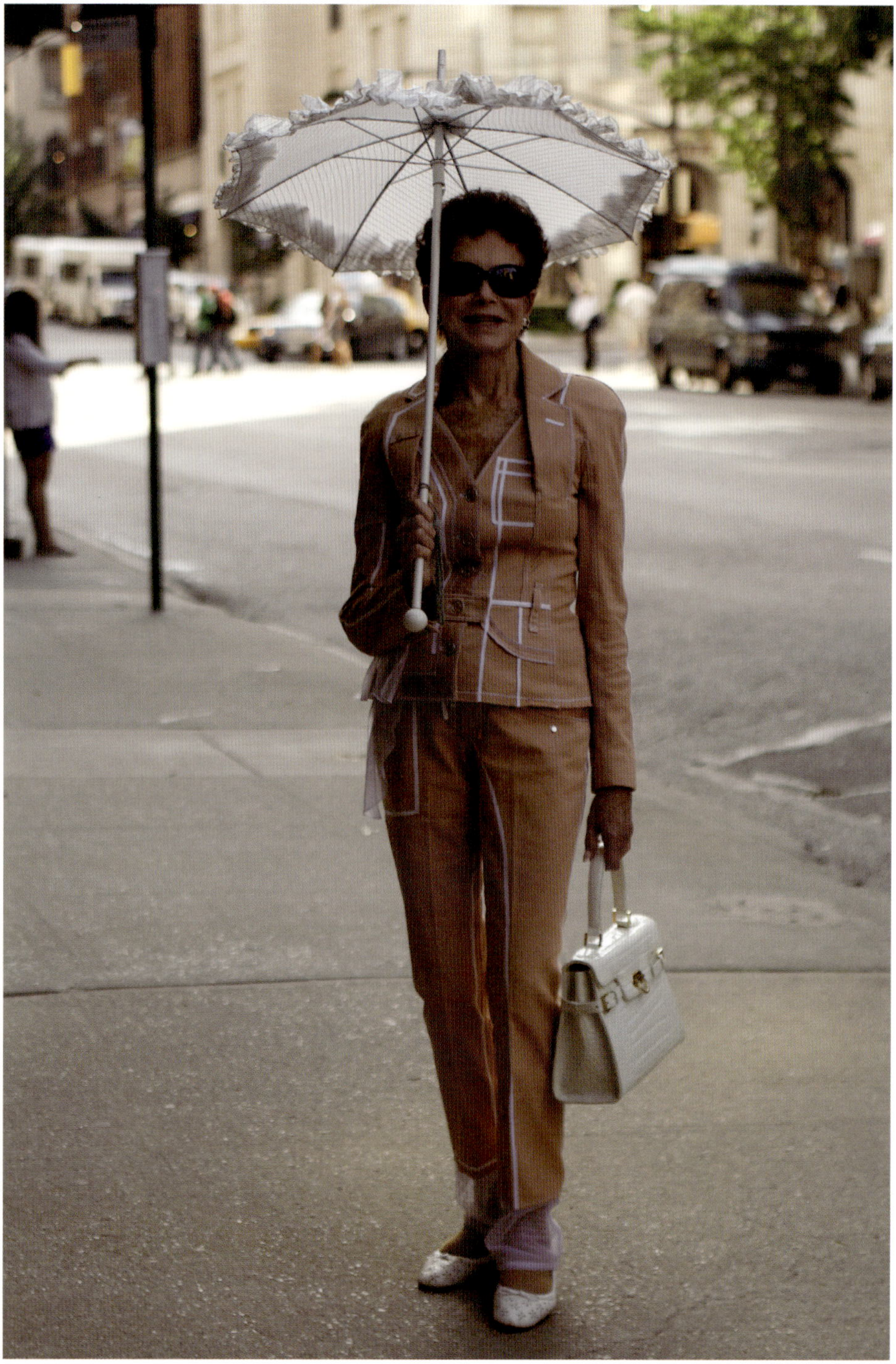

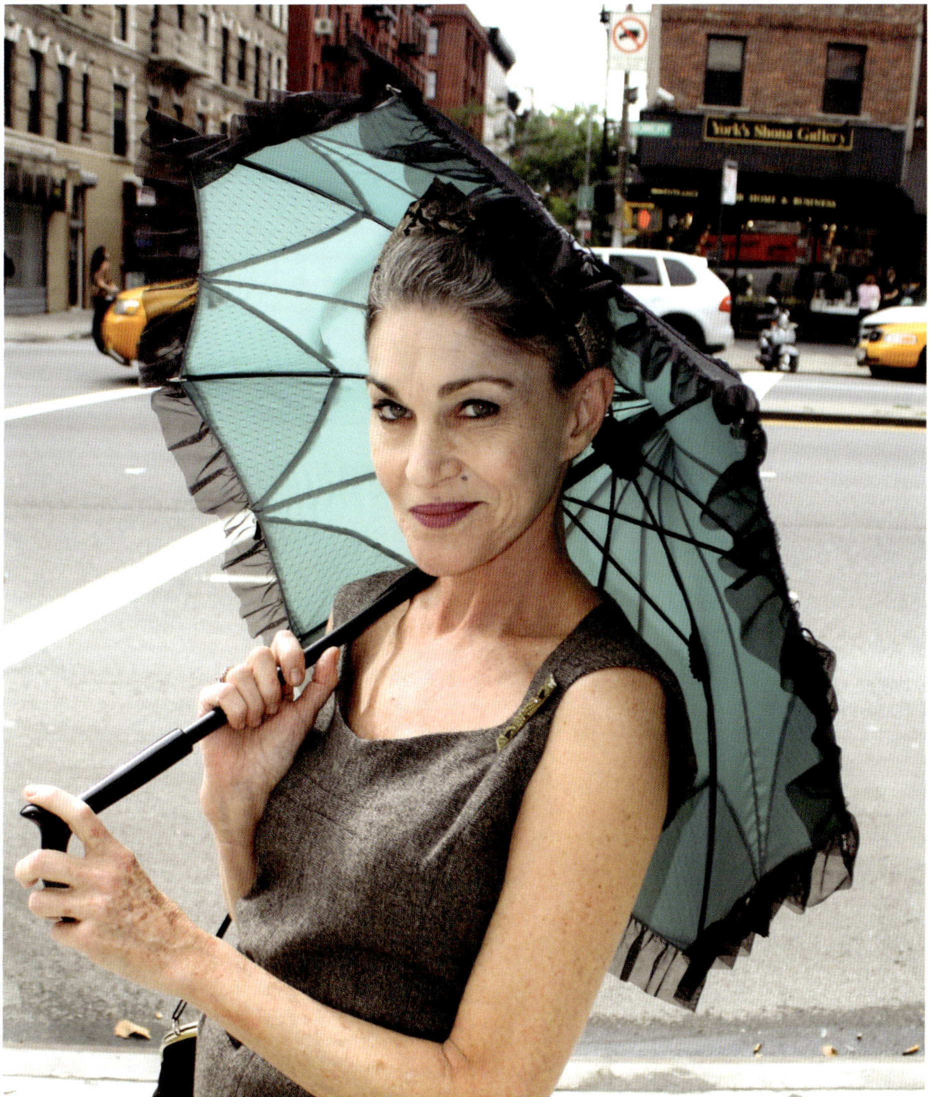
York's Shona Gallery

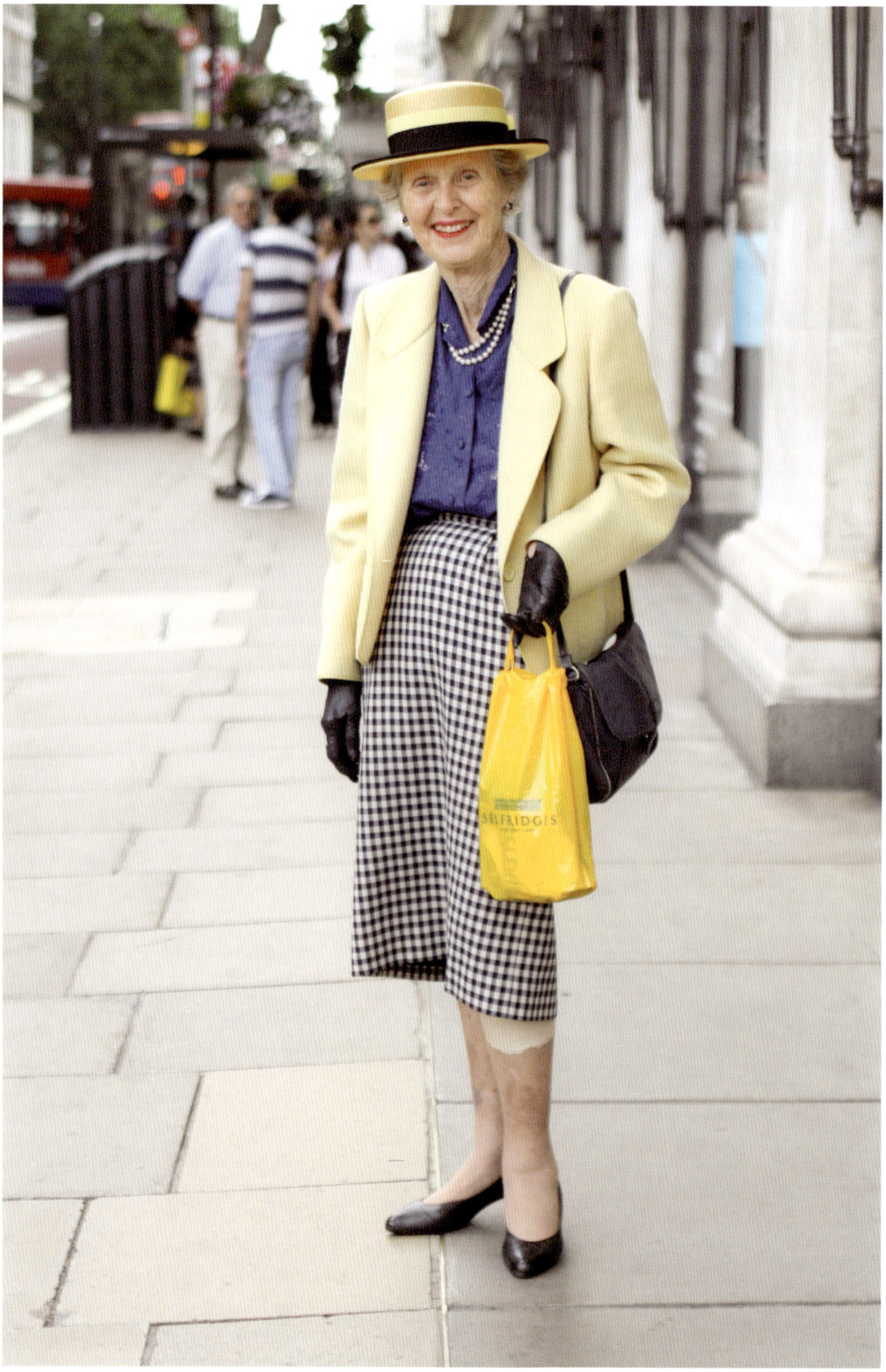
SELFRIDGES

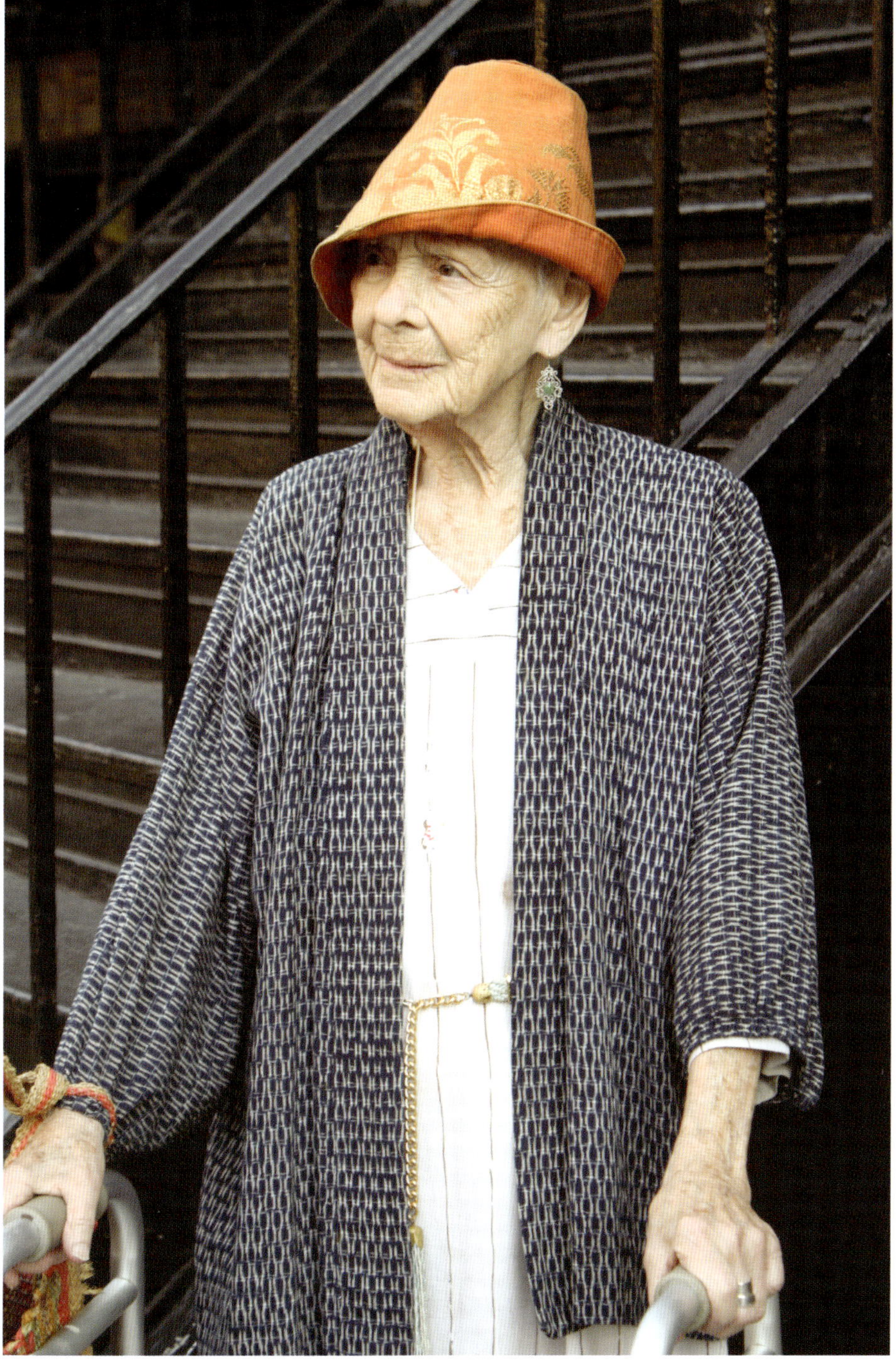

Ruth isn't your typical 100-year-old. Her weekly regimen of Pilates, weight lifting, and stretching keeps her in tip-top shape. She never leaves the house without being perfectly dressed because "you never know whom you may meet on the way to the mailbox."

ルースは、典型的な100歳ではない。
毎週行うピラティスやウェイトリフティング、そしてストレッチが彼女を万全の状態にしている。
ルースは、コーディネートが完璧でないと、家から外に出ることはないのだそう。
「郵便受けまで行くあいだに、誰と会うかわからないものね」

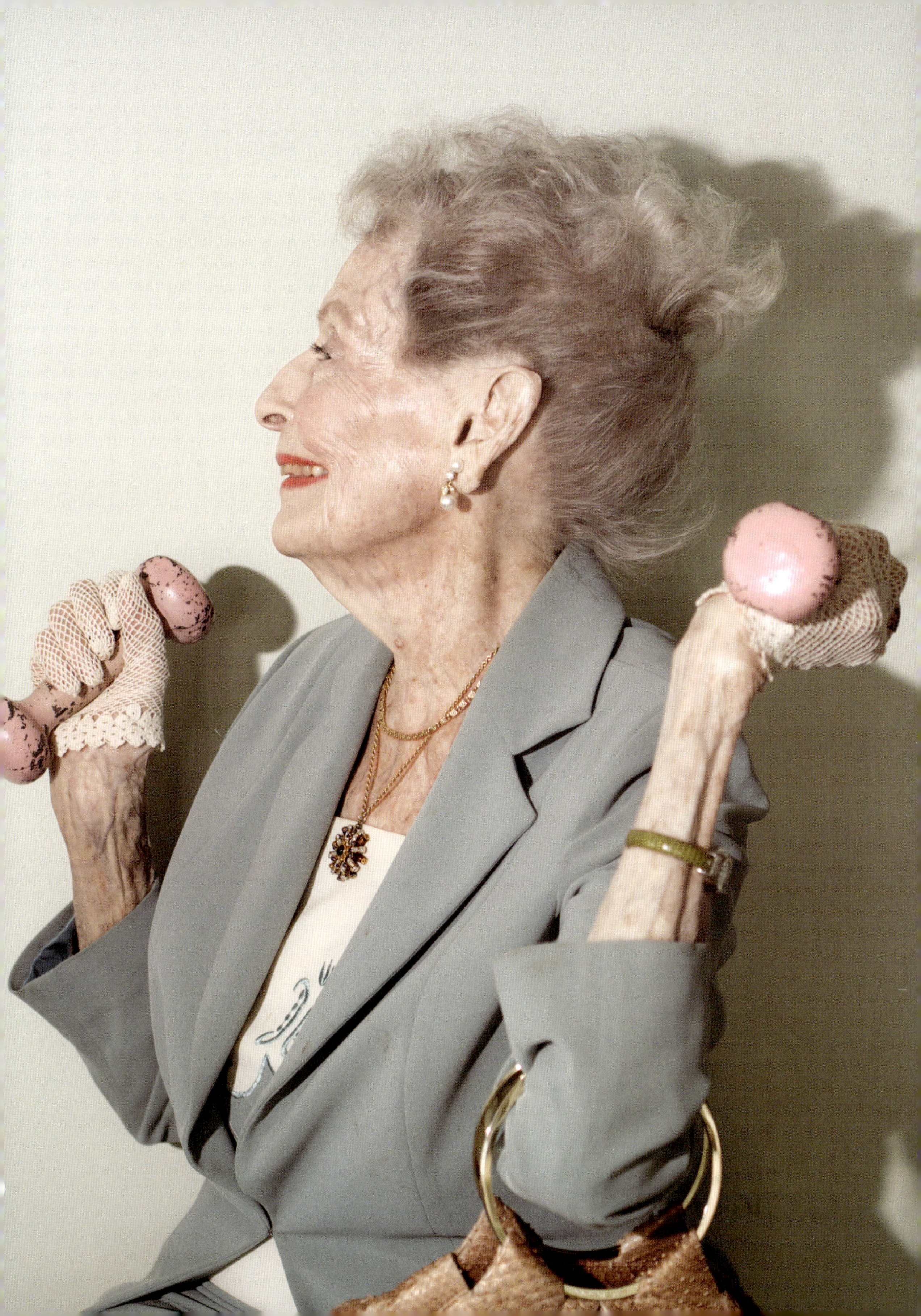

"It pays to invest in quality: it never goes out of style."

「クオリティーに投資をすれば、スタイルから外れることはないわ」

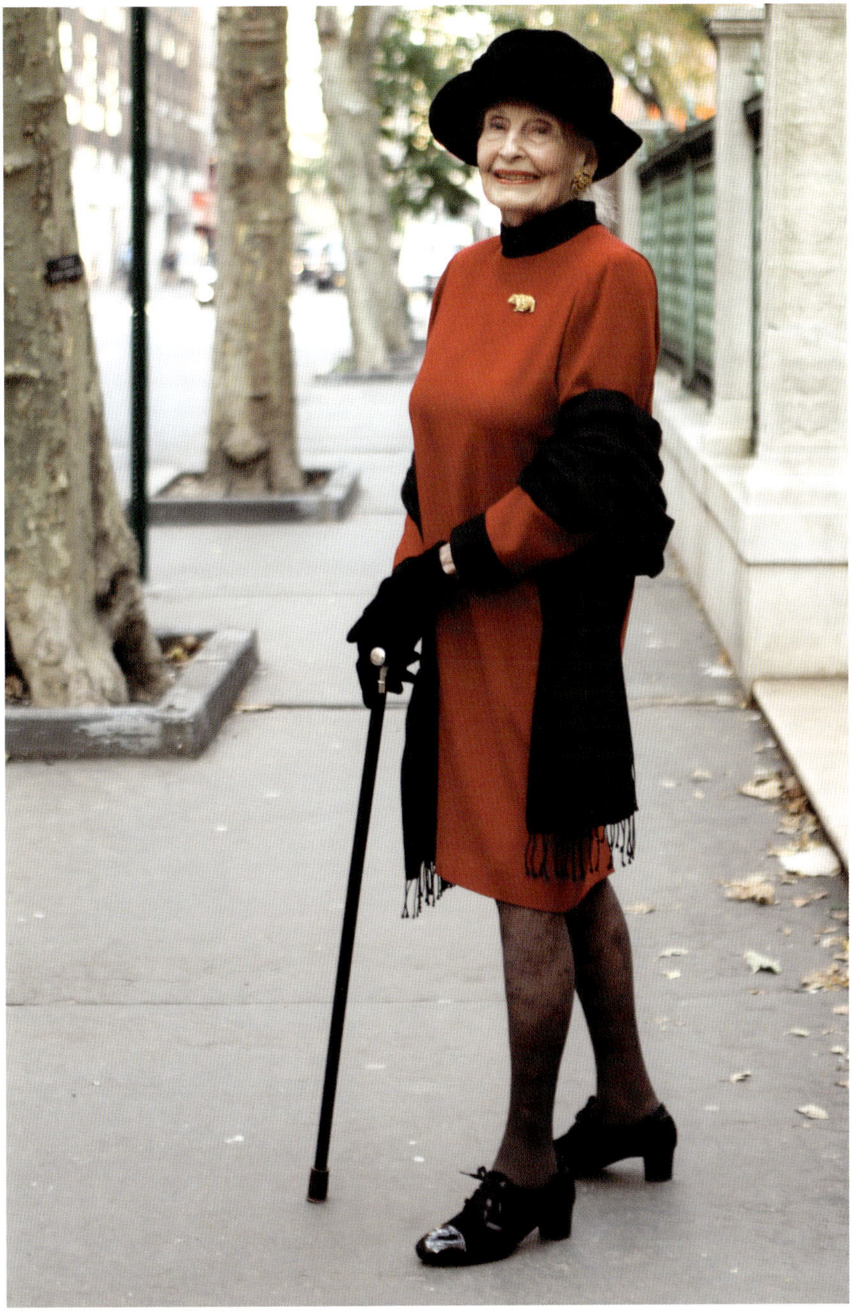

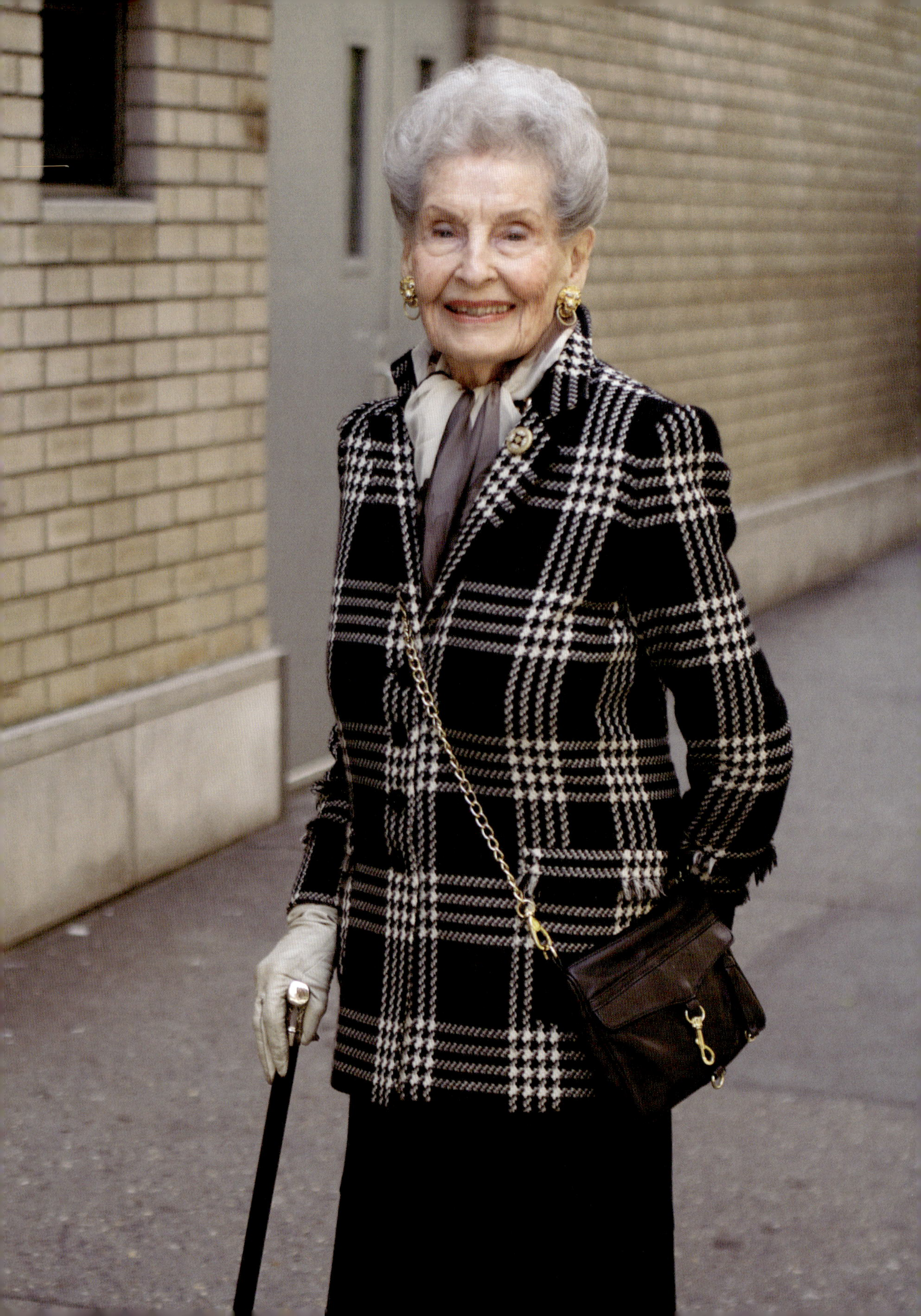

**"Celebrate every day and
don't look at the calendar."**

「一日、一日をお祝いして、カレンダーを見ないことね」

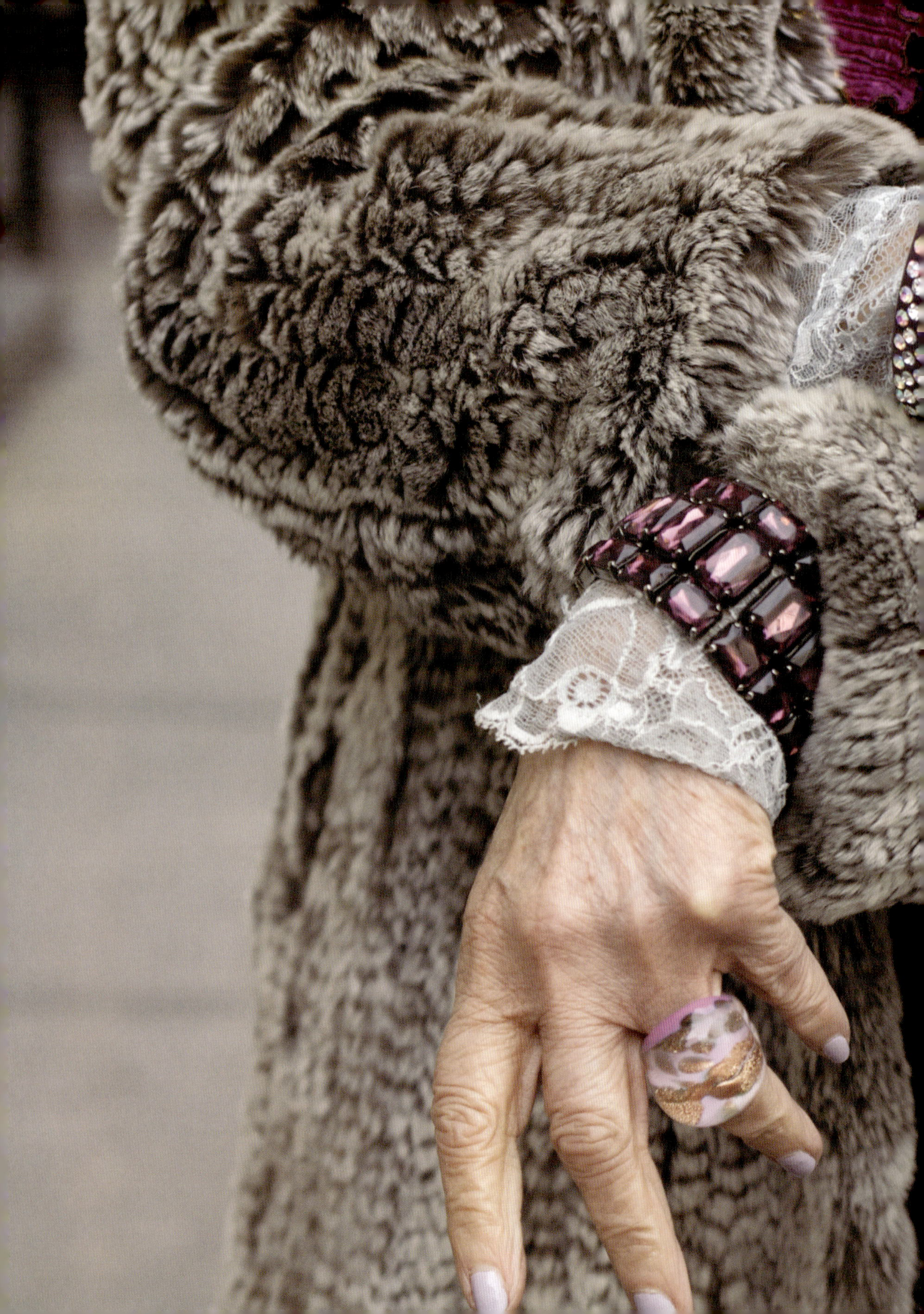

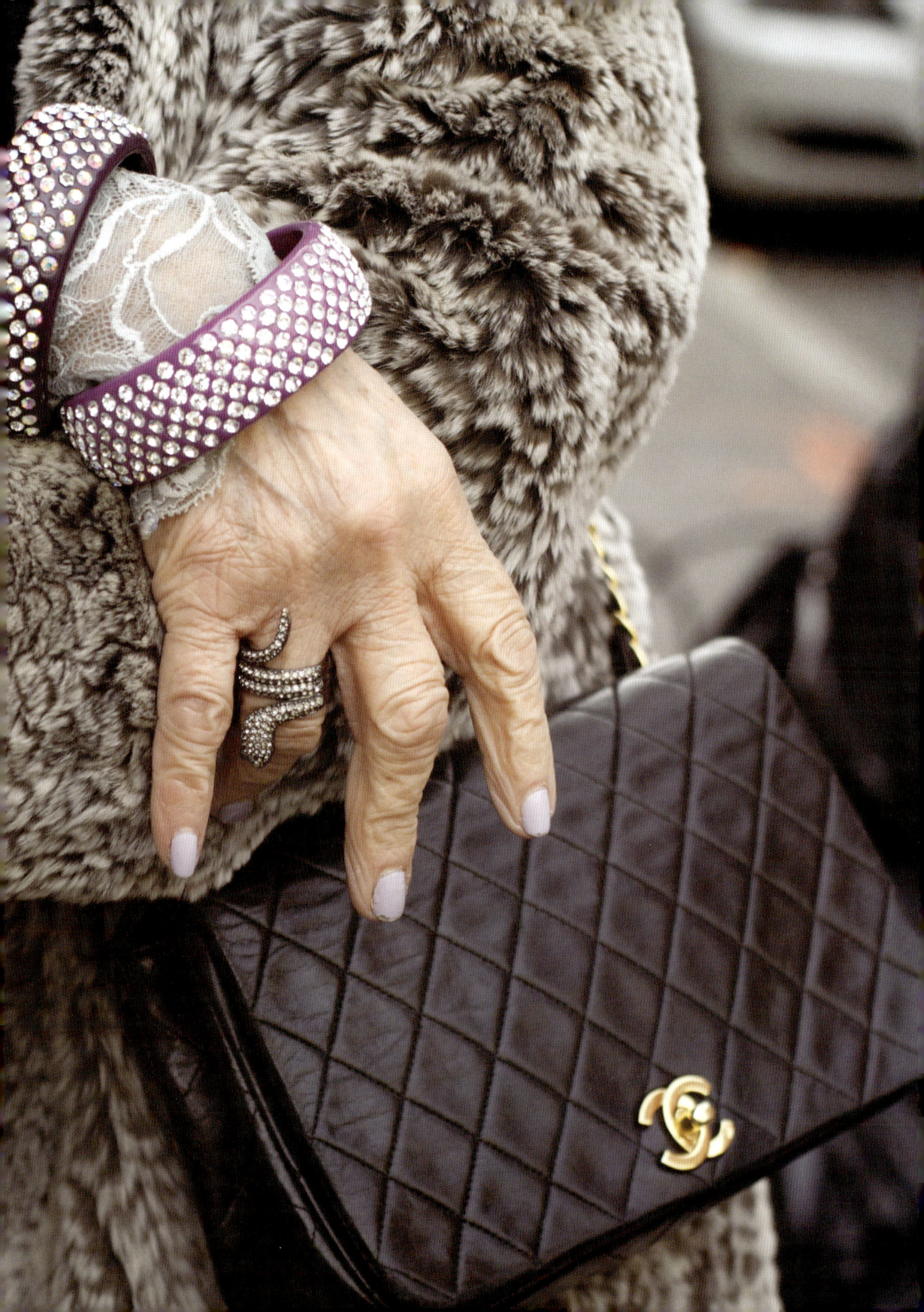

144

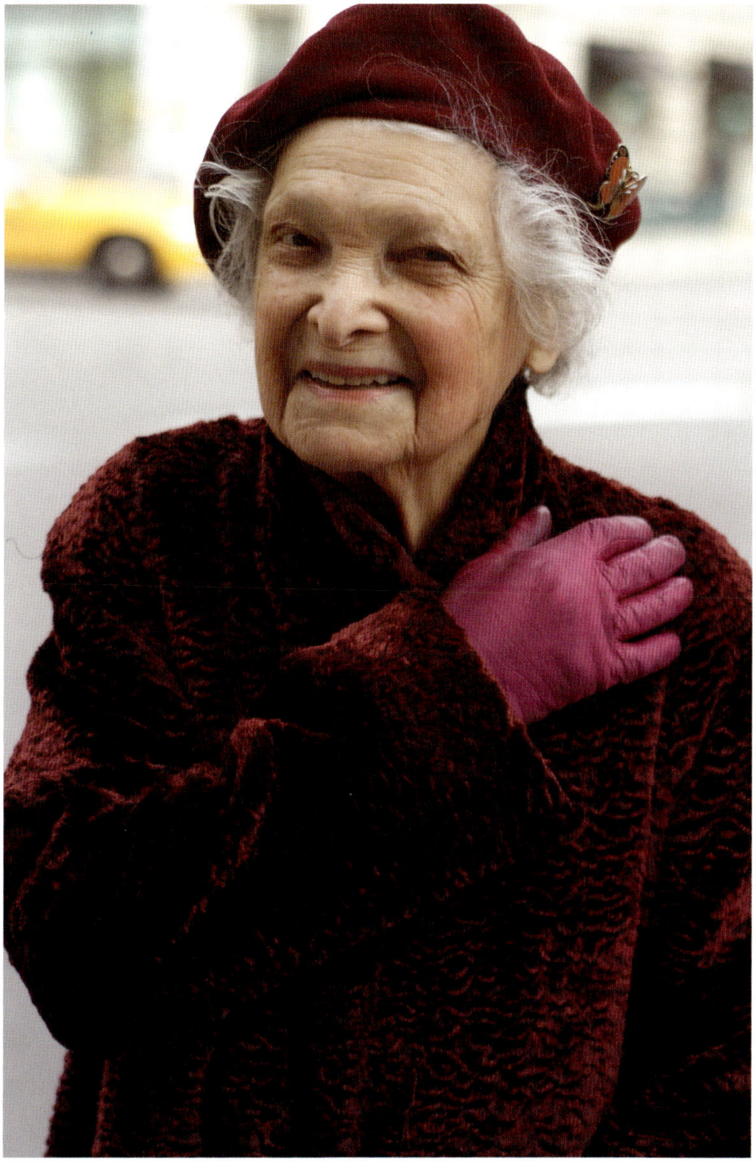

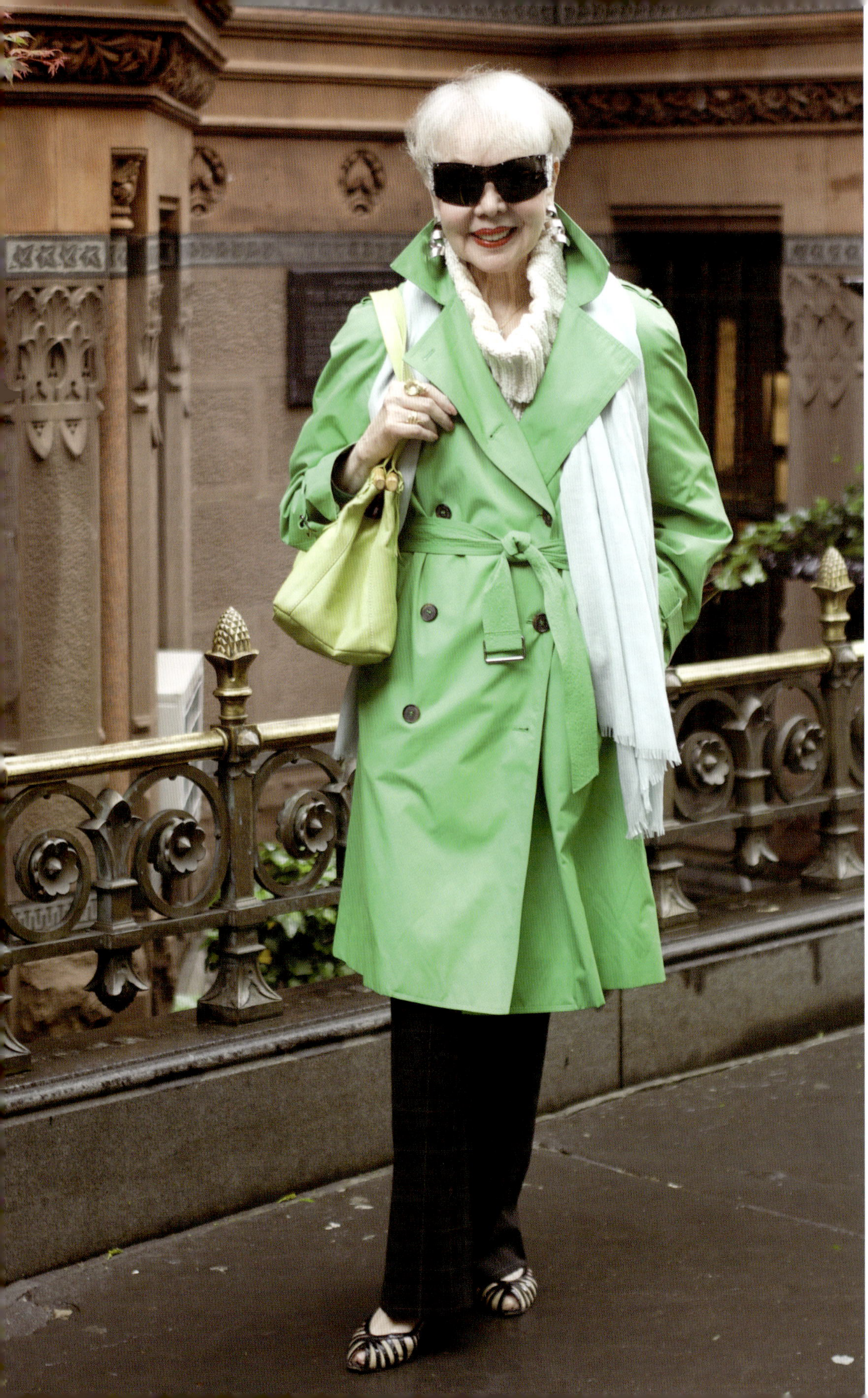

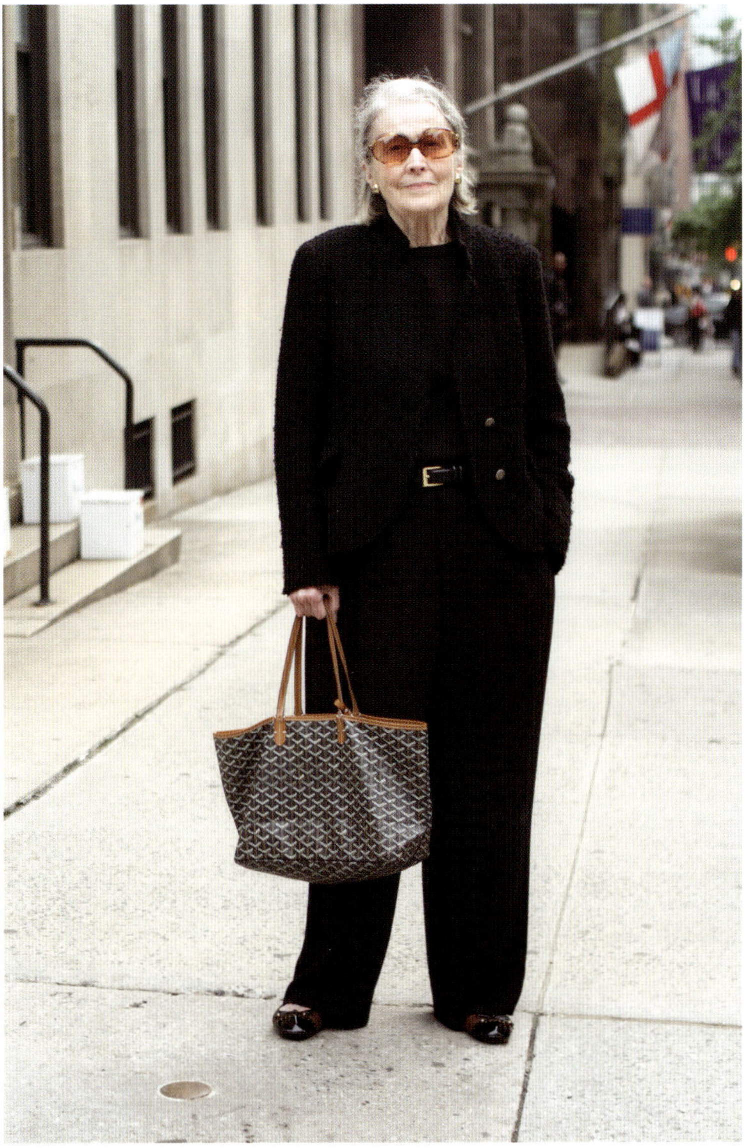

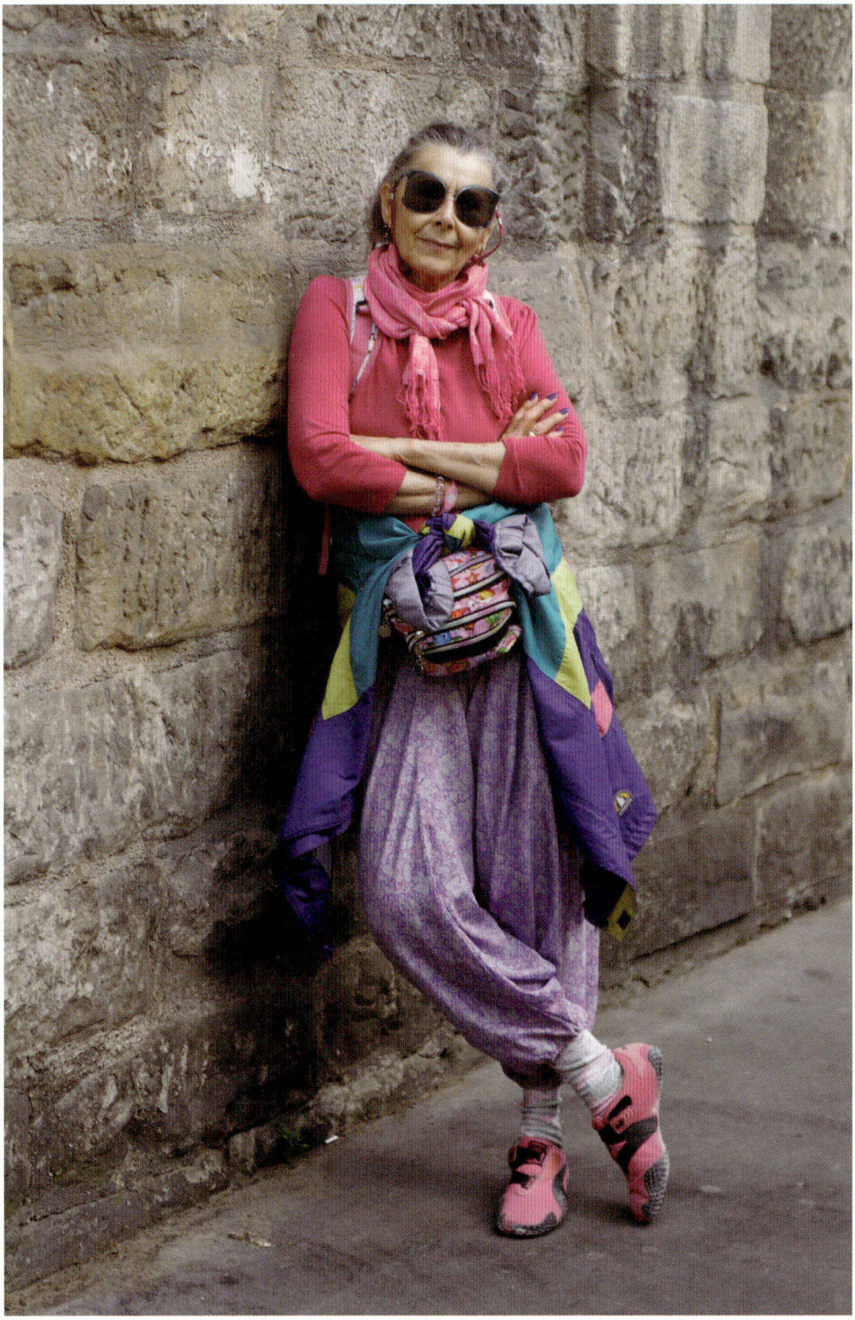

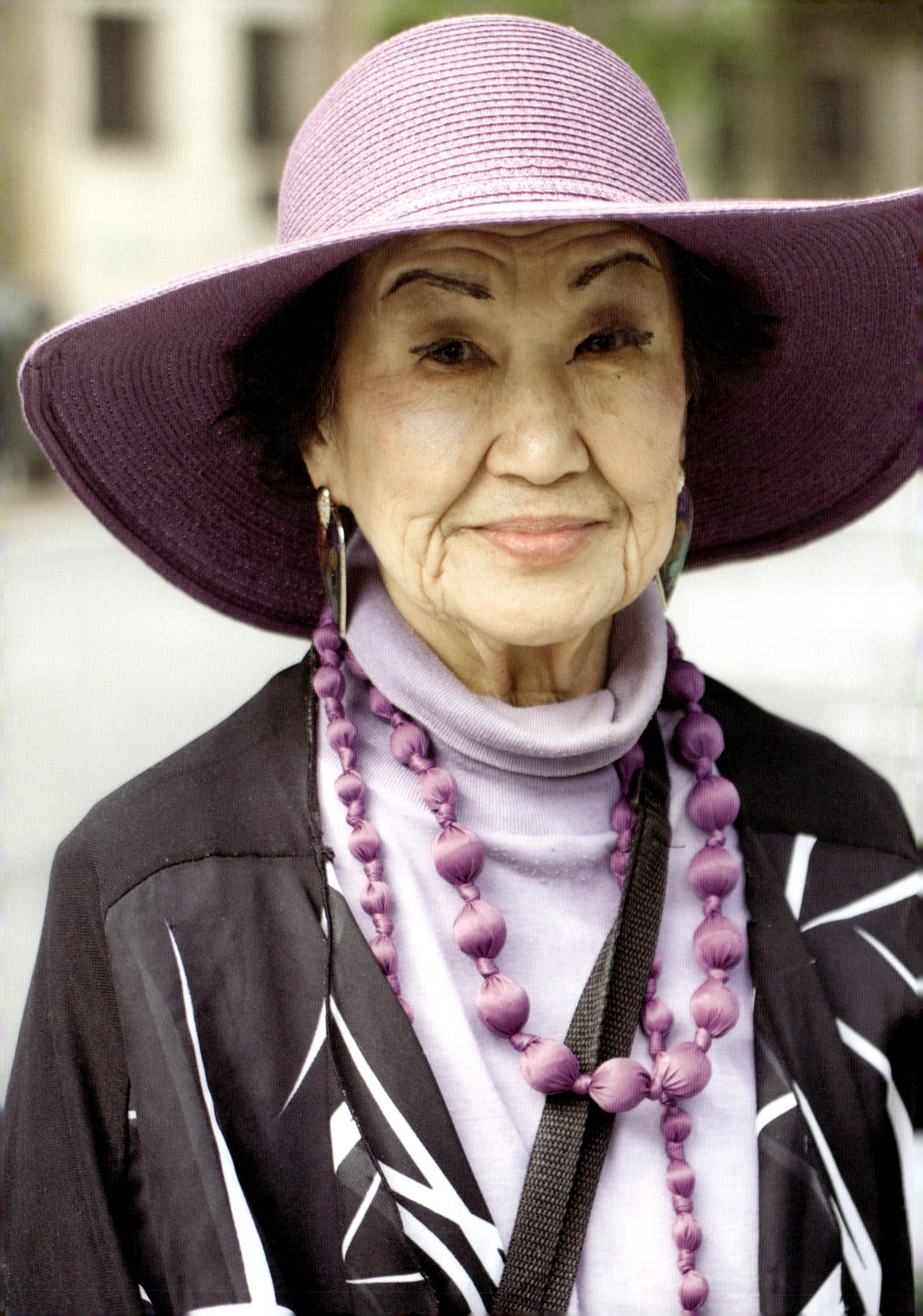

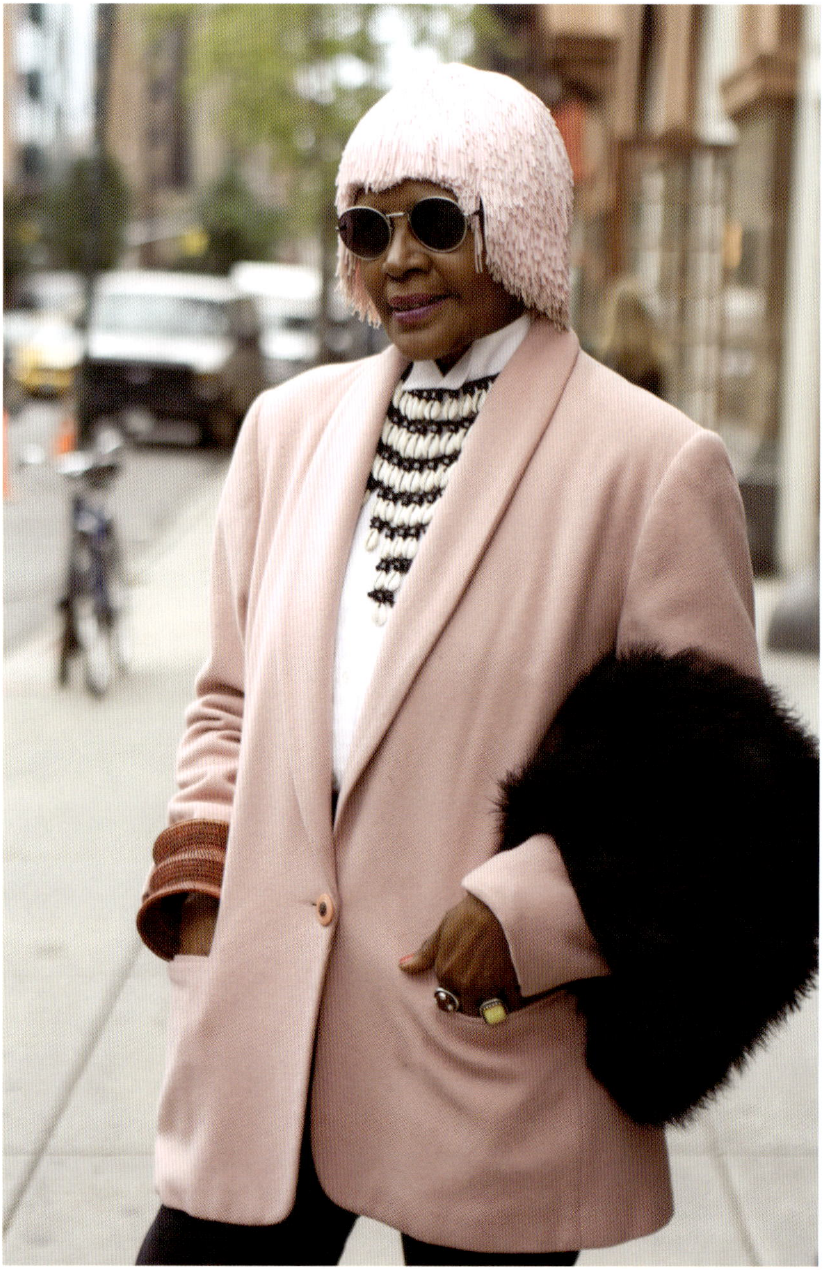

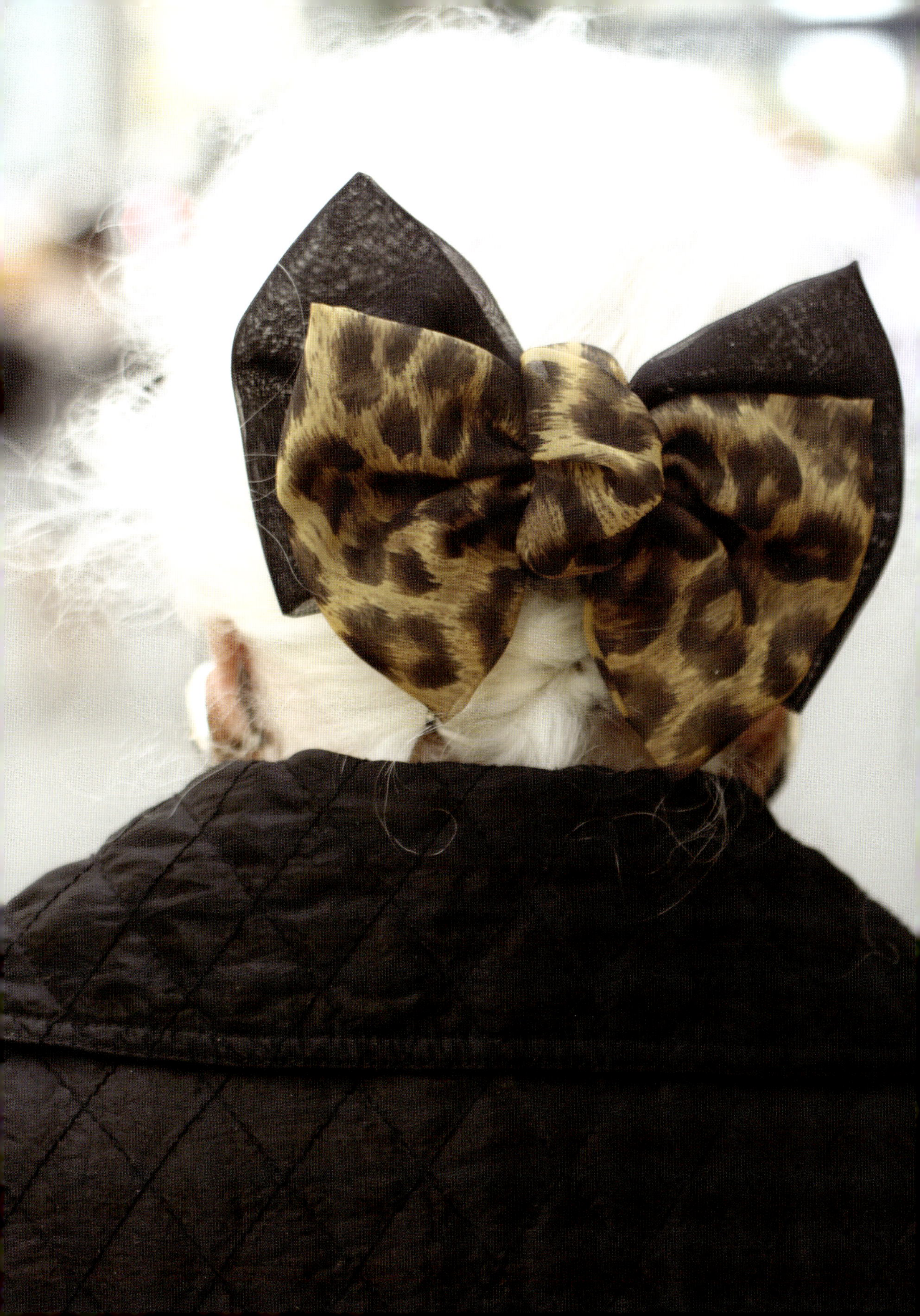

Advanced Style's resident countess of glamour, **Lynn Dell**, has created a world full of flamboyant style and dramatic flair in her Upper West Side boutique. I was first drawn to her bright colors and bold accessories, but it is her energy, enthusiasm, and enterprise that truly define this magnificent woman.

Advanced Styleの住人であるグラマーな伯爵夫人、リン・デルは、
アッパーウェストにある自身のブティックを、きらびやかでしゃれた世界に創り上げた。
はじめは、彼女が身につける華やかな色彩や派手なアクセサリーに注目していたが、
後に彼女自身から放たれるエネルギー、躍動感、そして冒険心が
この素晴らしい女性をかたちづくっているのだと気づかされた。

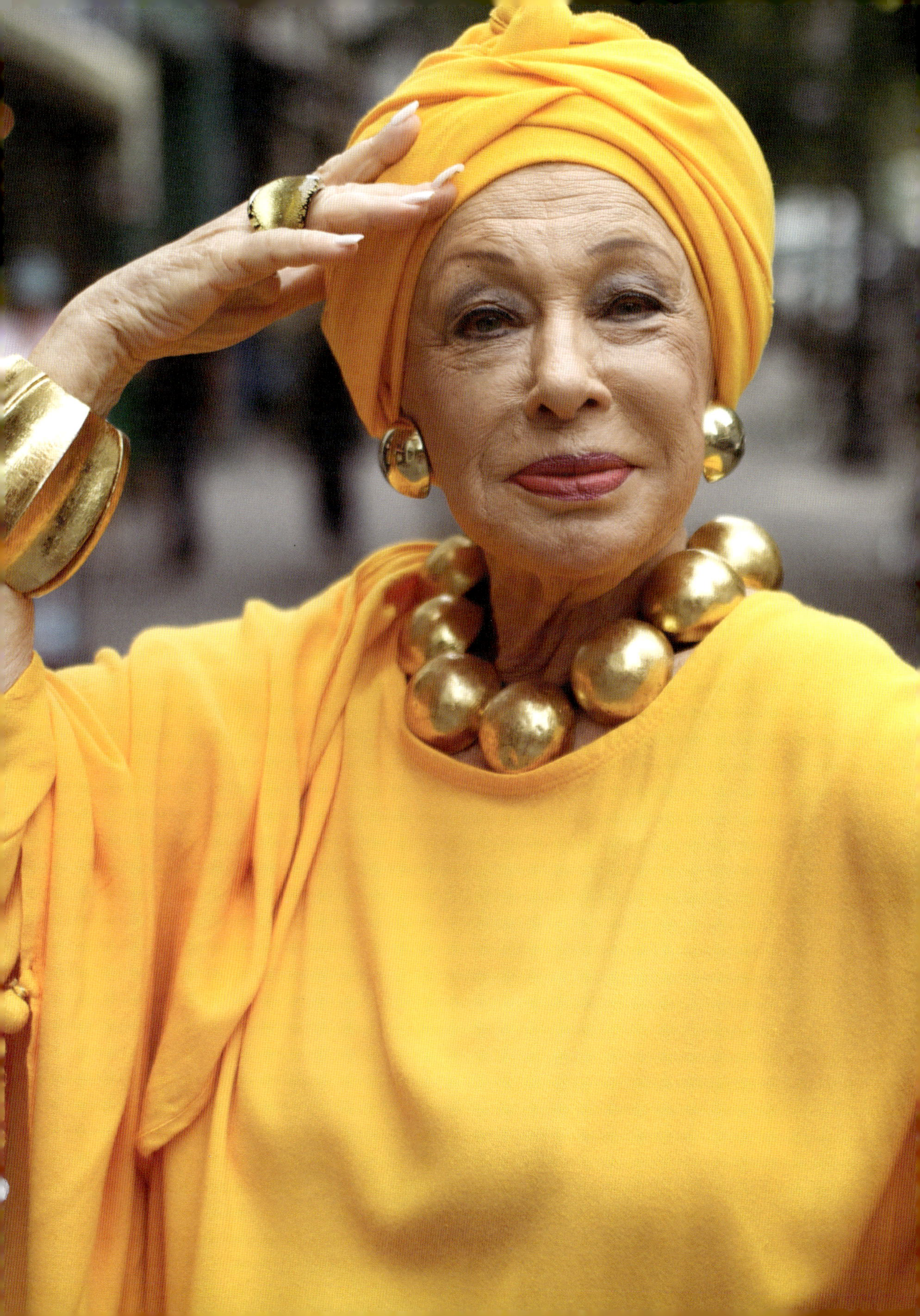

"My philosophy is fashion says 'me too,'
while style says 'only me.'"

「ファッションは『わたしも!』と言うけれど、
スタイルは『わたしだけ!』と言う。これがわたしの哲学よ」

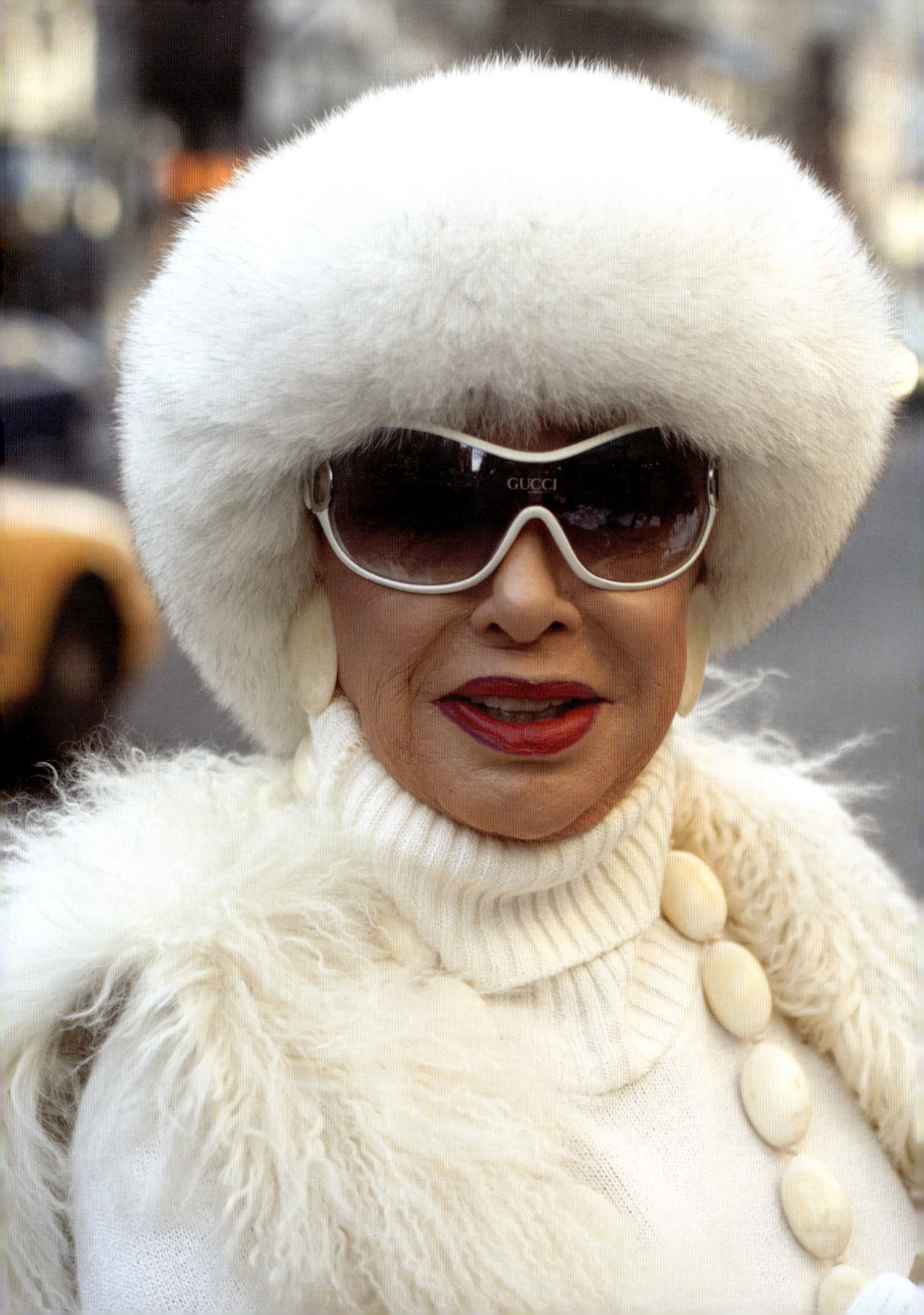
GUCCI

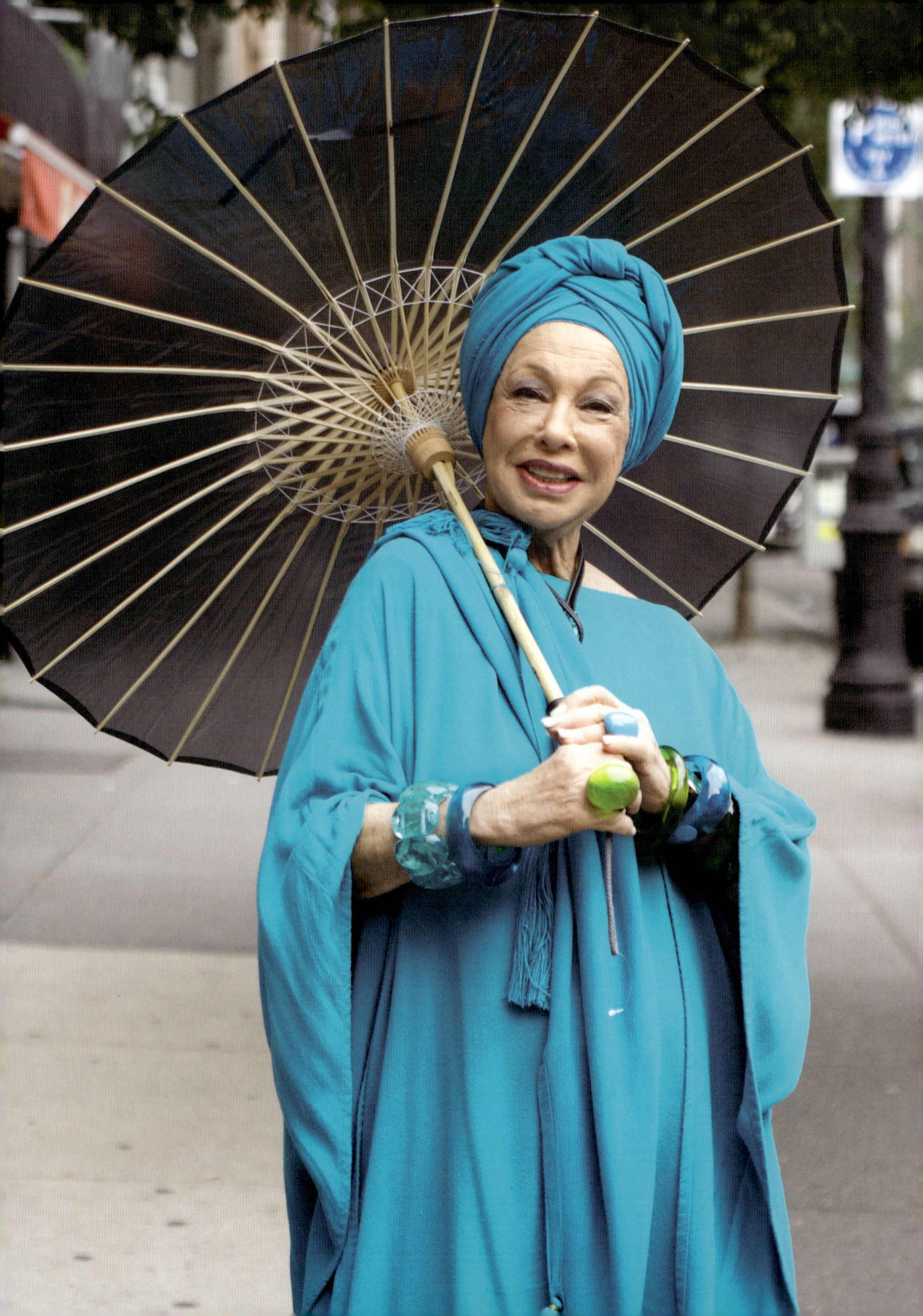

"We must dress every day for the theatre of our lives."

「わたしたちは、
自分の人生の舞台のために、
毎日おしゃれをしなければ
いけないのよ」

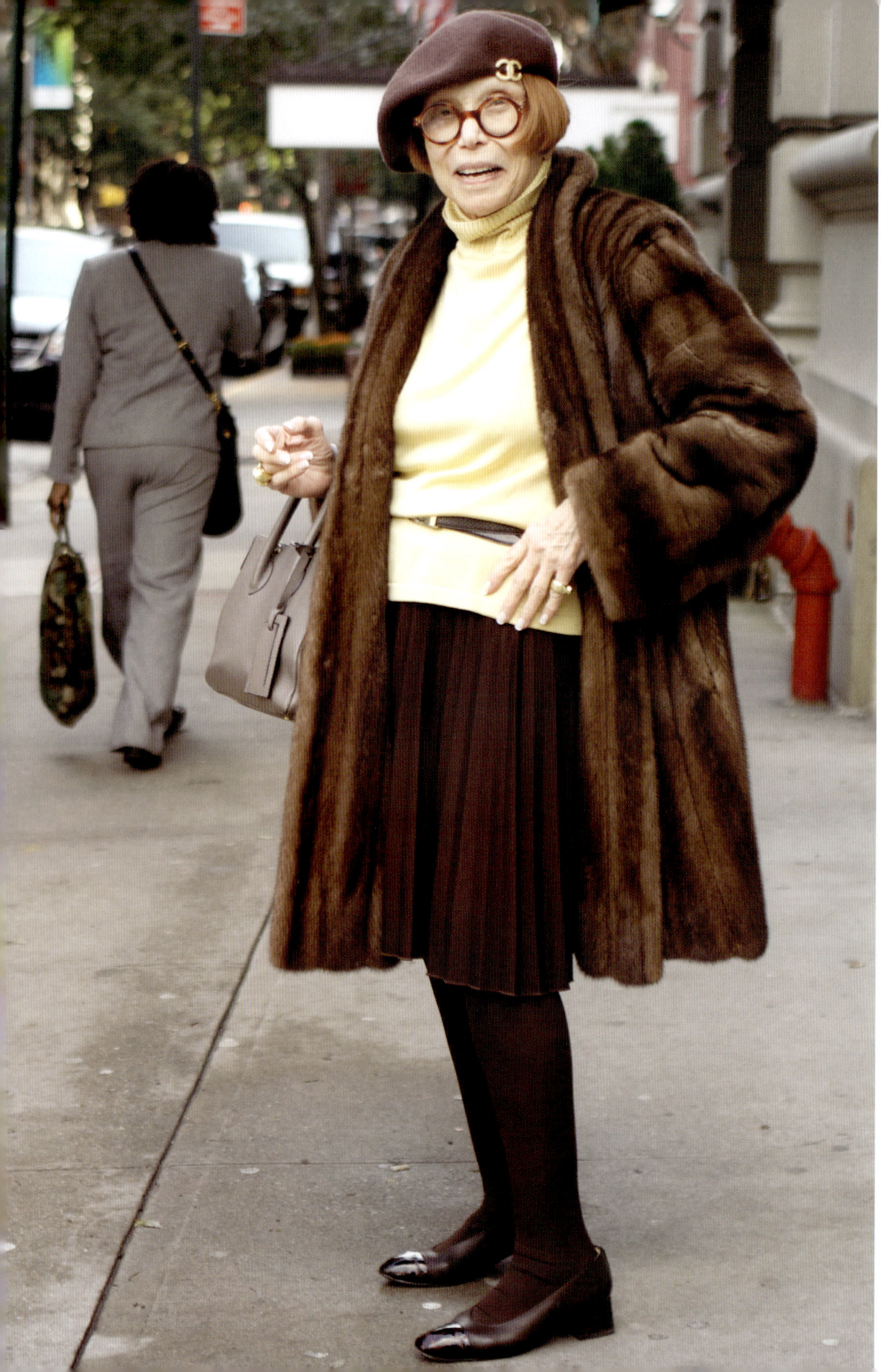

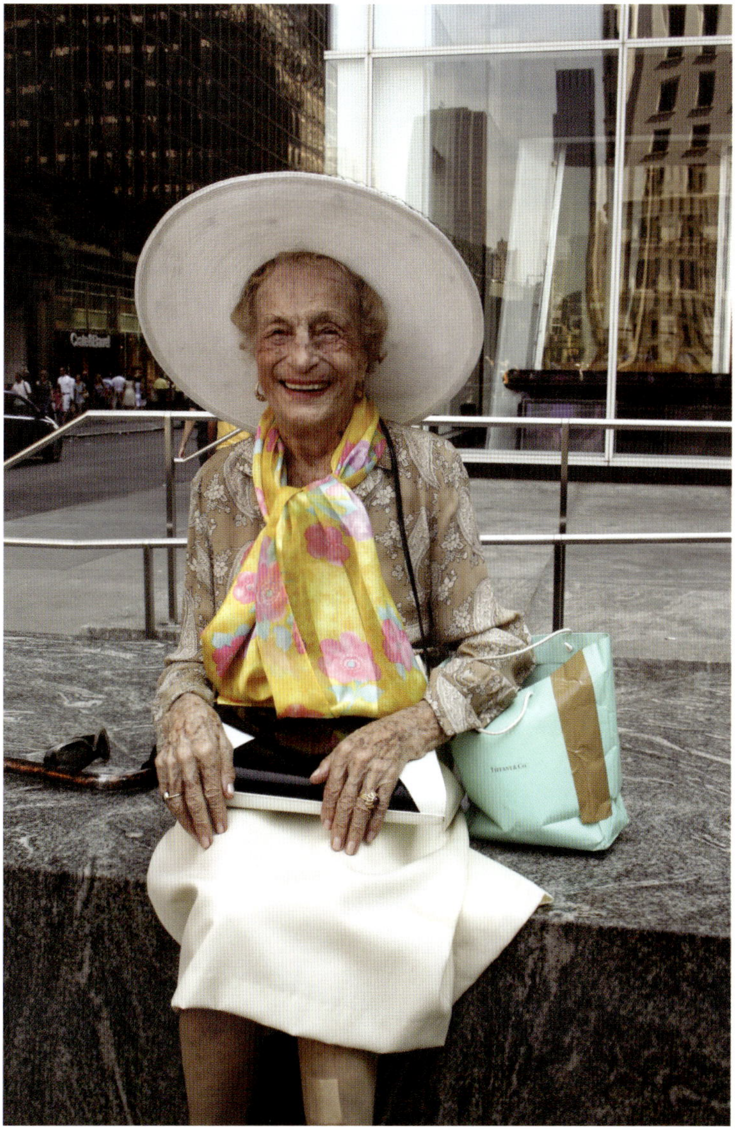

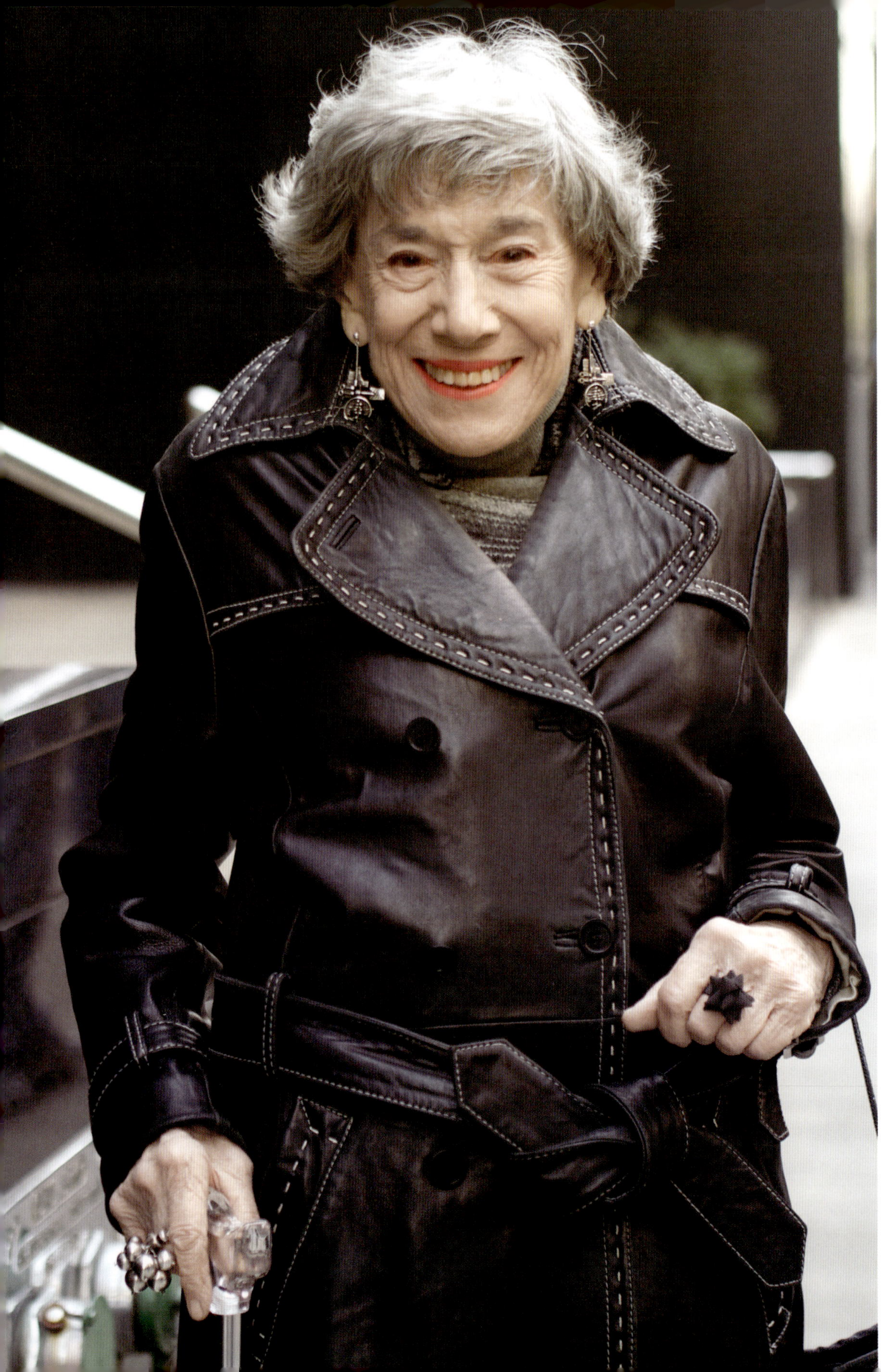

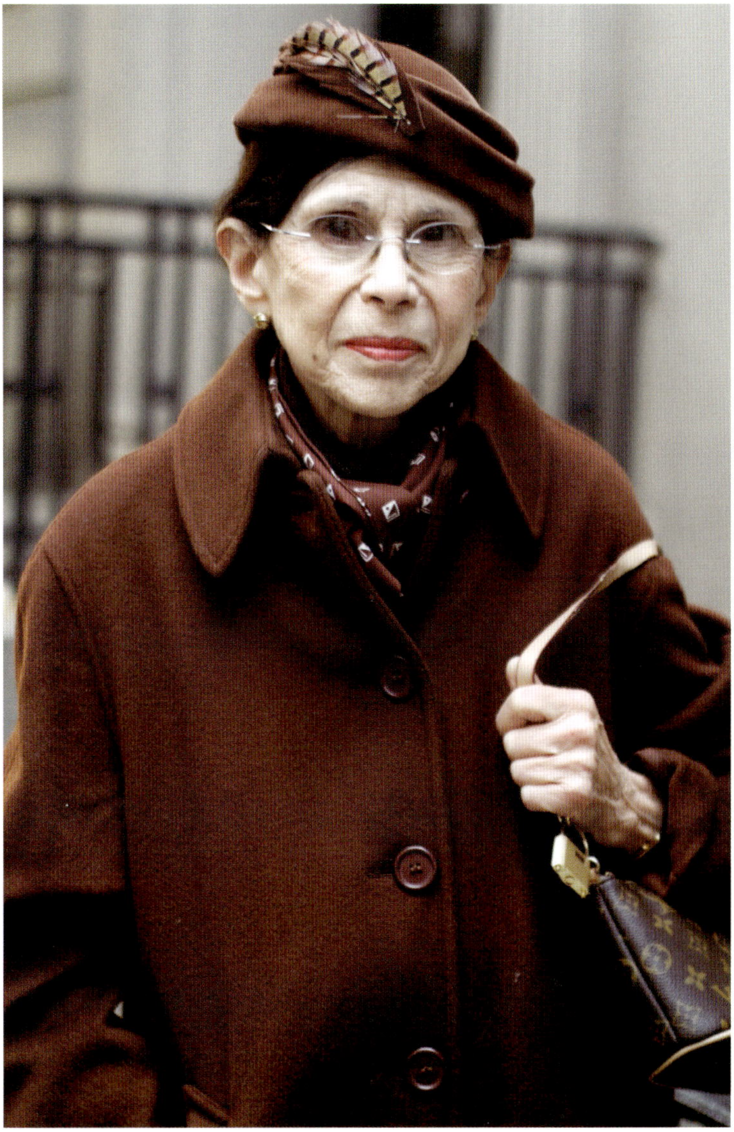

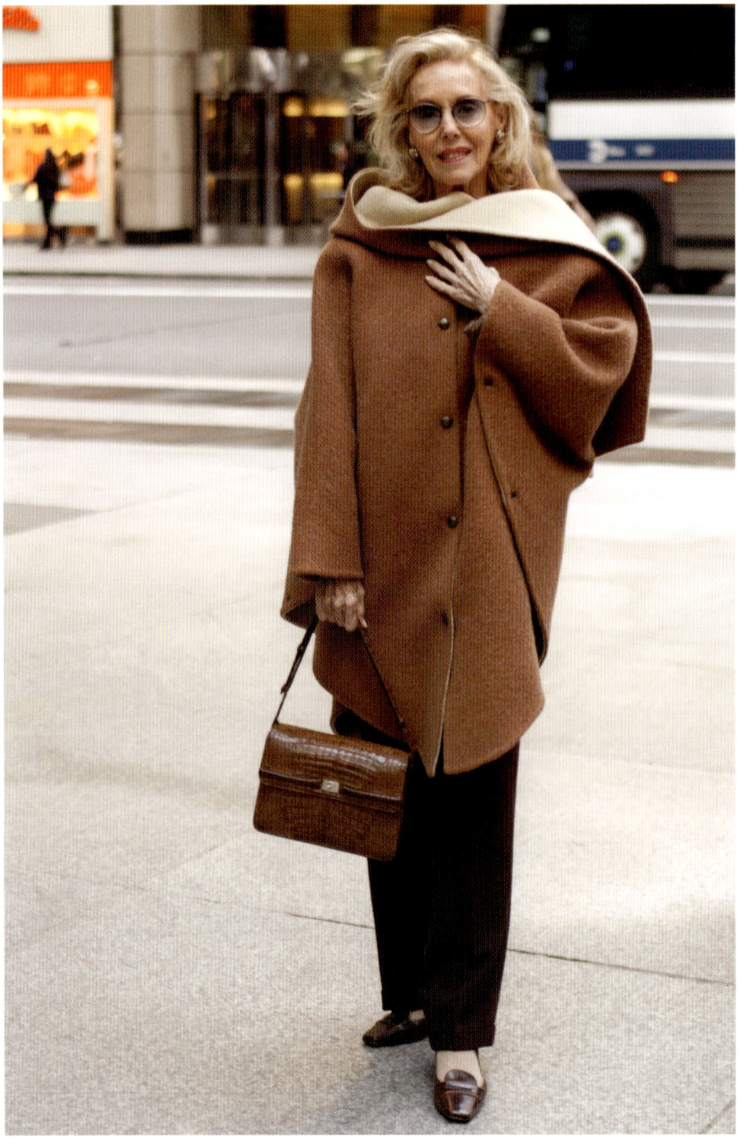

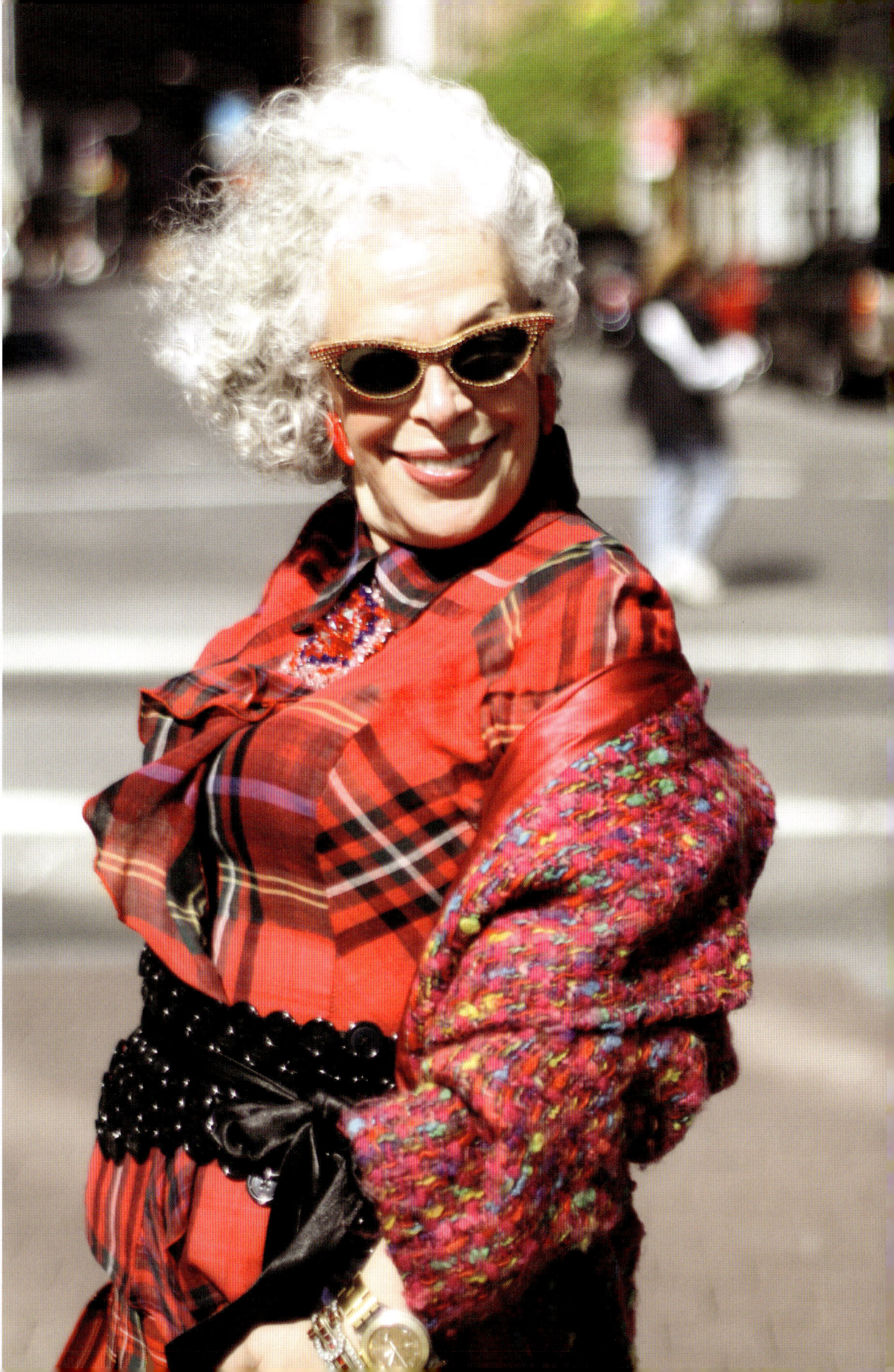

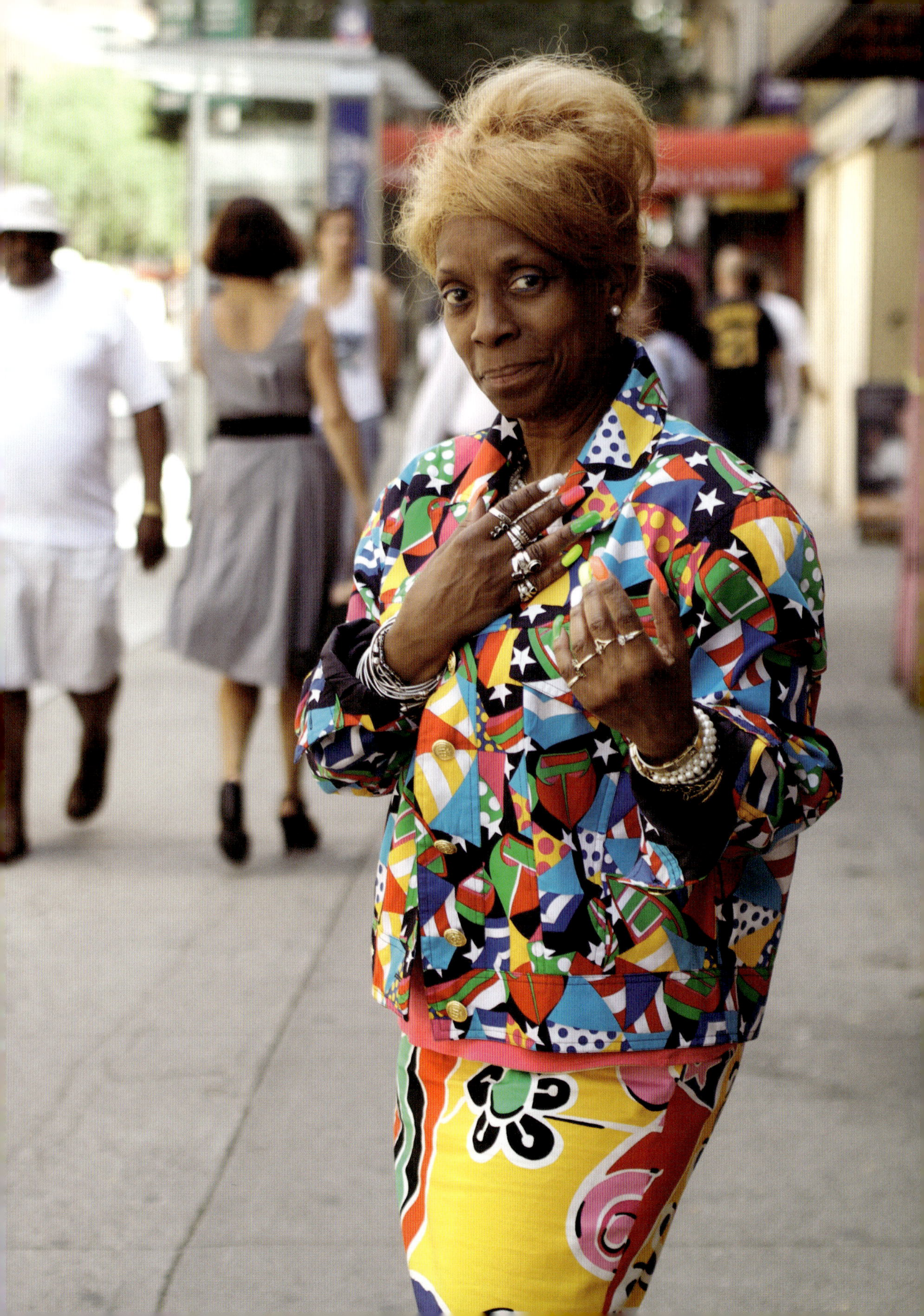

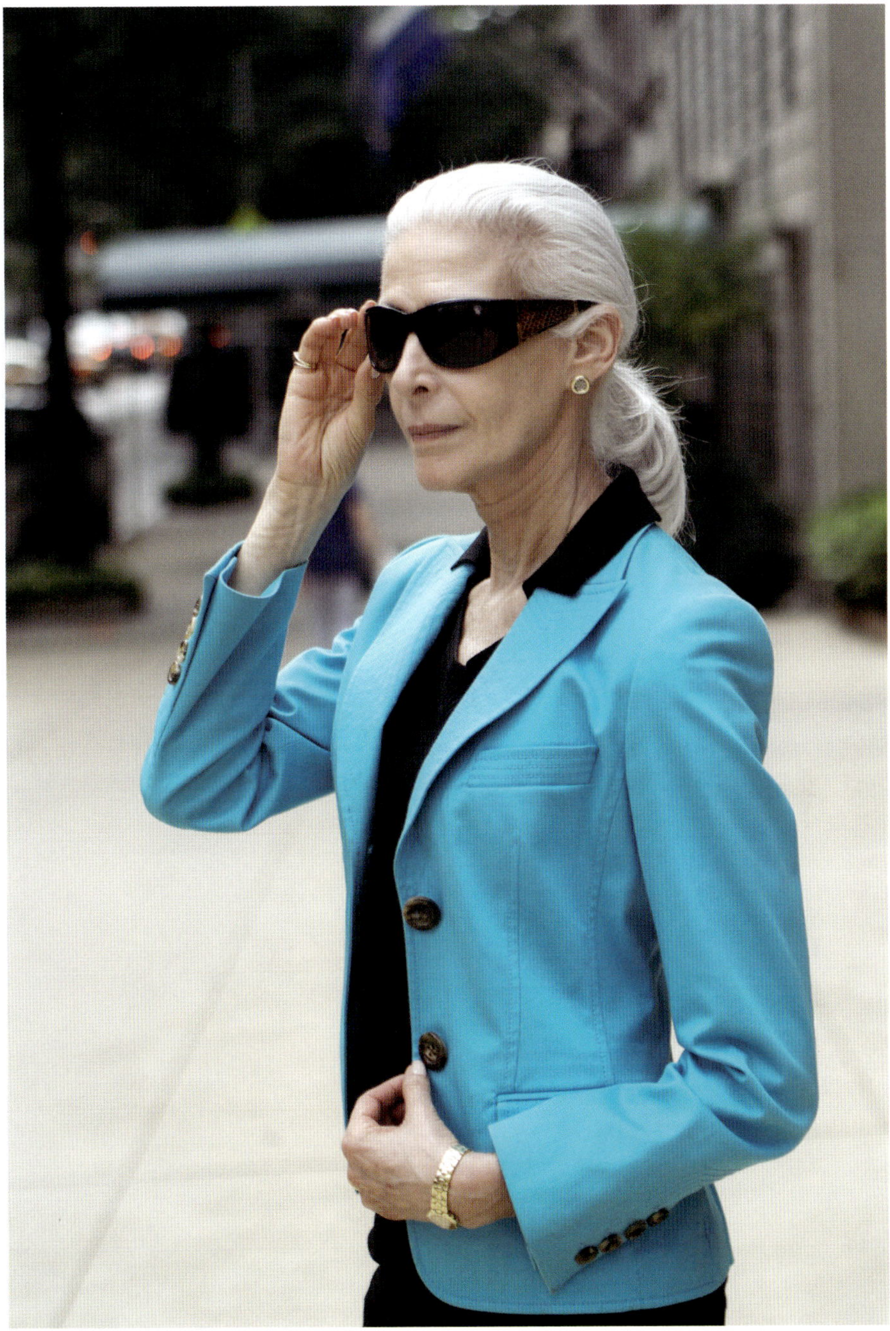

Mary has an almost intellectual approach to dressing. Every item she selects plays an important role in striking a harmonious balance of textures and colors. Mary is always amazingly accessorized and is never afraid to speak her mind. Under no condition will she leave the house without the perfect shoes and, more often than not, properly coordinated socks.

メアリーの着こなしは、ほとんど知的なアプローチと言える。
彼女が選ぶすべてのアイテムは、質感と色の調和に重要な役割を果たしている。
メアリーはつねに美しくアクセサリーをまとう。
そして自分の意見を率直に述べることを恐れない。
どんなことがあってもパーフェクトな靴と、
それにしっかりと合うソックスをはかずに家を出ることはない。

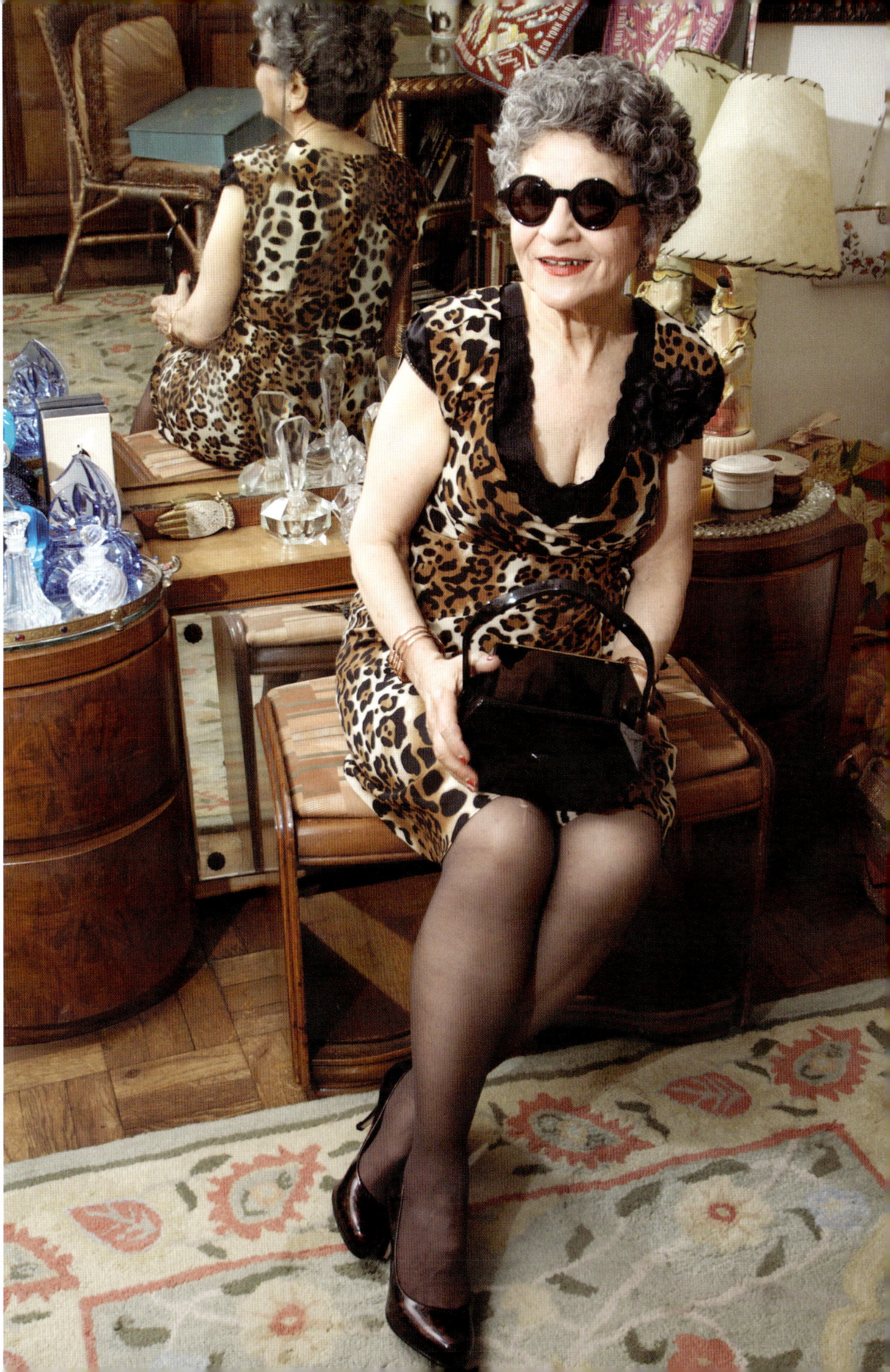

"Whenever you're in a difficult situation ask yourself, 'How would Fred Astaire handle this?'"

「困ったときは、
自分自身に問うことね。
『フレッド・アステアだったら
どうするかしら?』と」

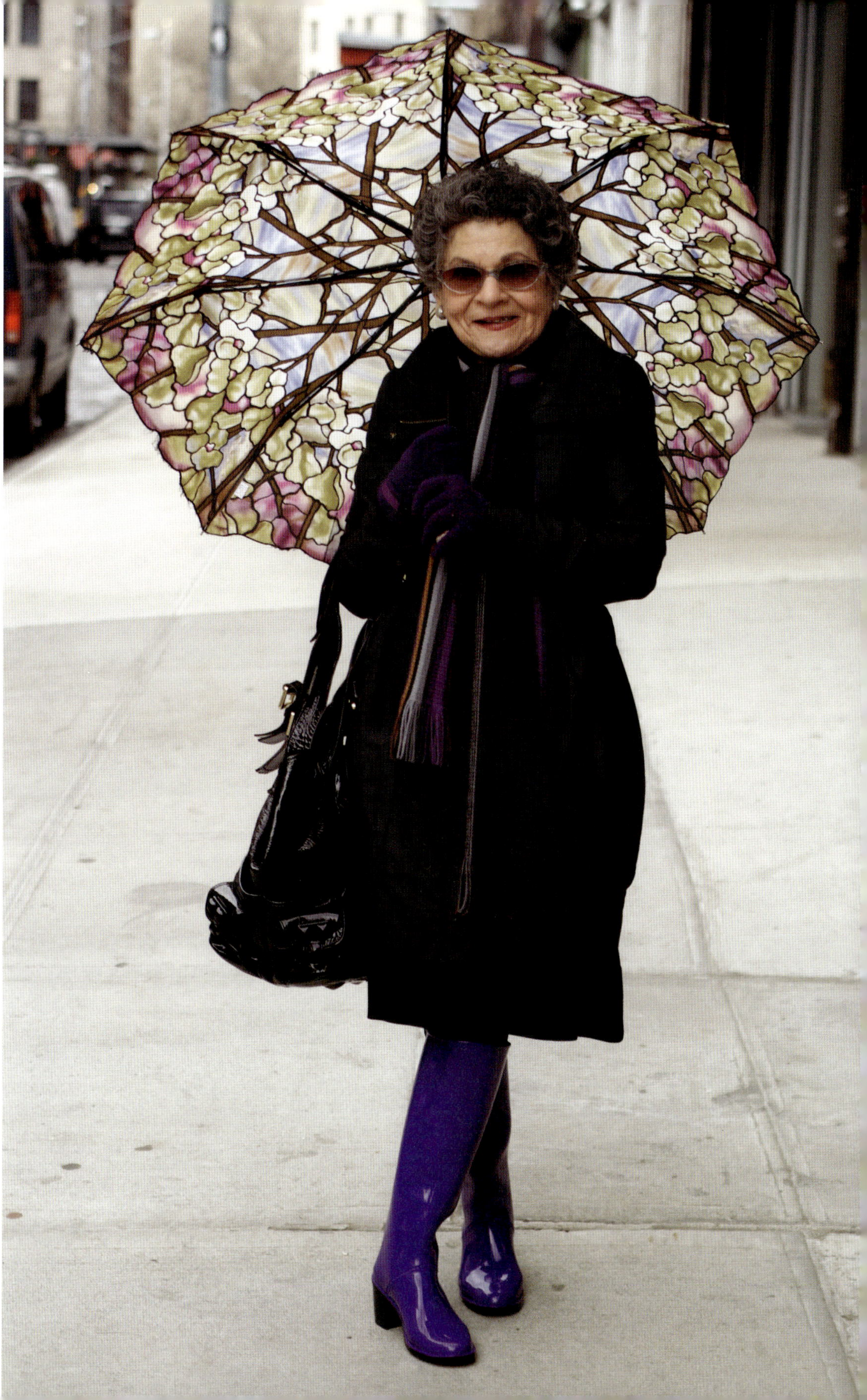

"Sunglasses are better than a face-lift. They hide the ravages of time and let you spy."

「サングラスはフェイス・リフトよりいいと思うわ。
歳月によるダメージをしっかりと隠してくれるし、スパイにもなれるんだからね」

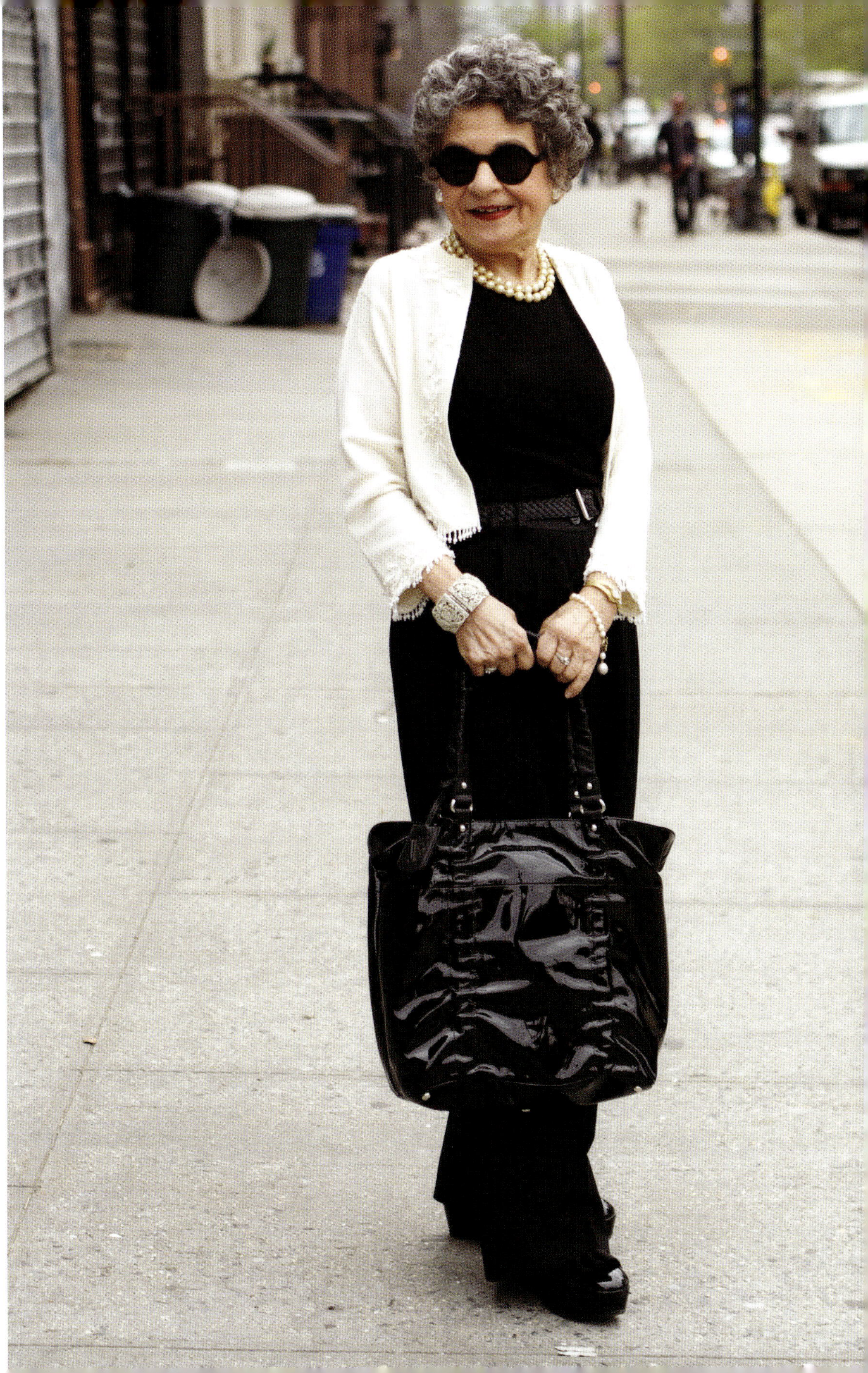

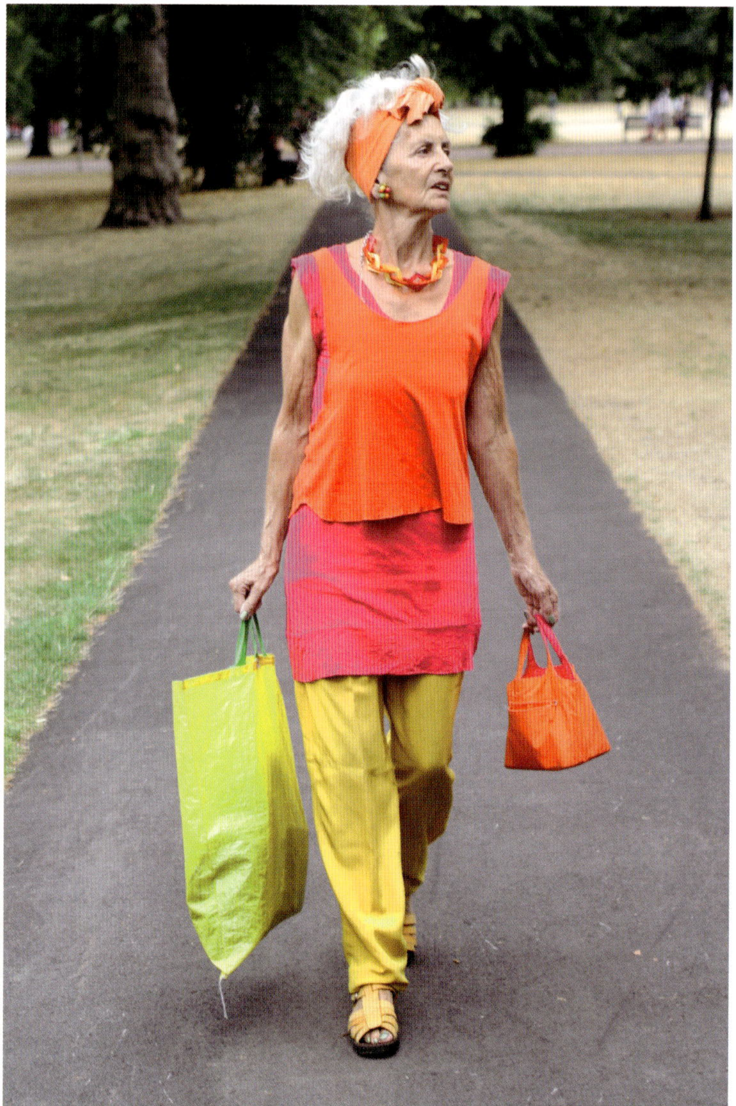

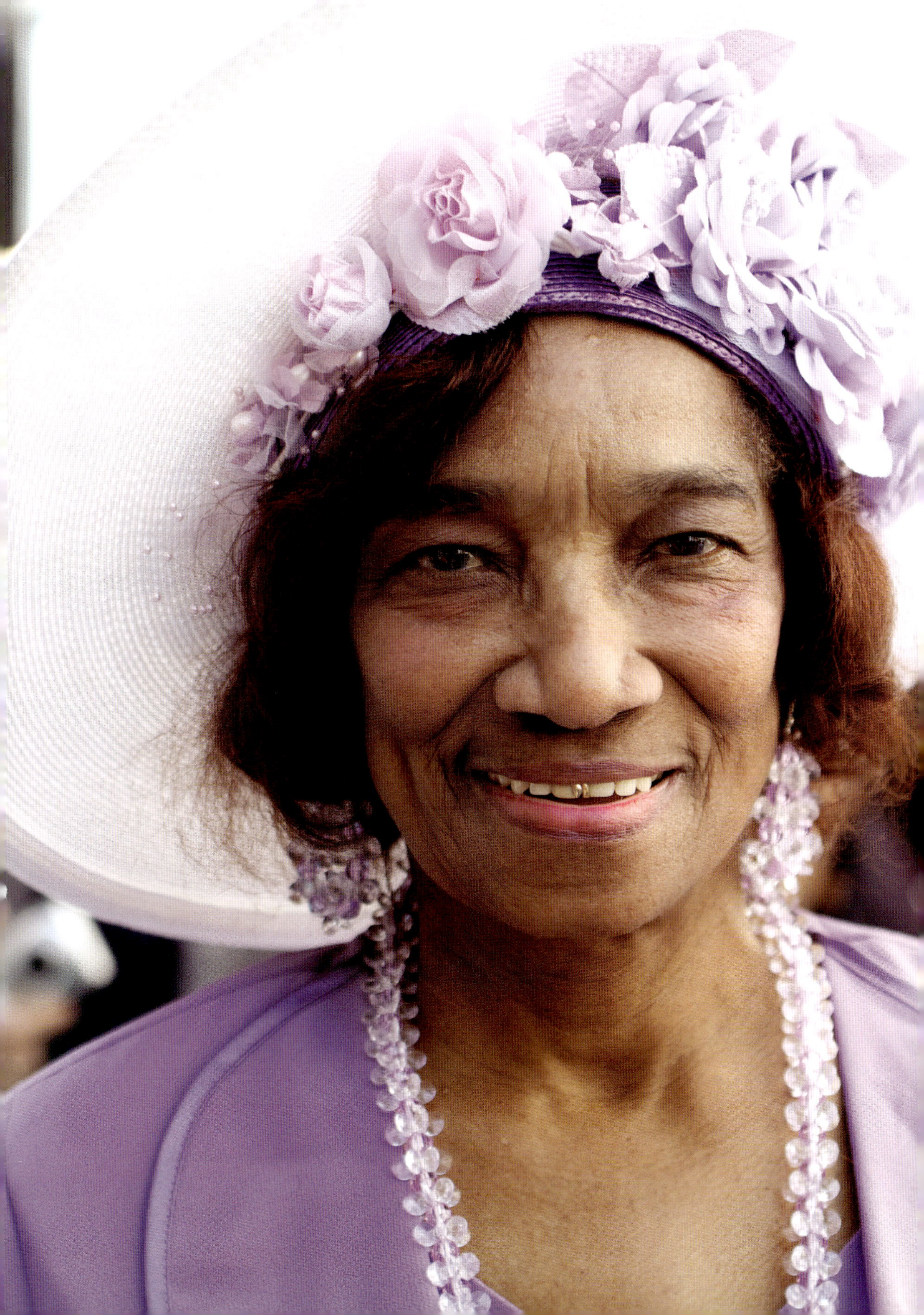

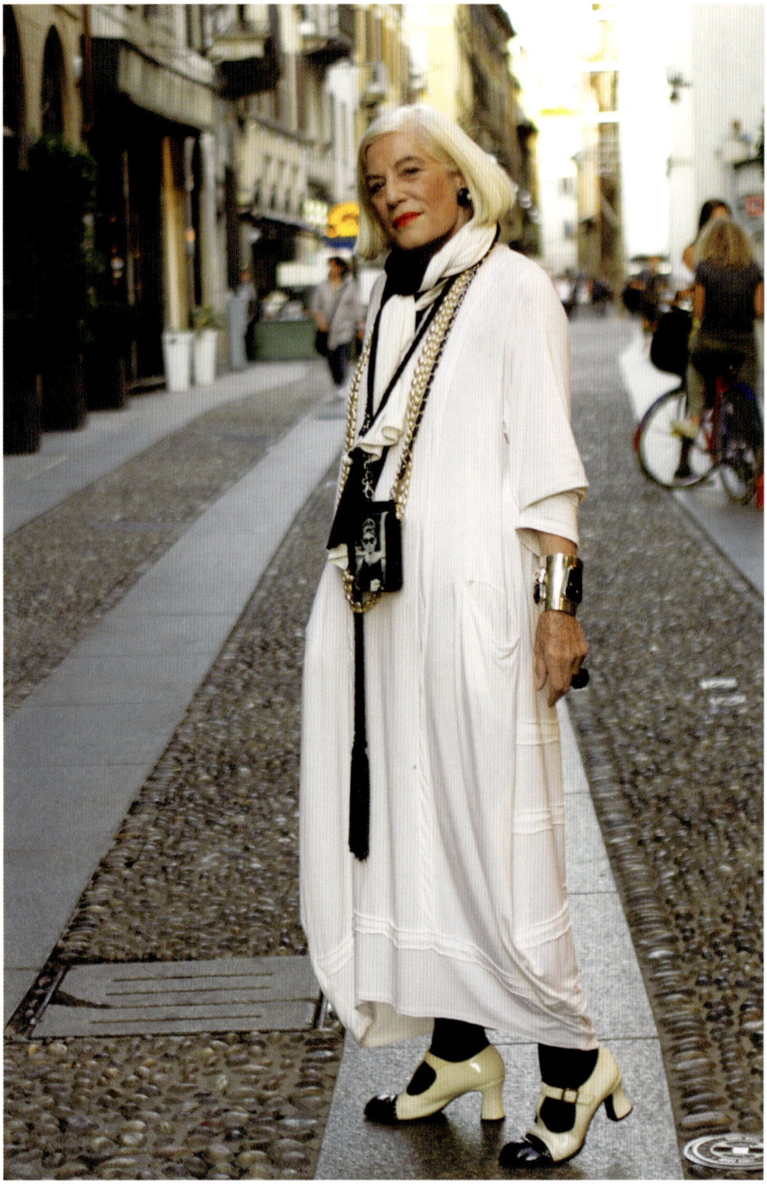

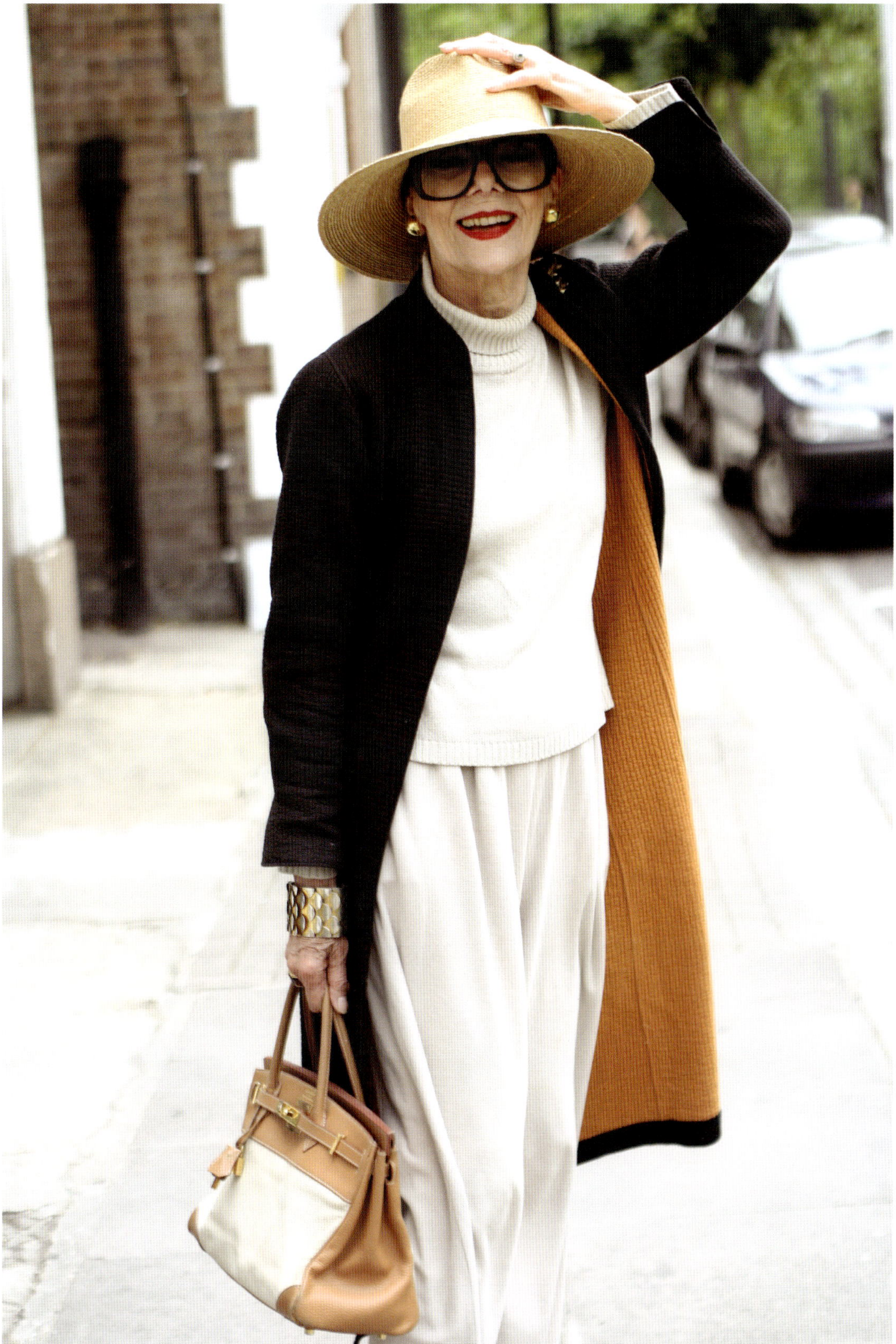

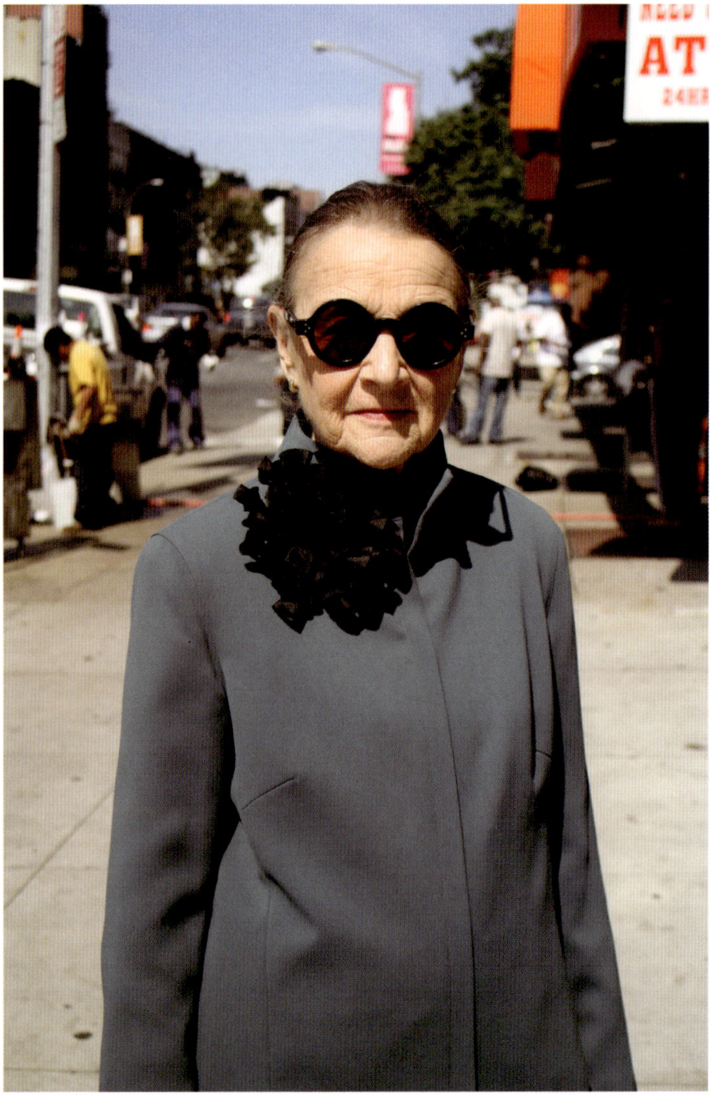
AT
24HR

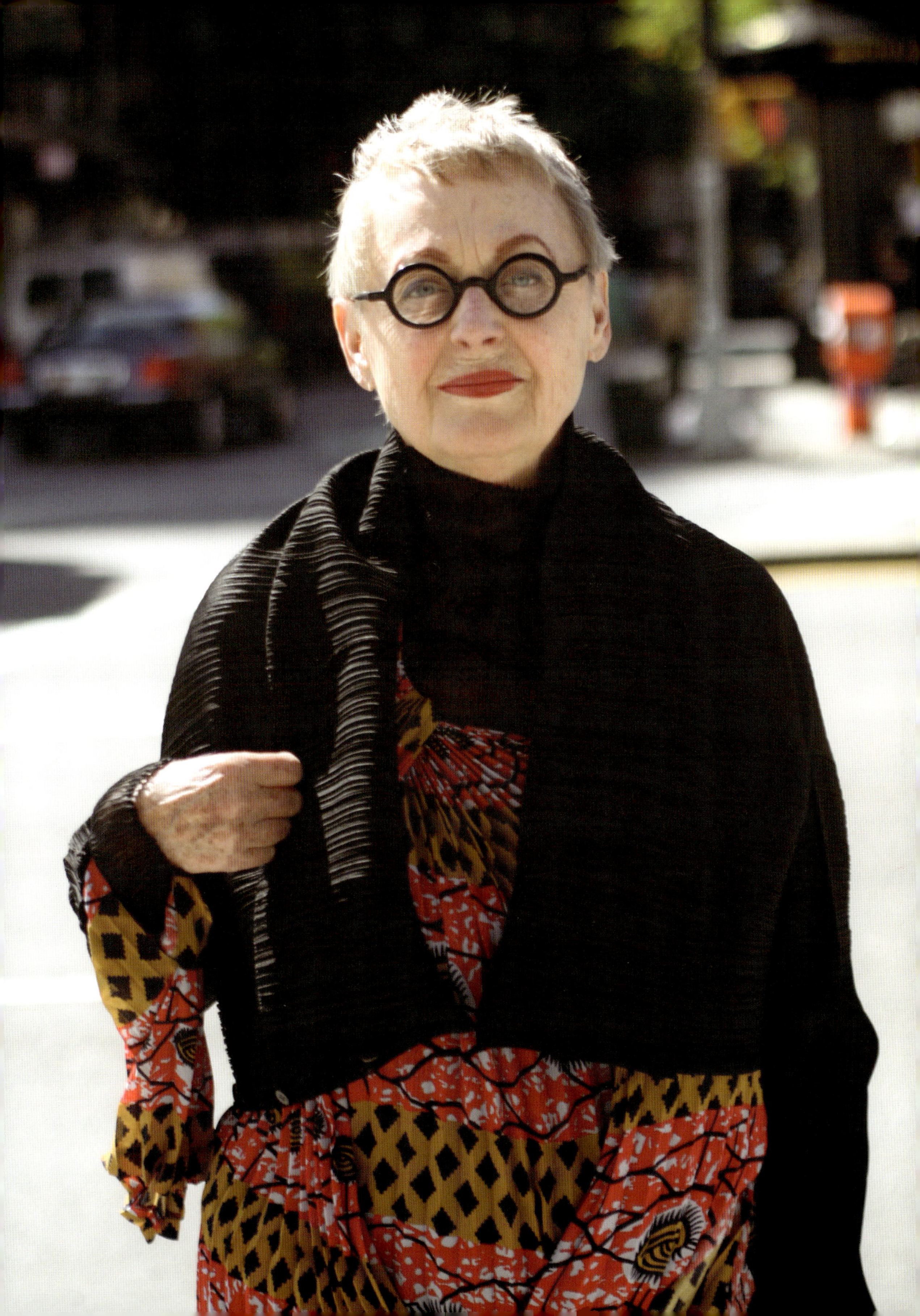

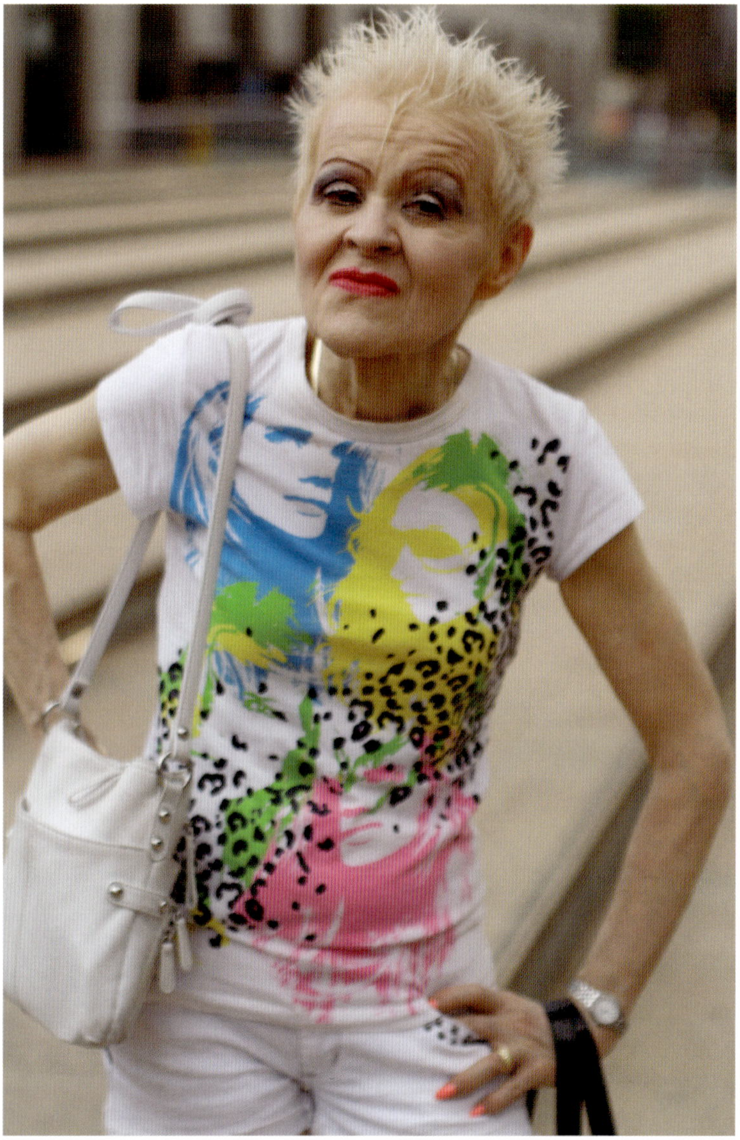

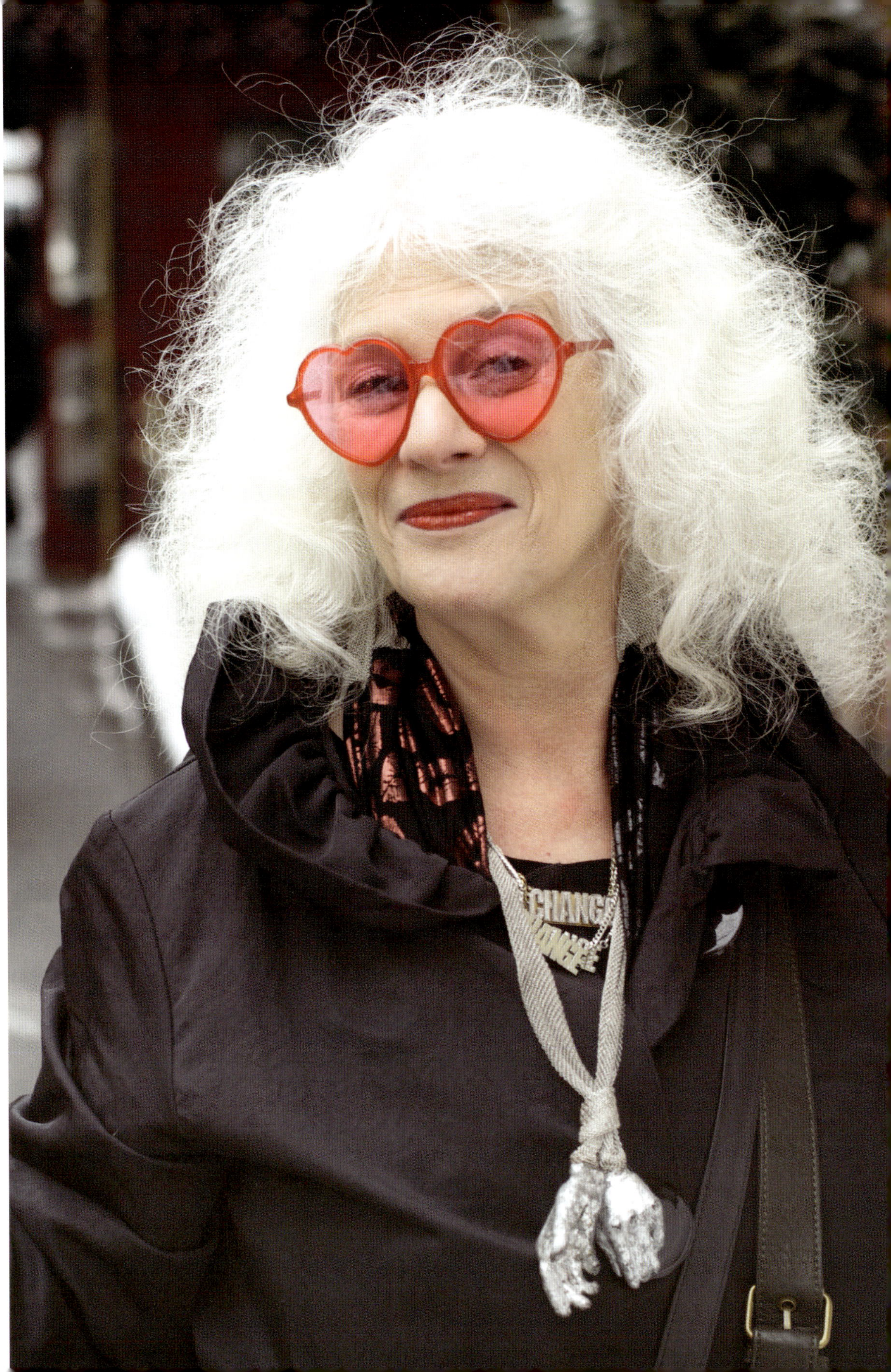

Tziporah Salamon can be spotted riding her bike around town, always dressed to the nines. Her vast collection of vintage and ethnic clothing makes her a favorite amongst fashion bloggers and a popular face on the weekly style pages. Tziporah's love of fashion has been with her since an early age, but it is with time and experience that she has perfected her signature look.

街なかで、いつも華やかにめかしこんで自転車に乗っているジポラ・サラモンを見かける。
彼女の膨大なヴィンテージ・コレクションとエスニック・アイテムは、
ニューヨークのファッション・ブロガーや雑誌でも大人気だ。
幼いときからファッションを愛するジポラだが、
時の流れと数々の経験が彼女の装いを完璧なものにしている。

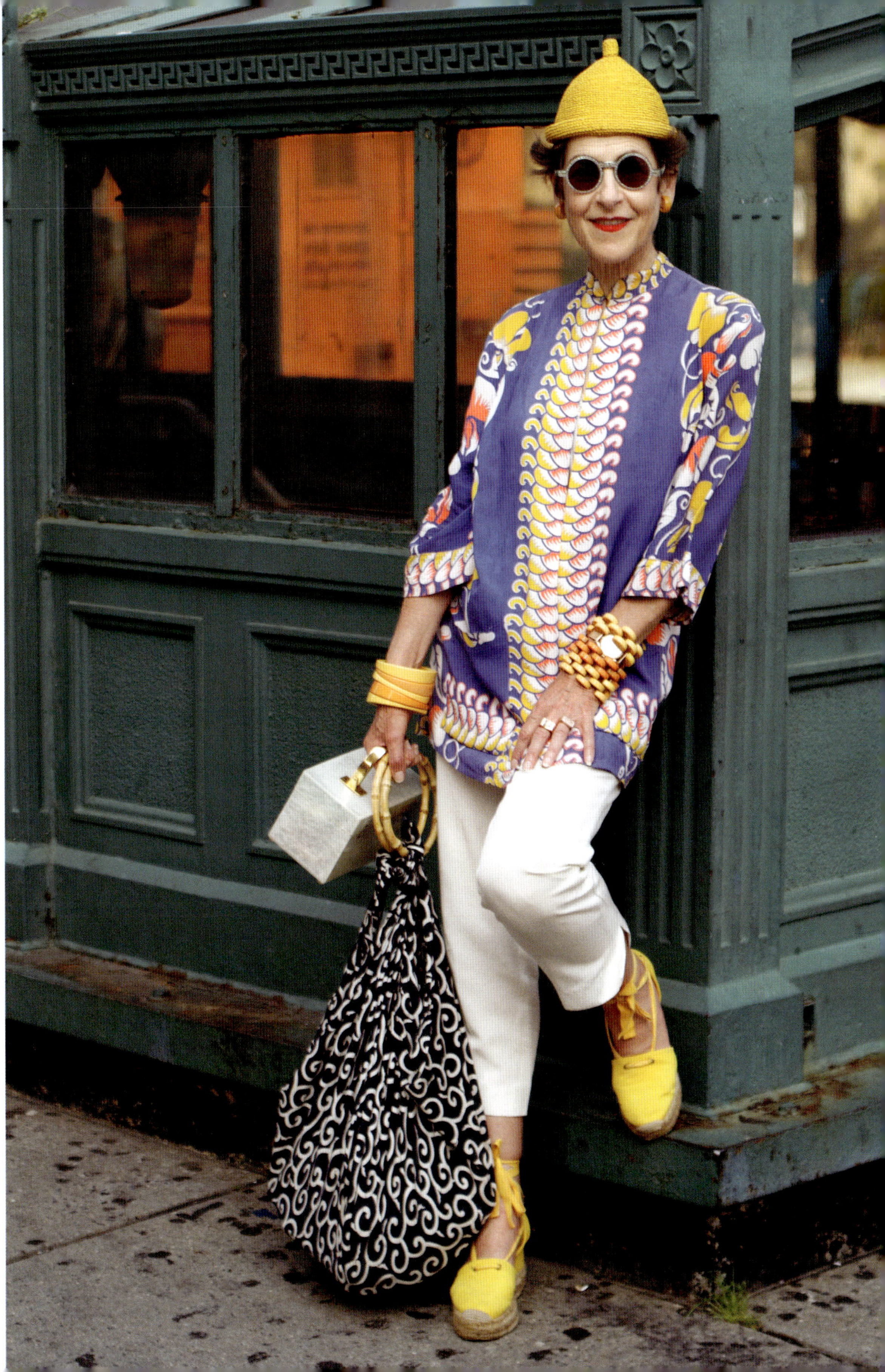

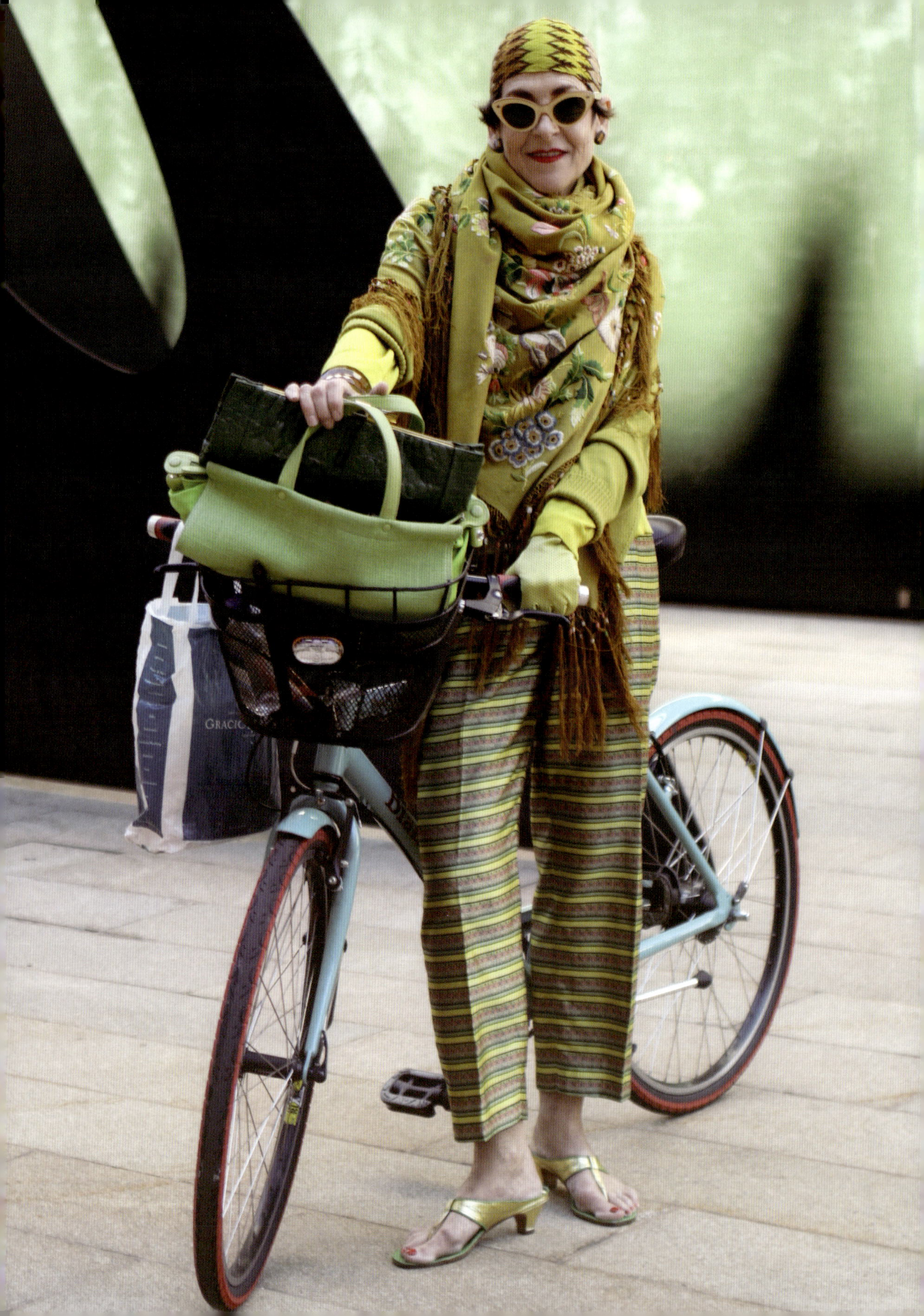

"Study what women who dress well do and learn from them."

「美しく着こなしている女性を見て、勉強することね」

"And sometimes it's a fine line from costume to chic so I aim for the latter and work on it until I achieve it."

「ときには、コスチュームとシックって、紙一重なのよ。
わたしは後者を狙って、それが実現するまで取り組むの」

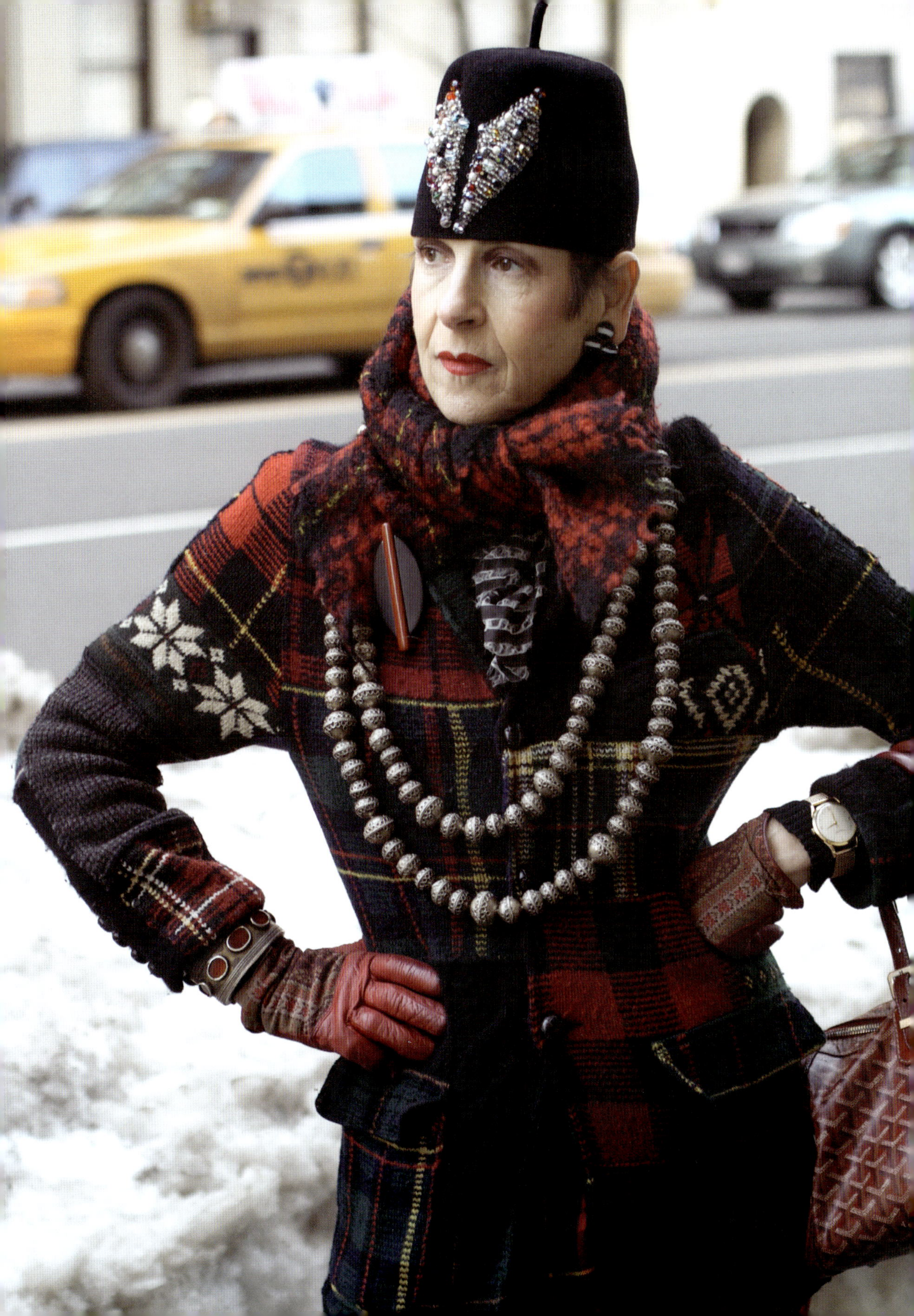

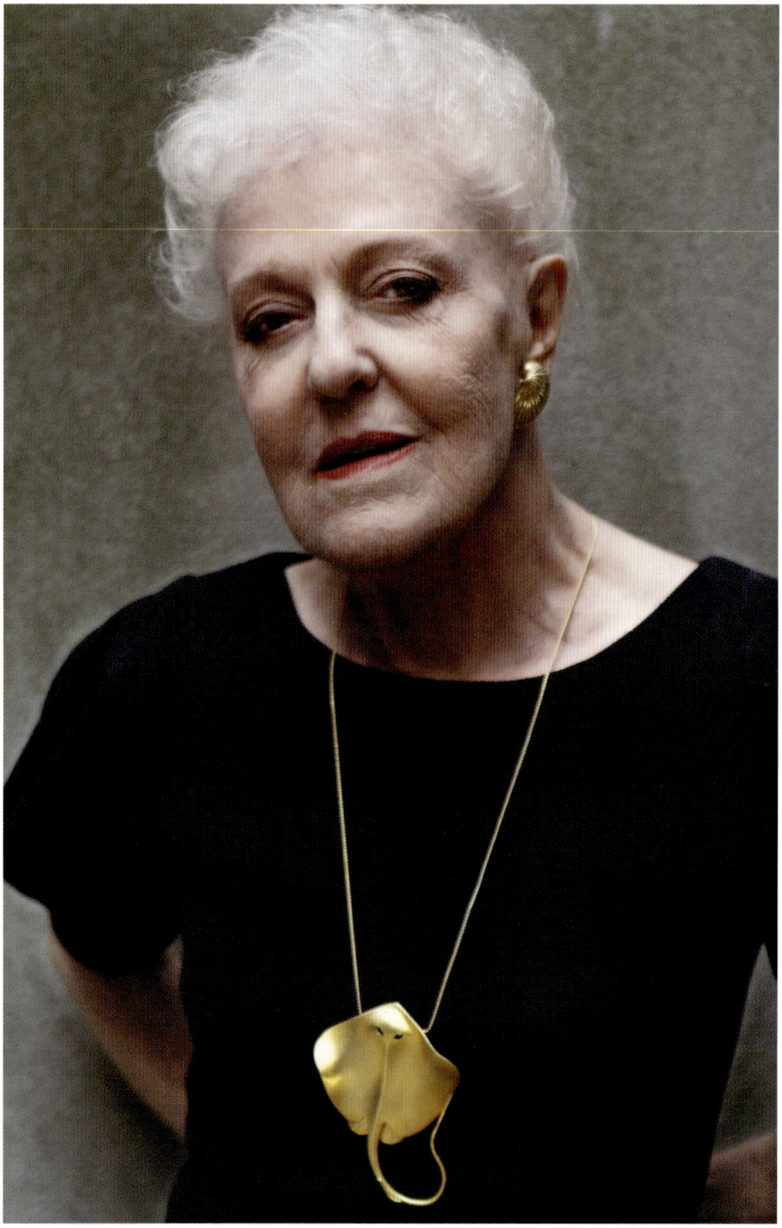

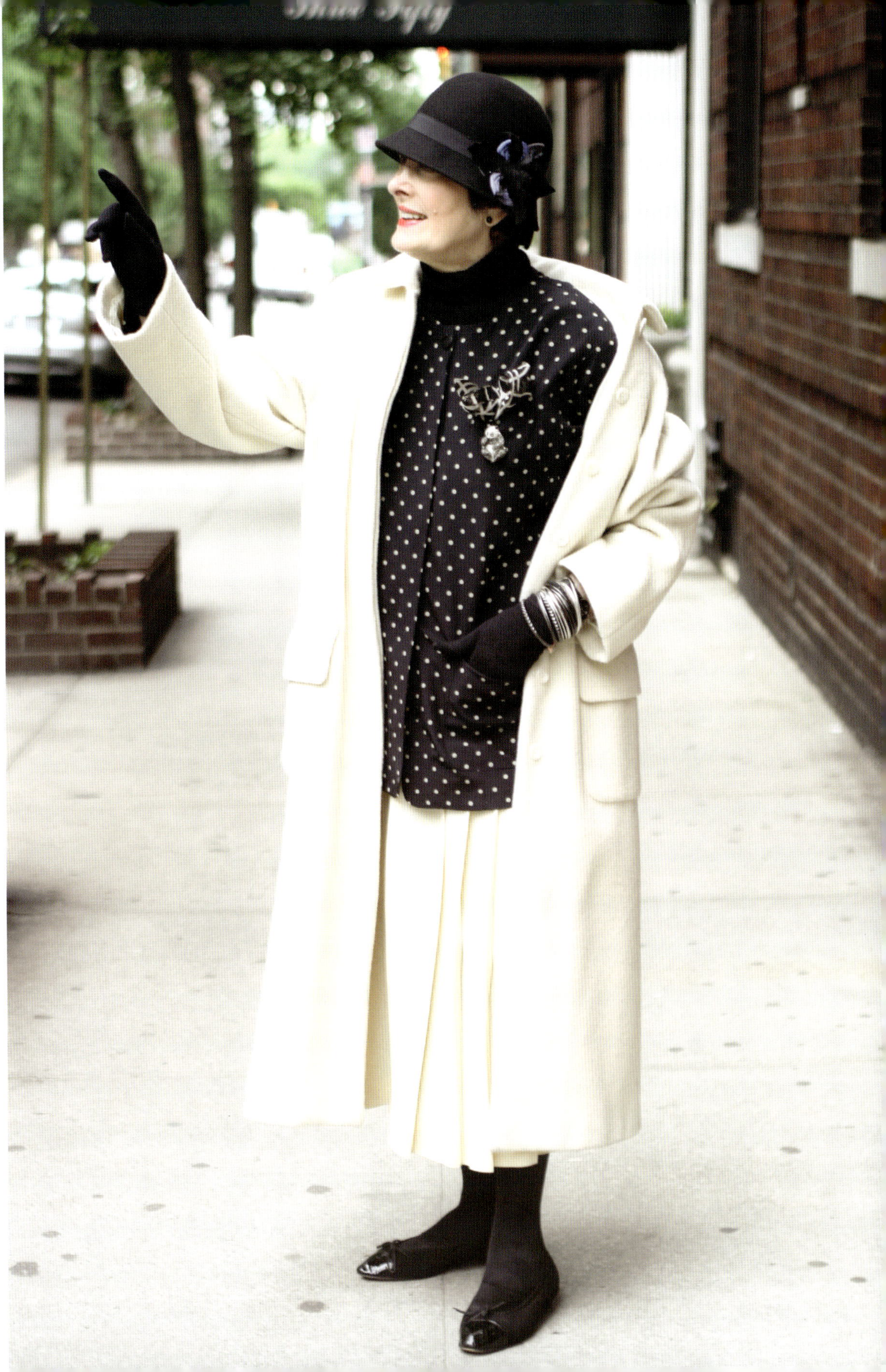

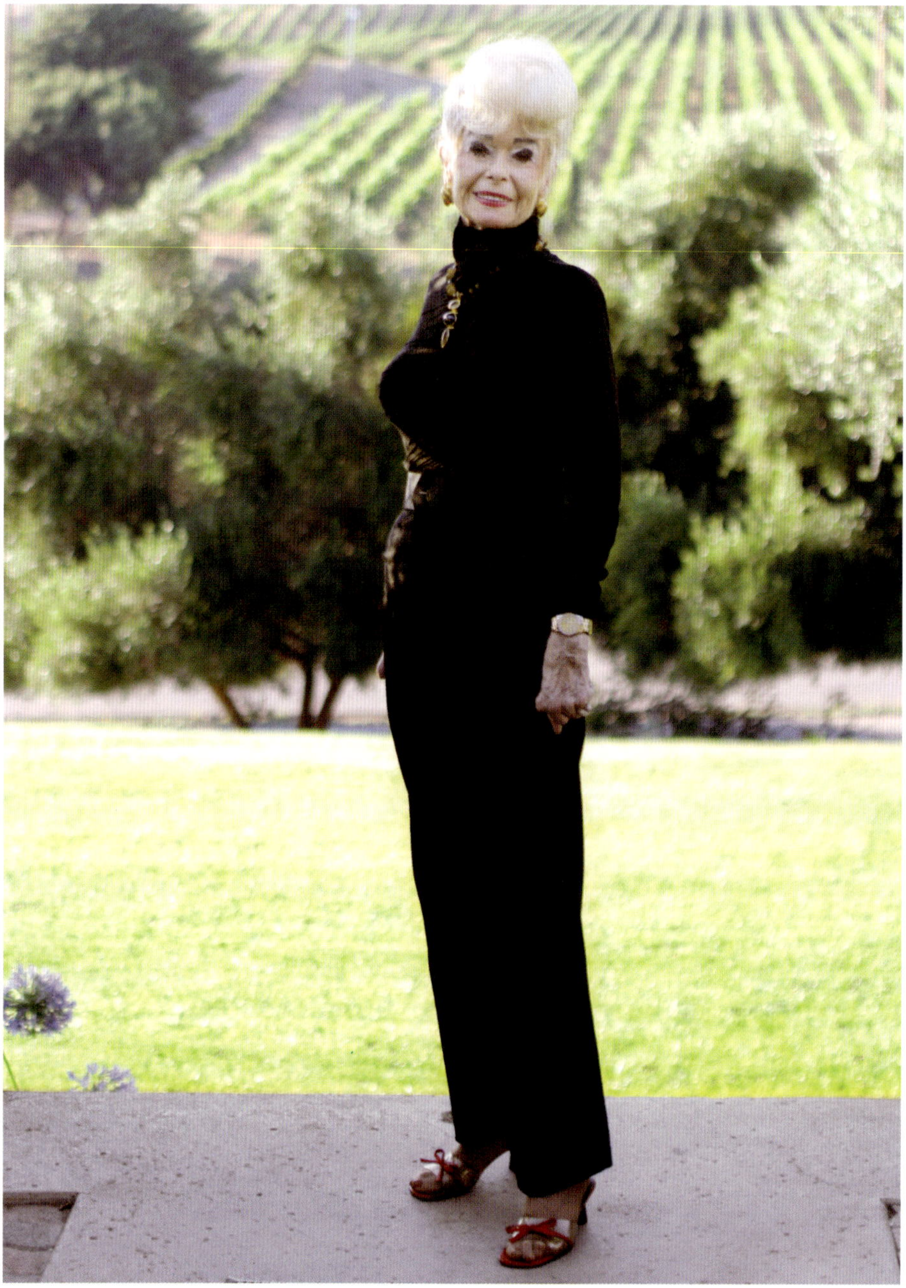

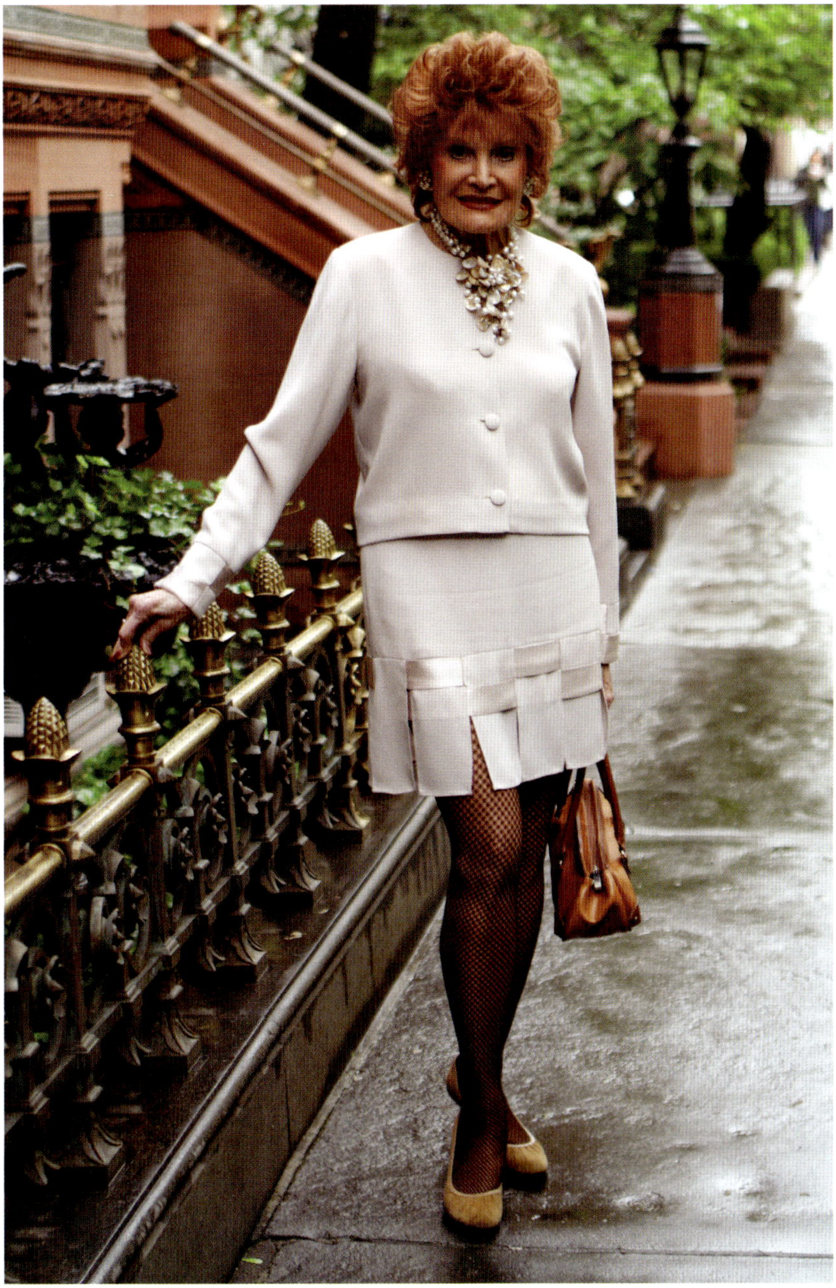

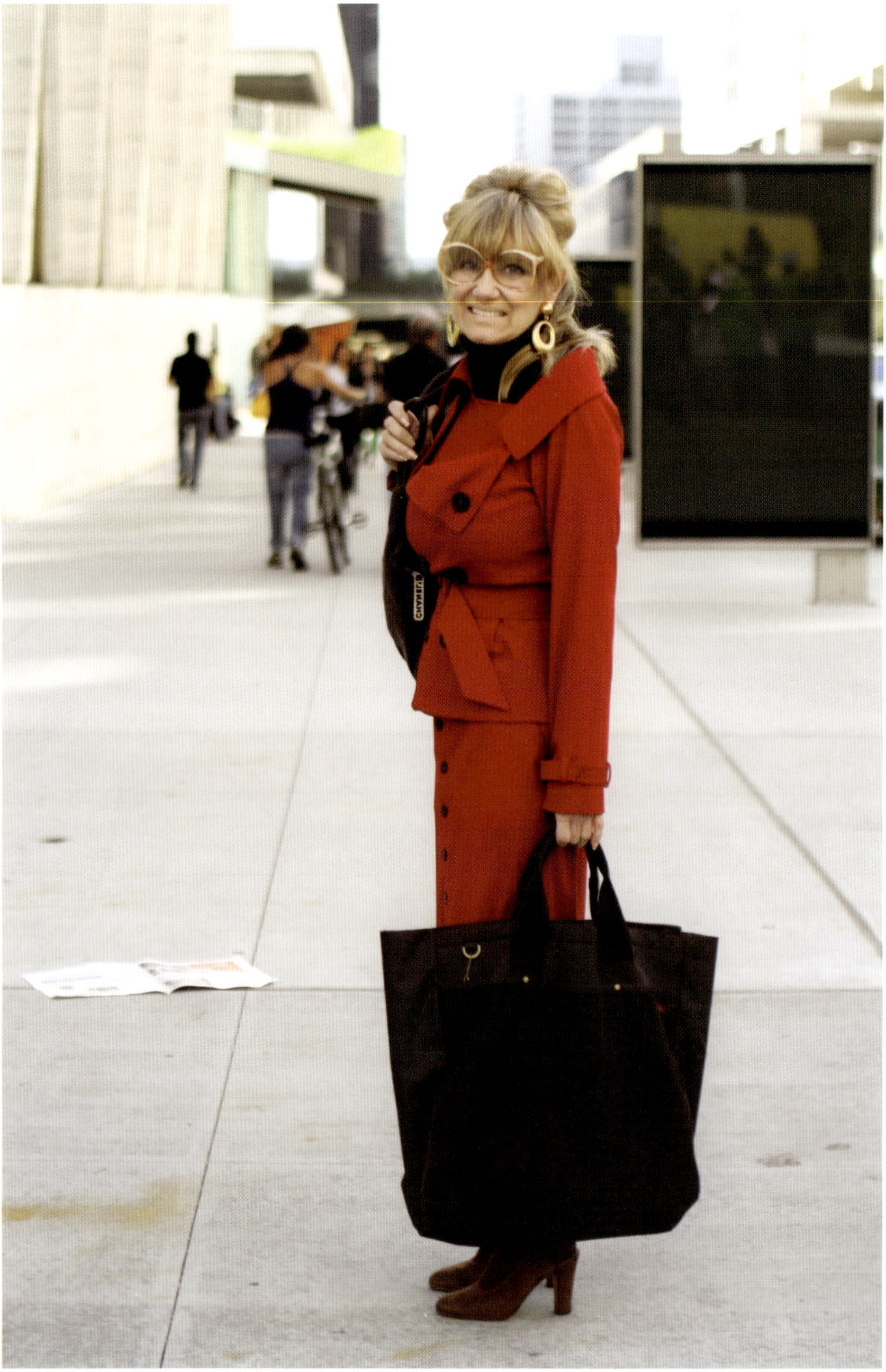

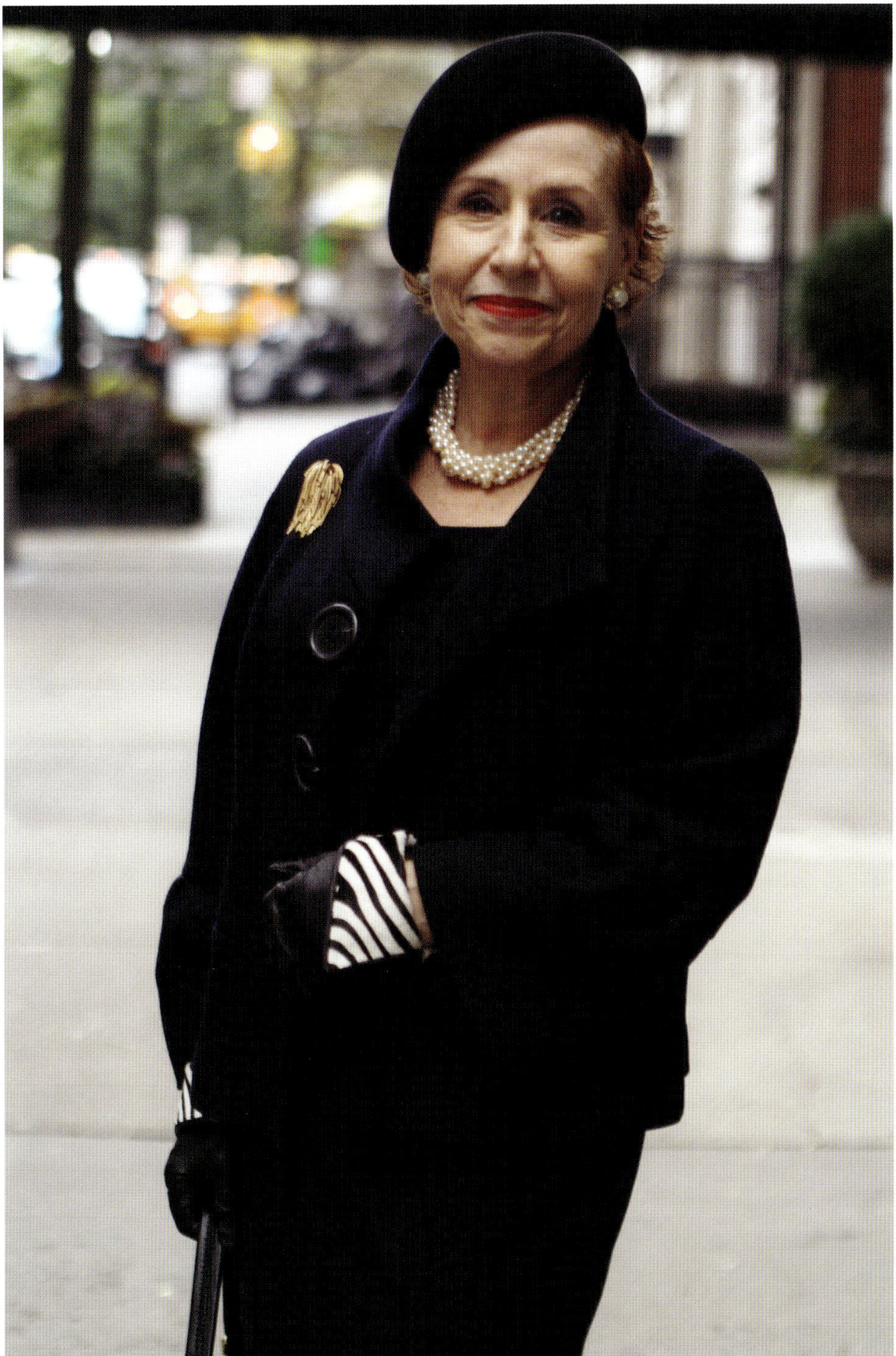

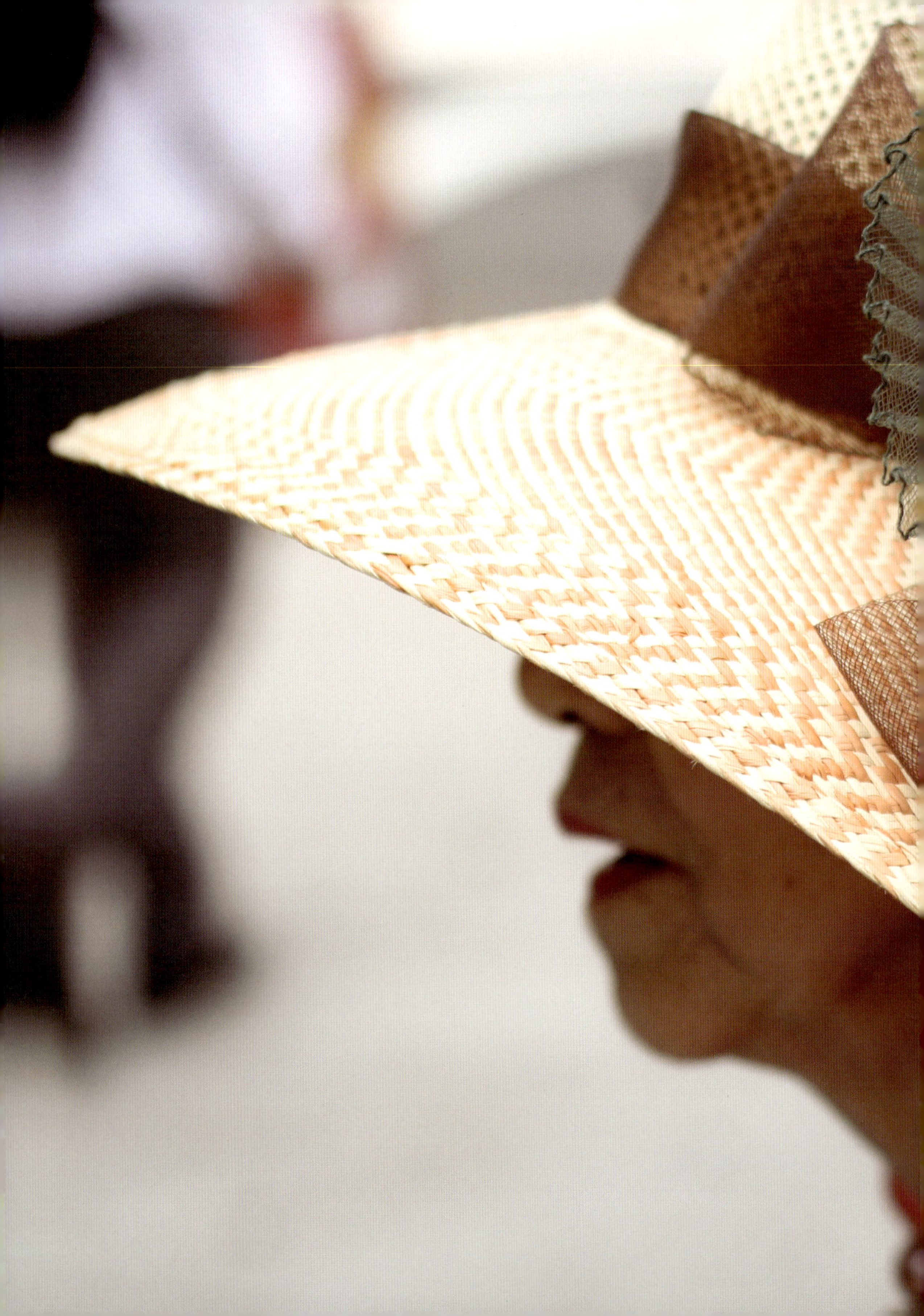

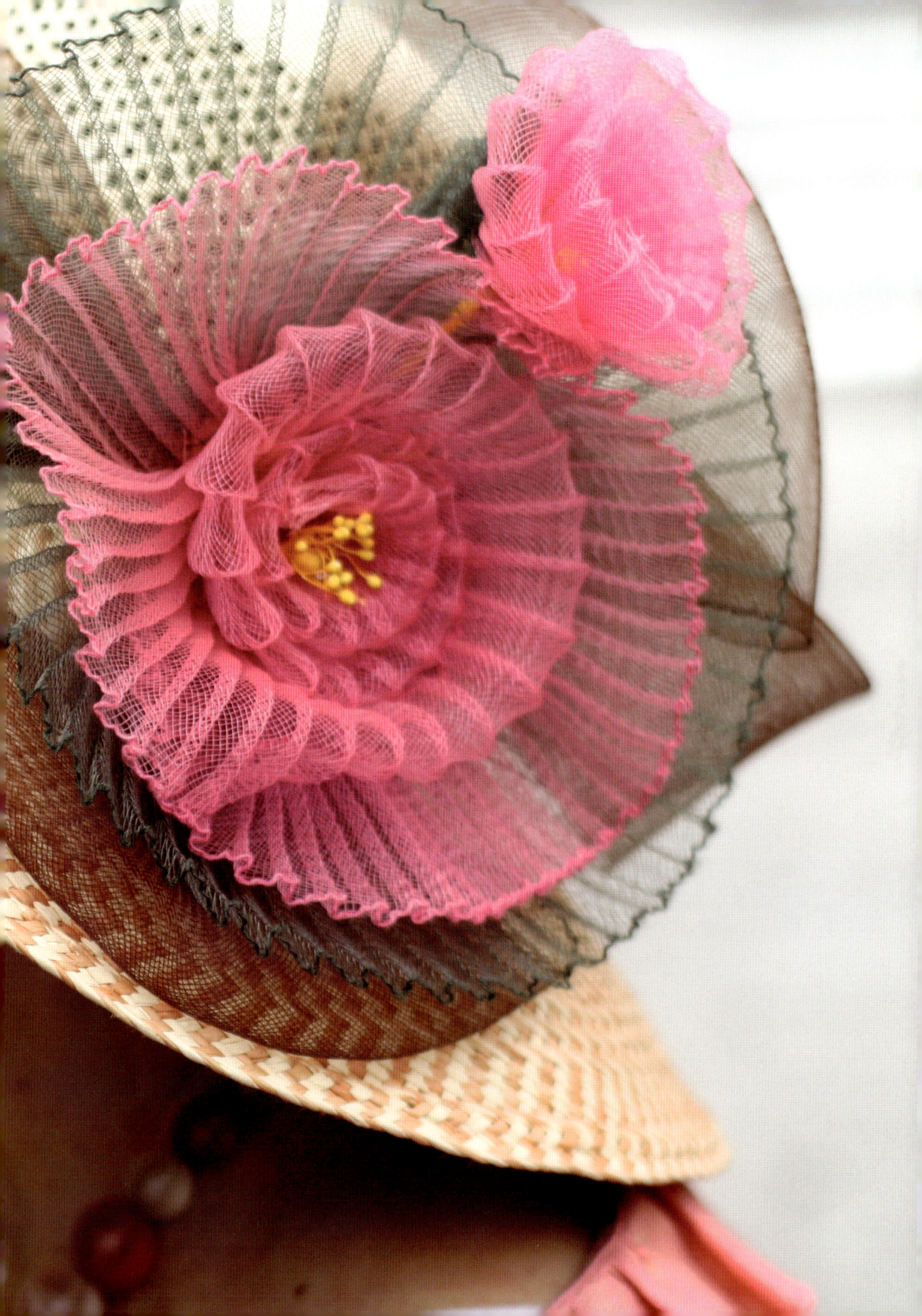

With over 60 years of experience dressing with panache, **Maryann** has grown to embrace her personal style. She knows what looks good on her: a mix of vintage and designer that somehow always comes off as extremely modern and perfectly chic. For Maryann, choosing what to wear is an organic process, and each outfit is an opportunity to create something spectacular.

60年以上もの間、堂々とおしゃれをしてきたメリアンは、
彼女ならではのスタイルをつねに取り入れてきた。
彼女は自分に似合うものを知り尽くし、ヴィンテージとデザイナーものをミックスしながら、
いつもモダンでシックなスタイルに仕上げている。
メリアンにとって、着こなしを選ぶことはごく自然で、本質的なものであり、
ひとつひとつのスタイルは、何かものすごく輝かしいものを創造するきっかけなのだそう。

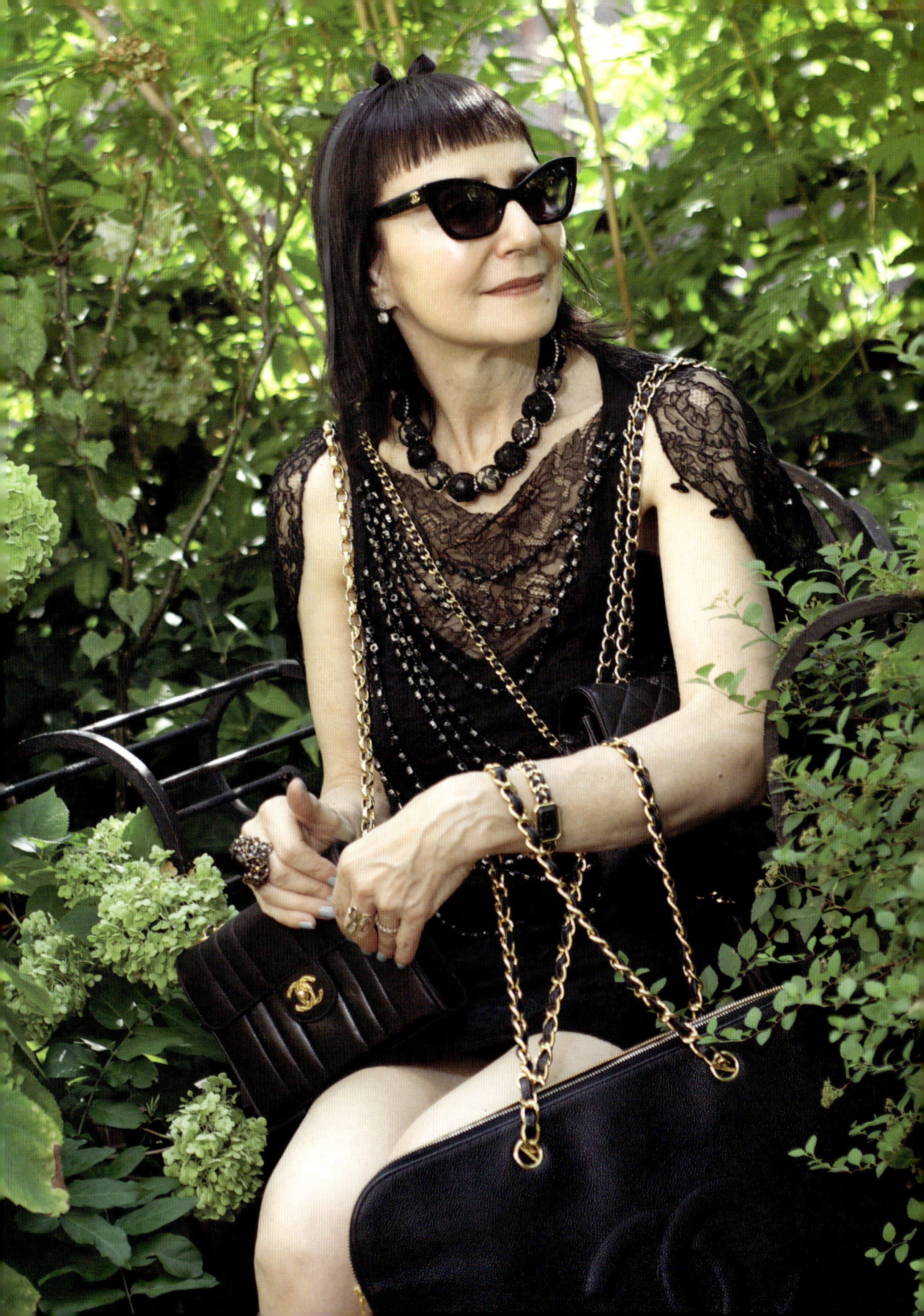

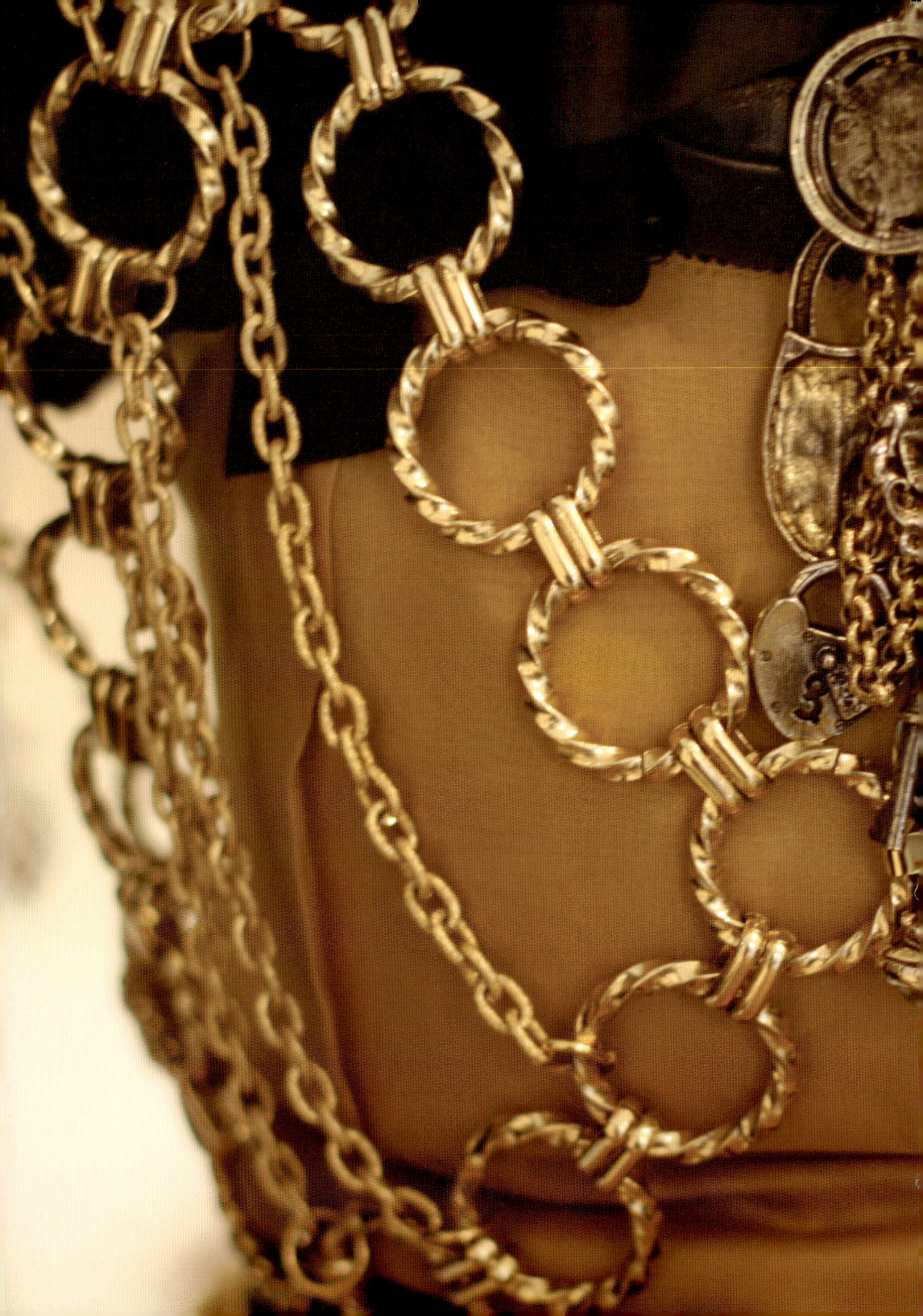

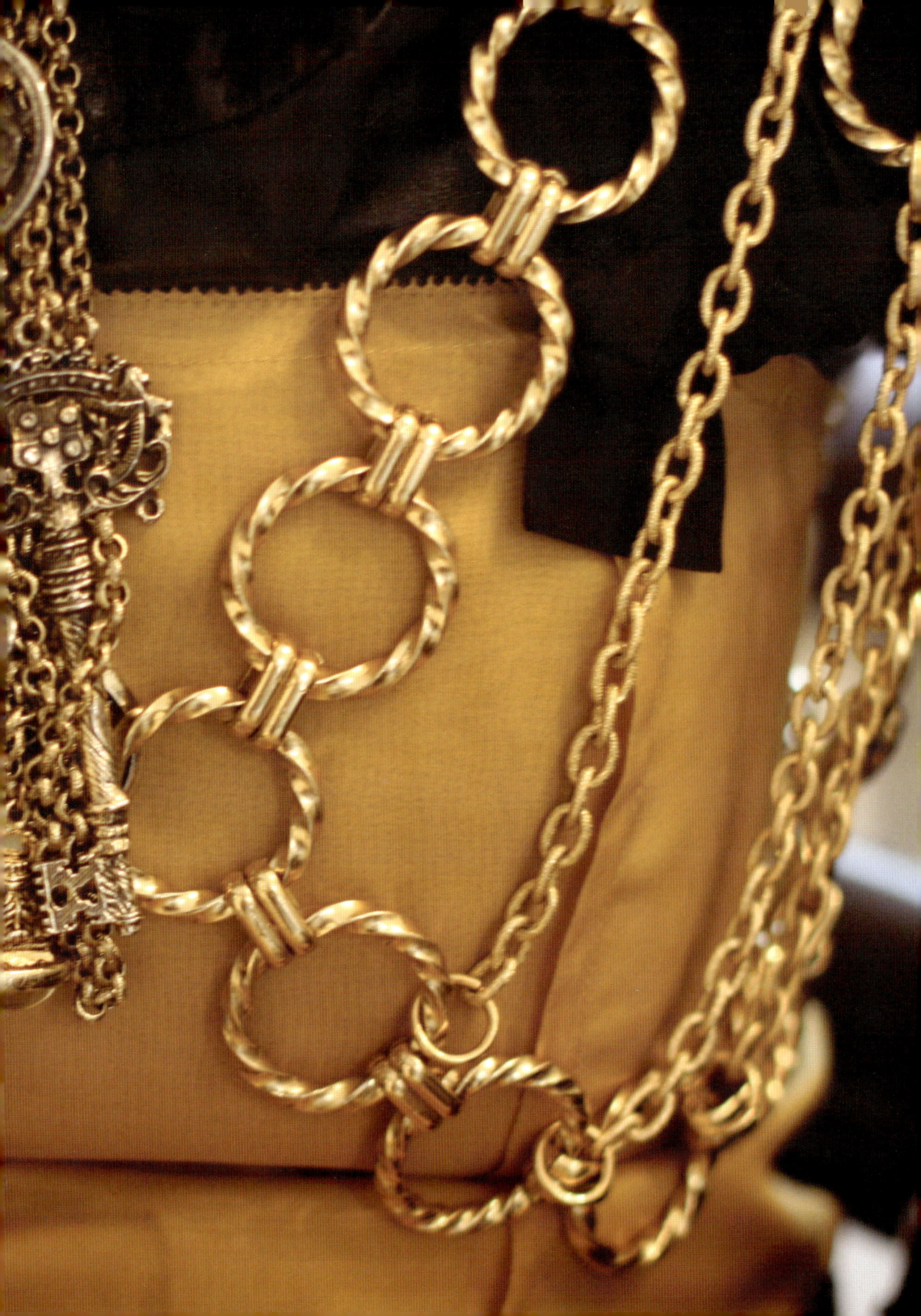

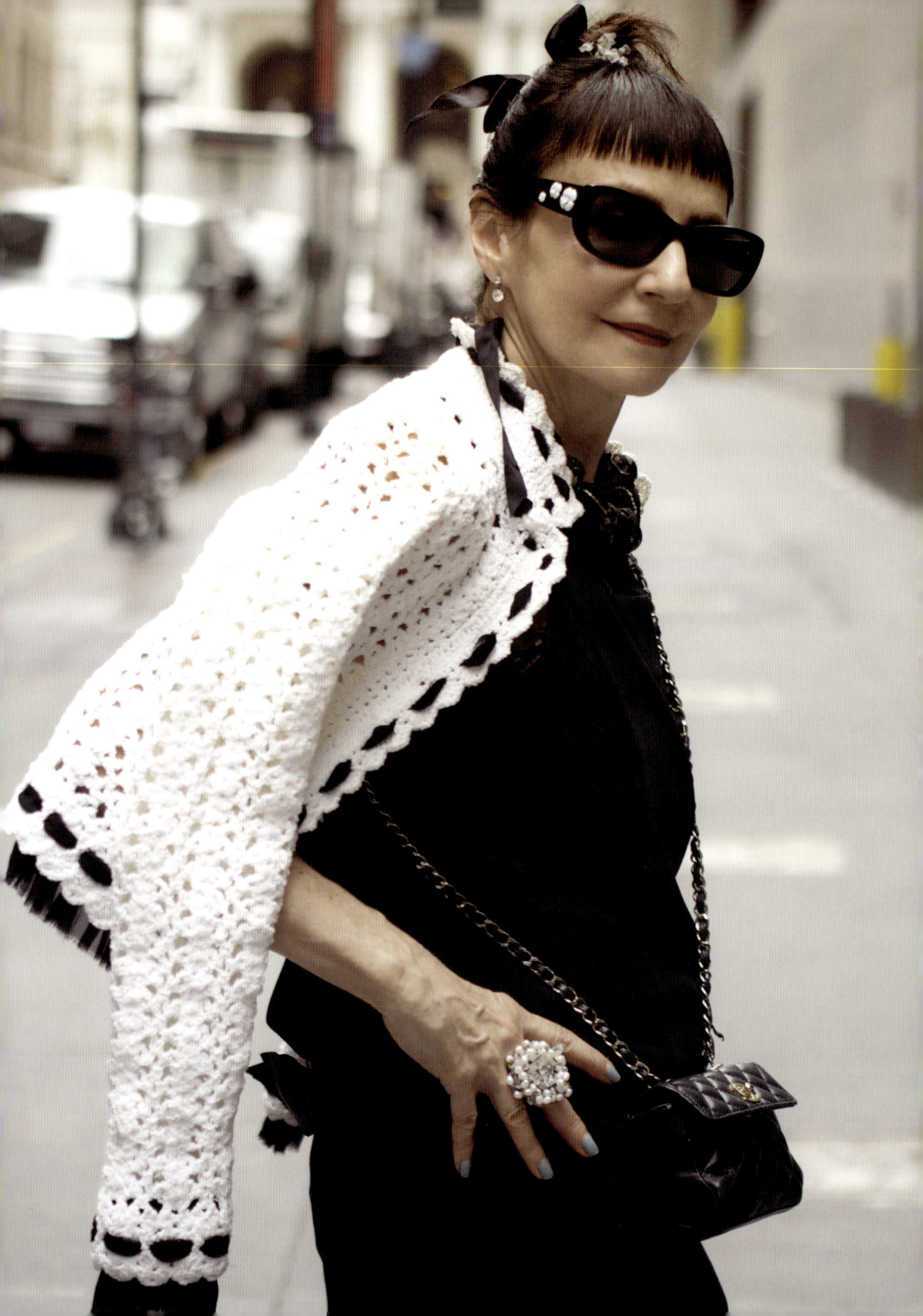

"There is something very soigné about a black bow. I just feel like it completes me."

「黒の蝶結びには何かしゃれたものを感じるの。
わたしを完璧にしてくれるものなのよ」

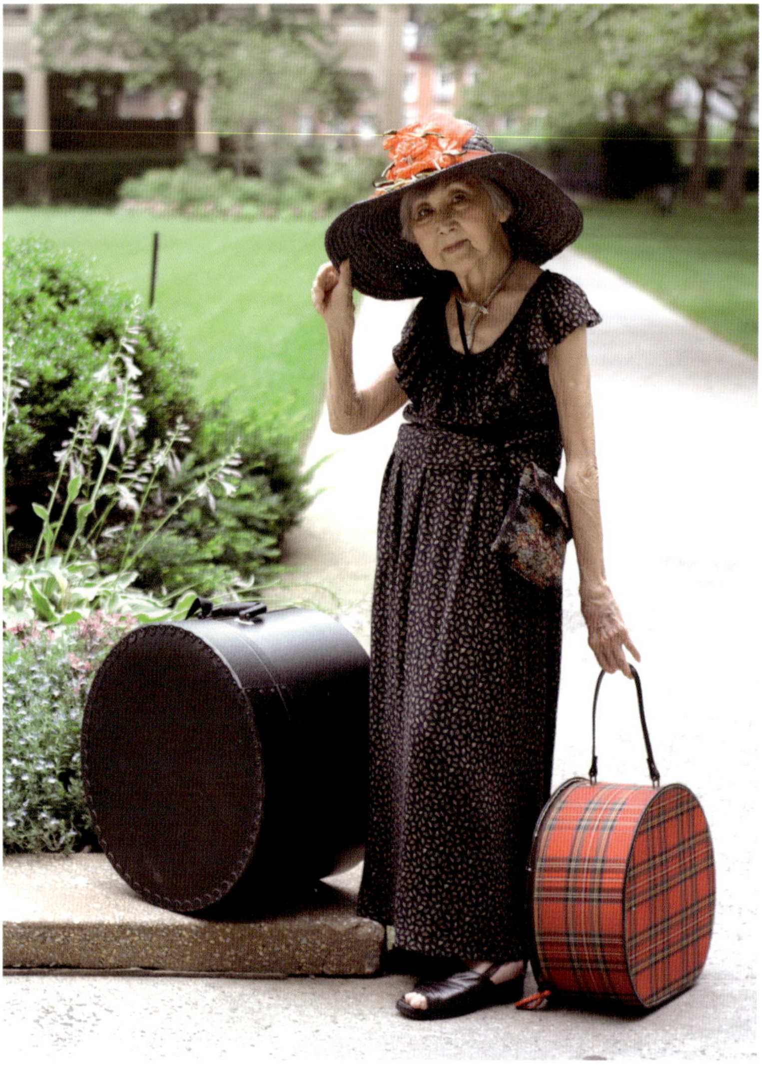

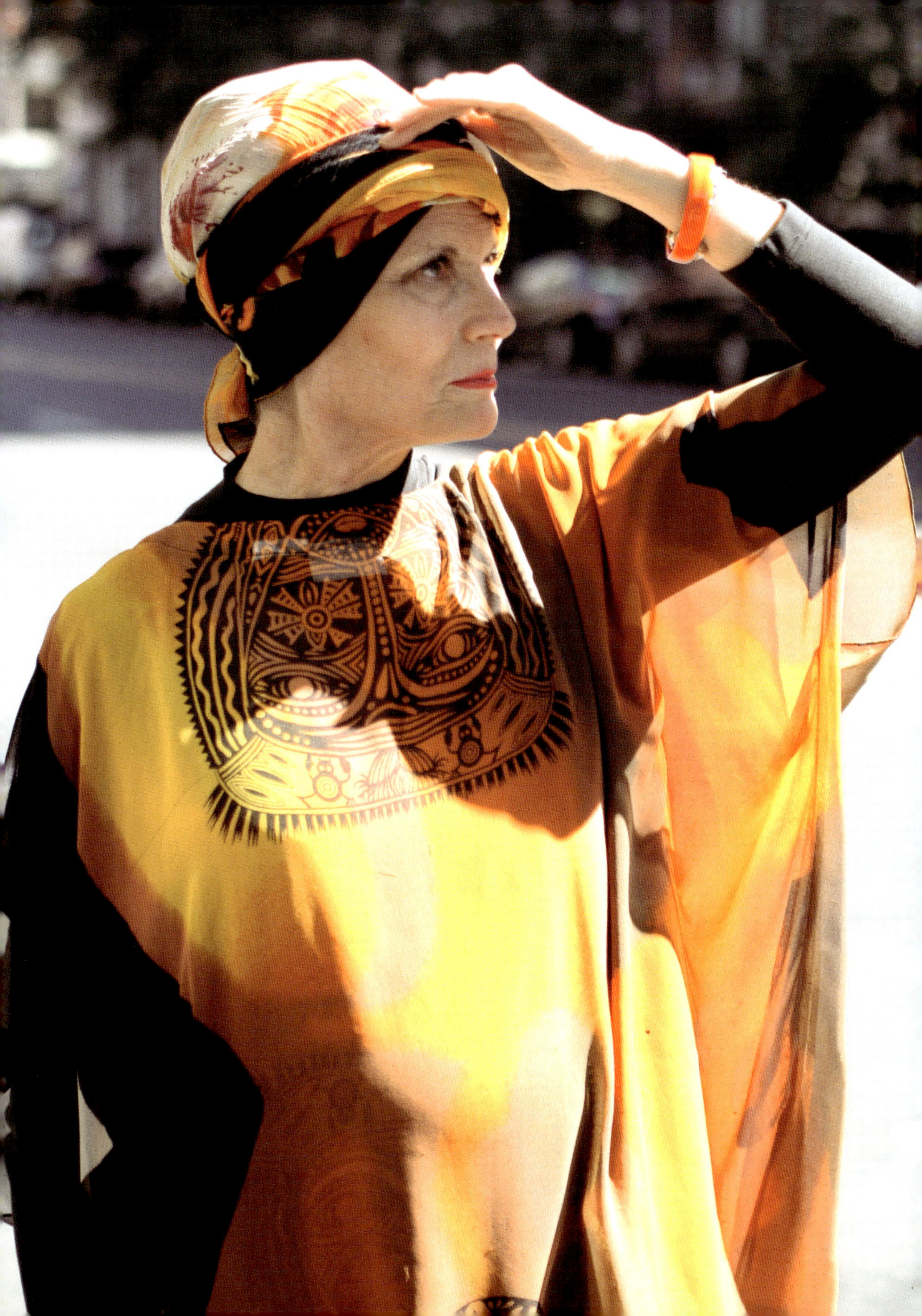

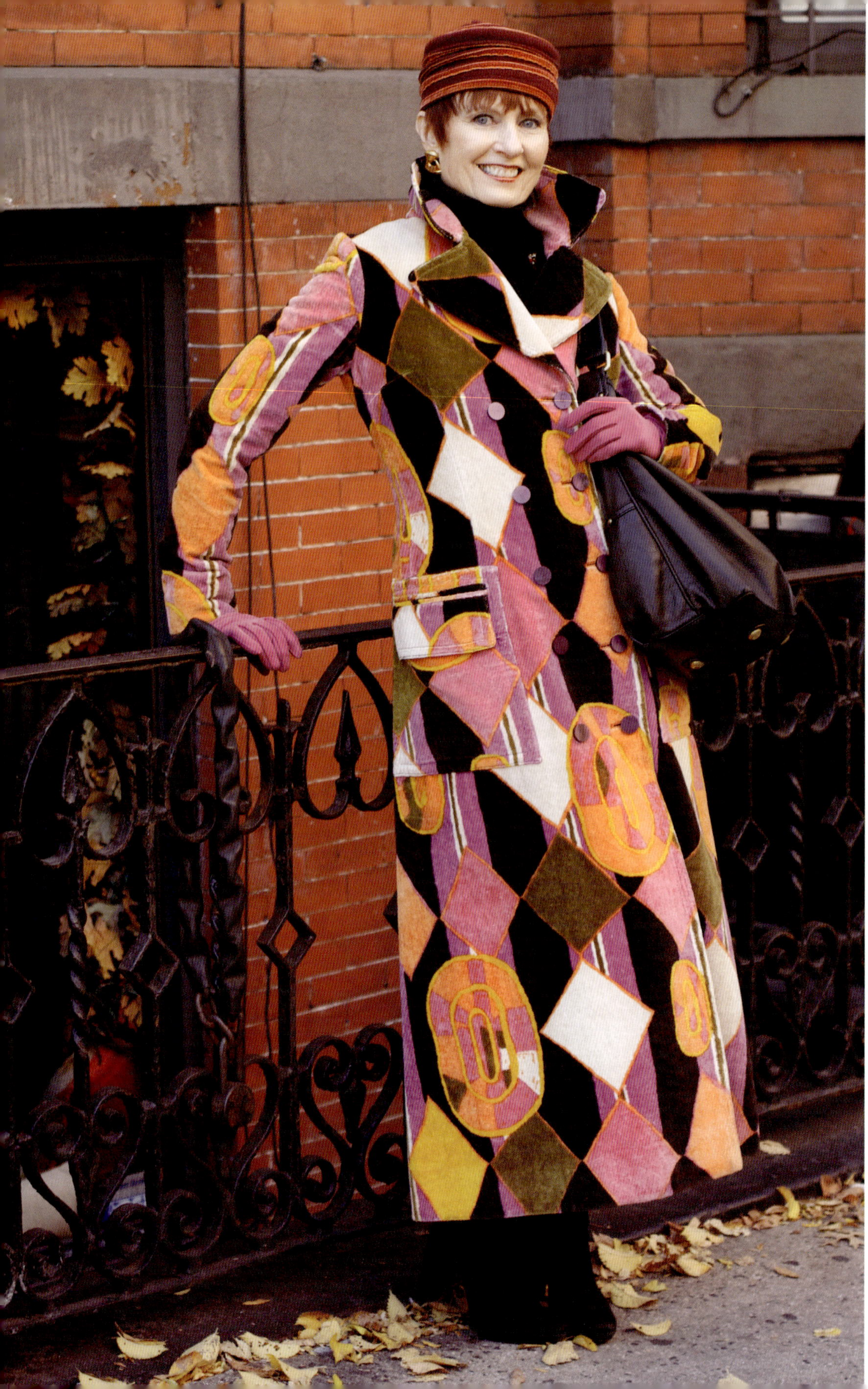

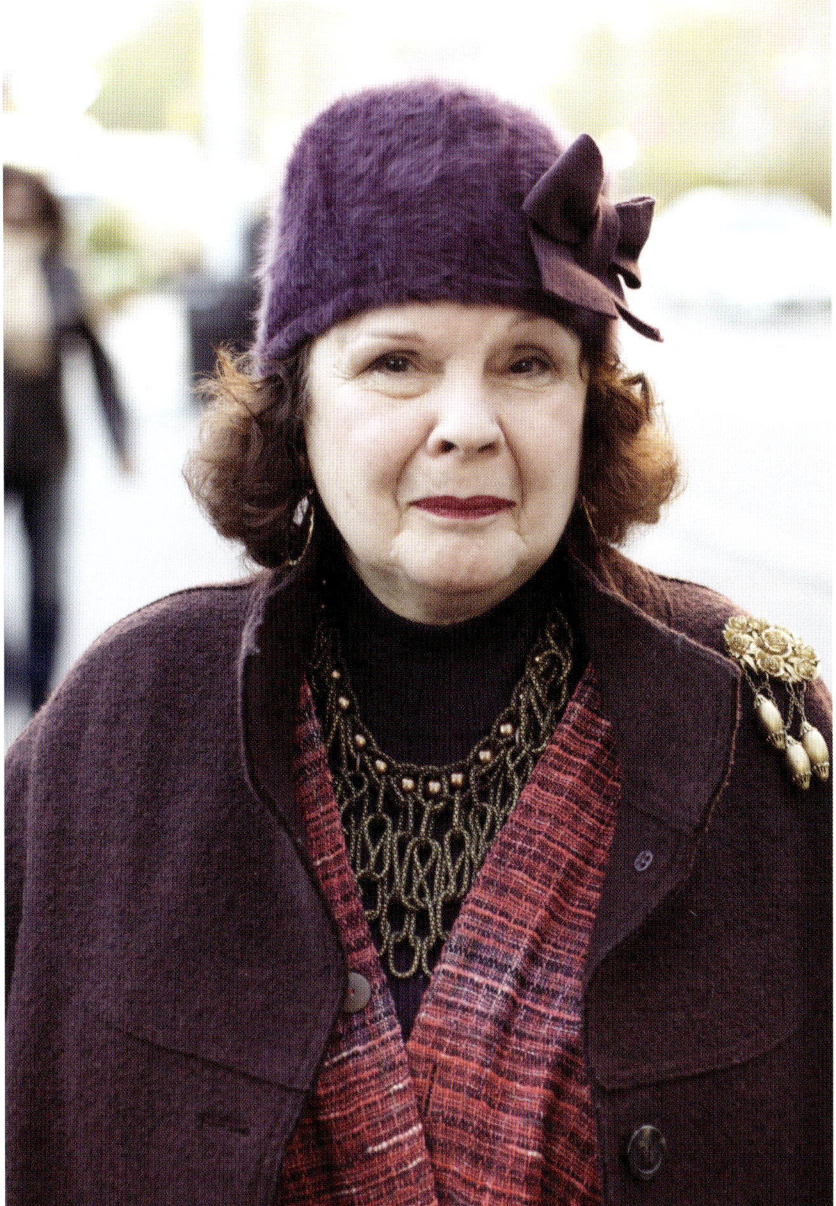

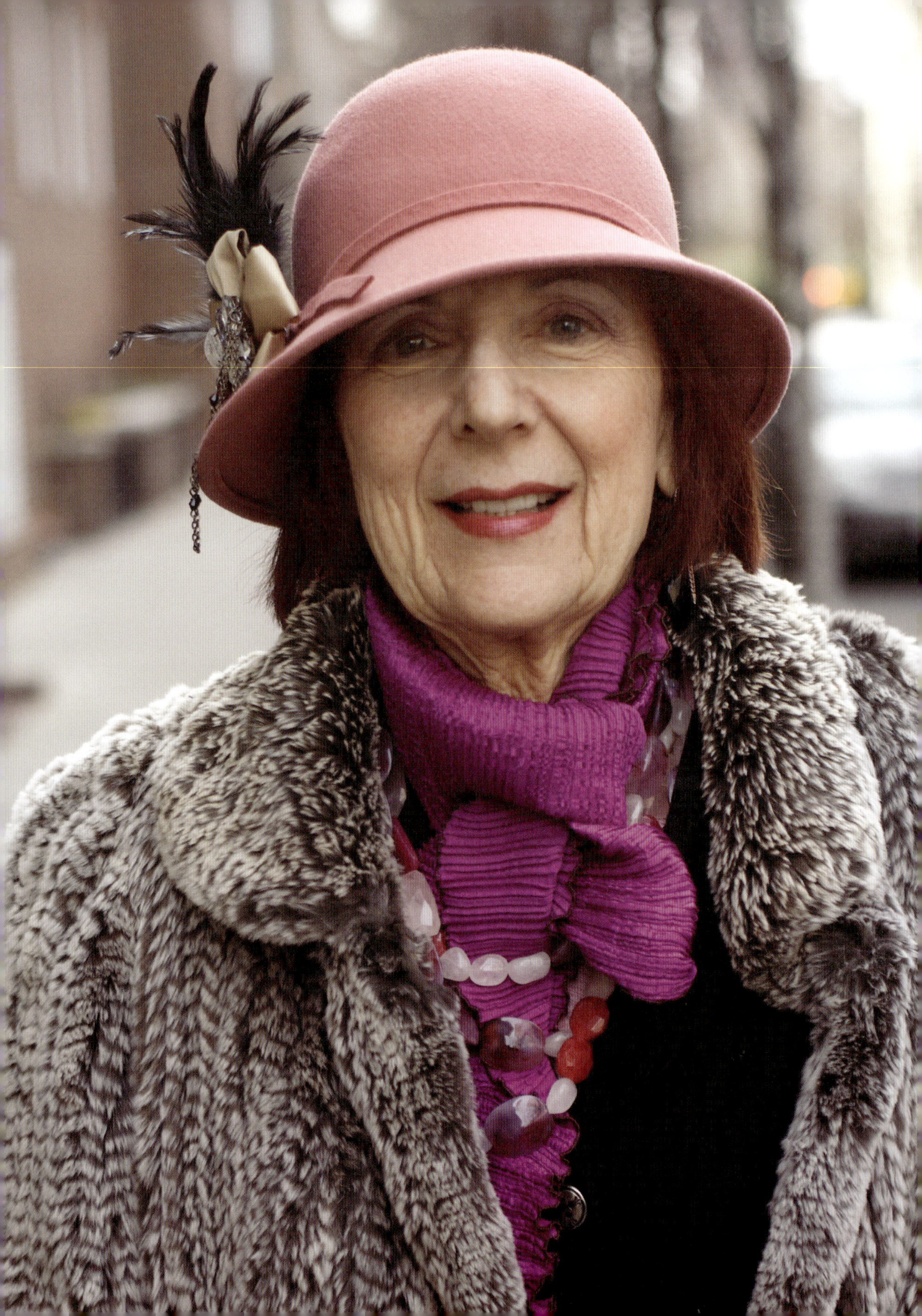

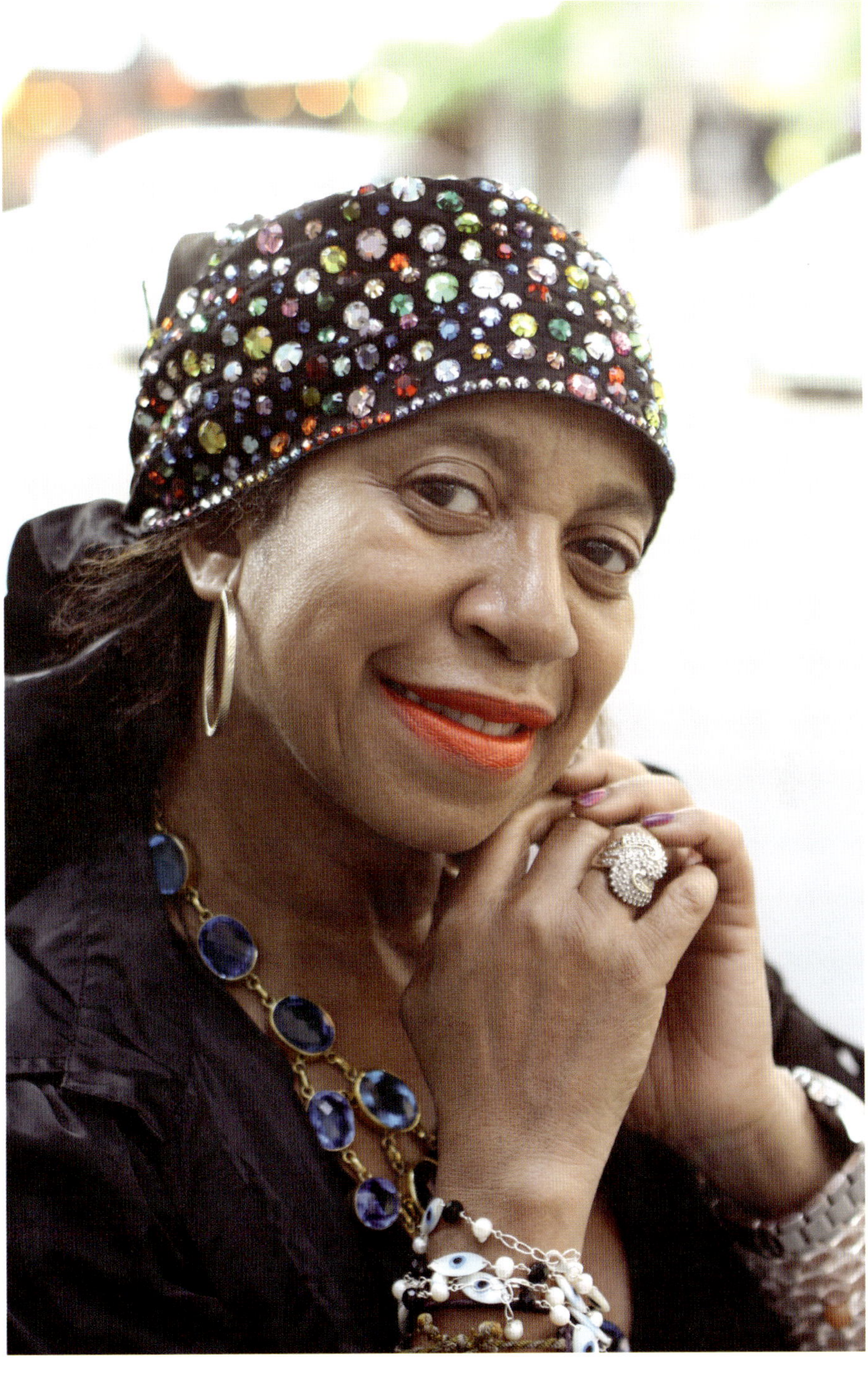

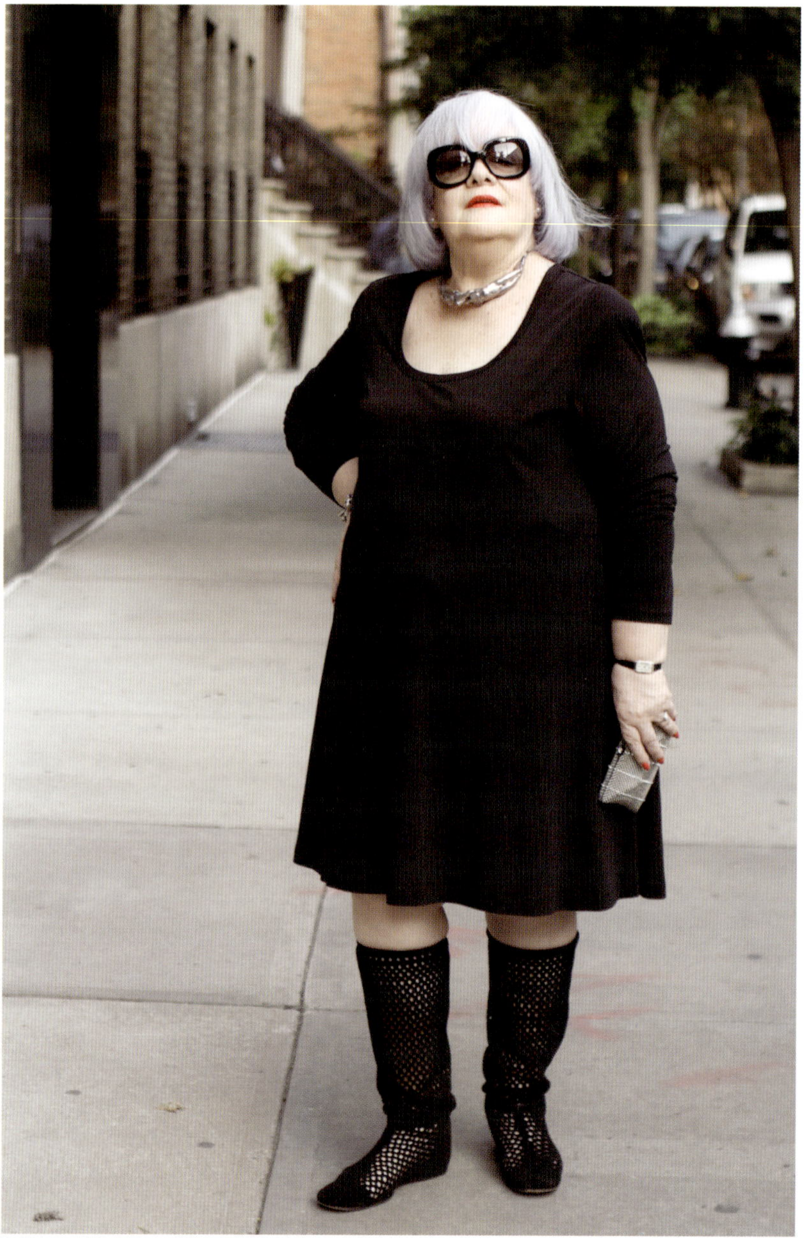

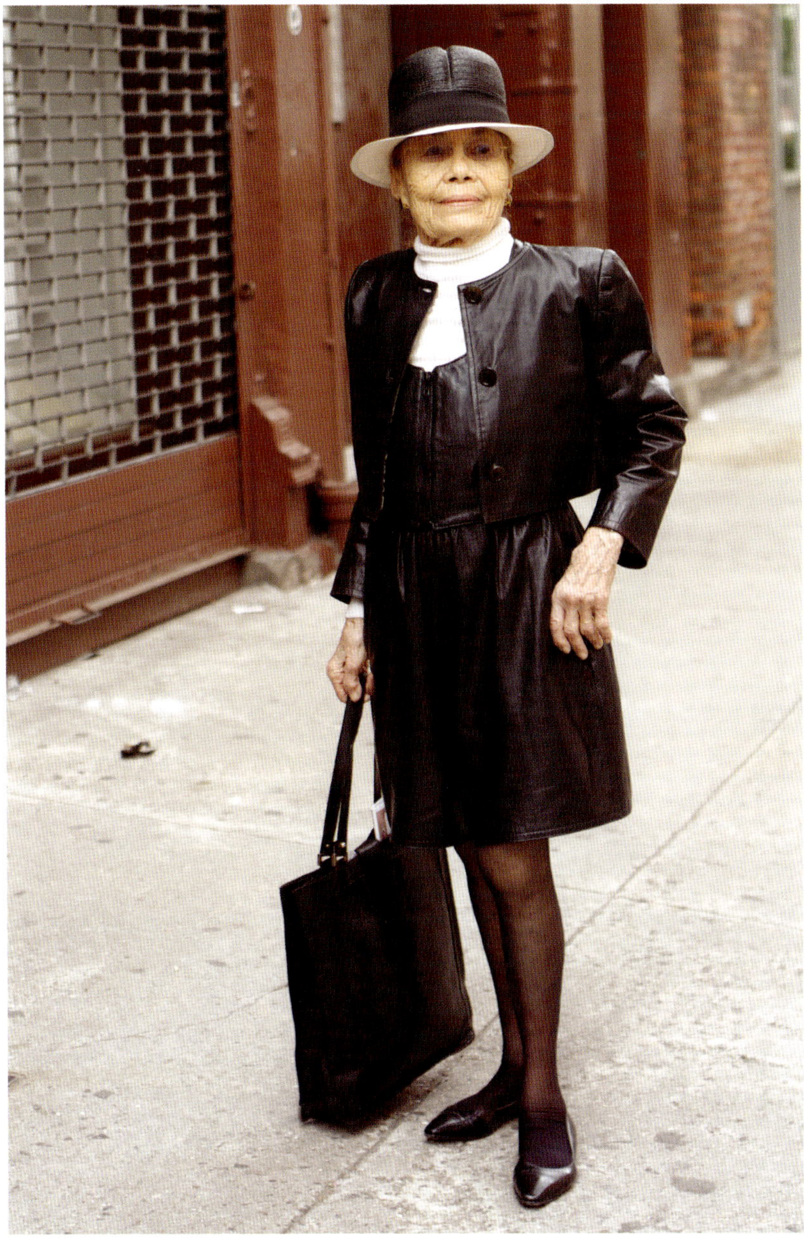

When I first met 80-year-old **Jacquie Tajah Murdock** on a busy New York street, she was smartly dressed in an elegant, blue Chanel jacket. After I took her photograph, she remarked, "Fashion is an art—especially high fashion." Jacquie began dancing at the Apollo Theater and Savoy Ballroom in Harlem in the 1940s. Her graceful poses and jazzy wardrobe are a reflection of a life filled with music and harmony.

ニューヨークの賑やかなストリートで、80歳のジャッキー・タジャー・ムルドックに初めて出逢ったとき、
彼女は青いシャネルのジャケットを、それはエレガントに、粋に着こなしていた。
撮影後、彼女は「ファッションはアートよ。とくにハイファッションはね」と僕に言った。
ジャッキーは、1940年代にハーレムのアポロ・シアターや
サボイ・ボールルームでダンスのパフォーマンスをはじめた。
優美なポーズやジャズ風のスタイルは、音楽とハーモニーに満ちた、彼女の人生の表れなのだ。

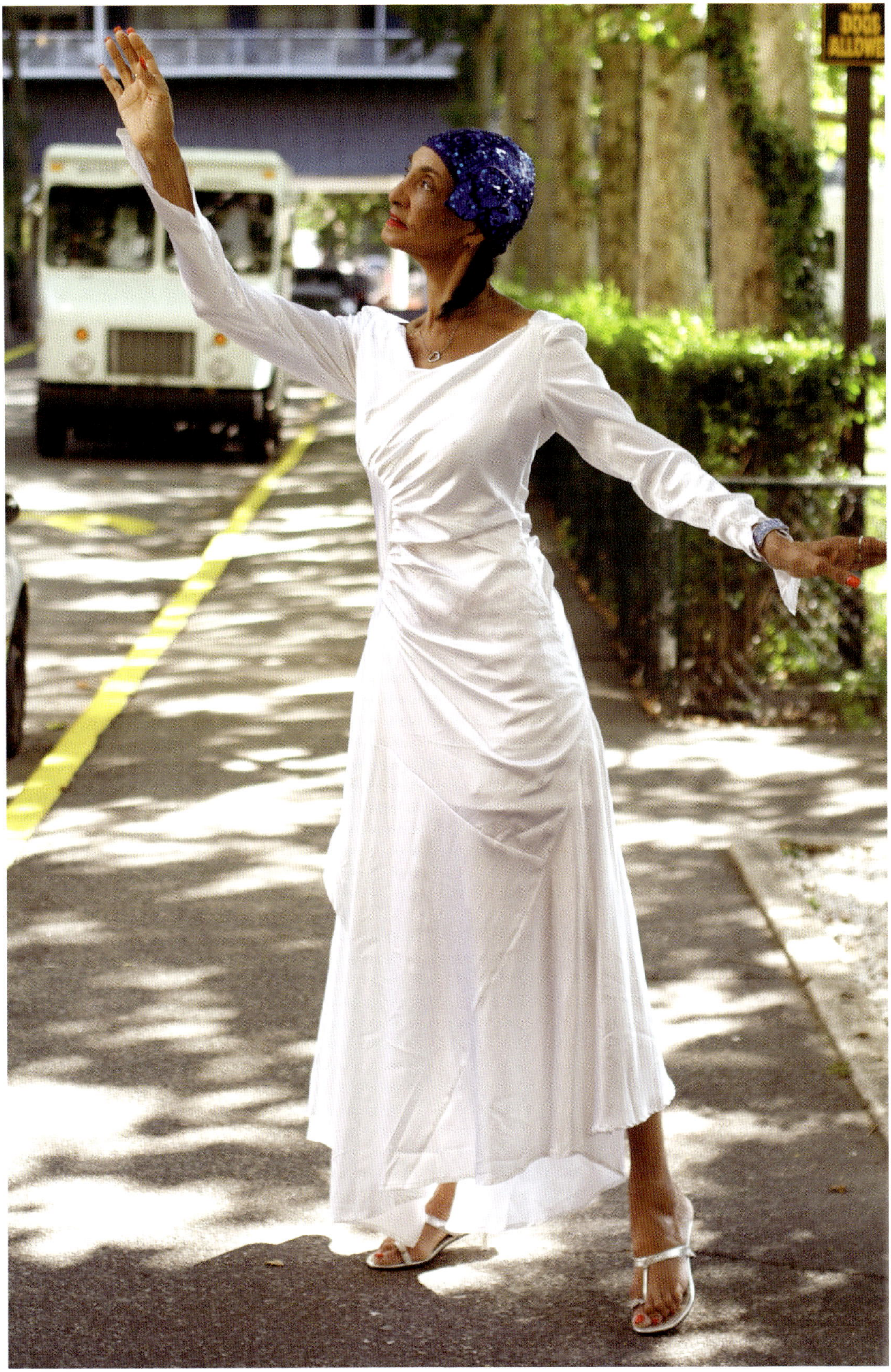
DOGS

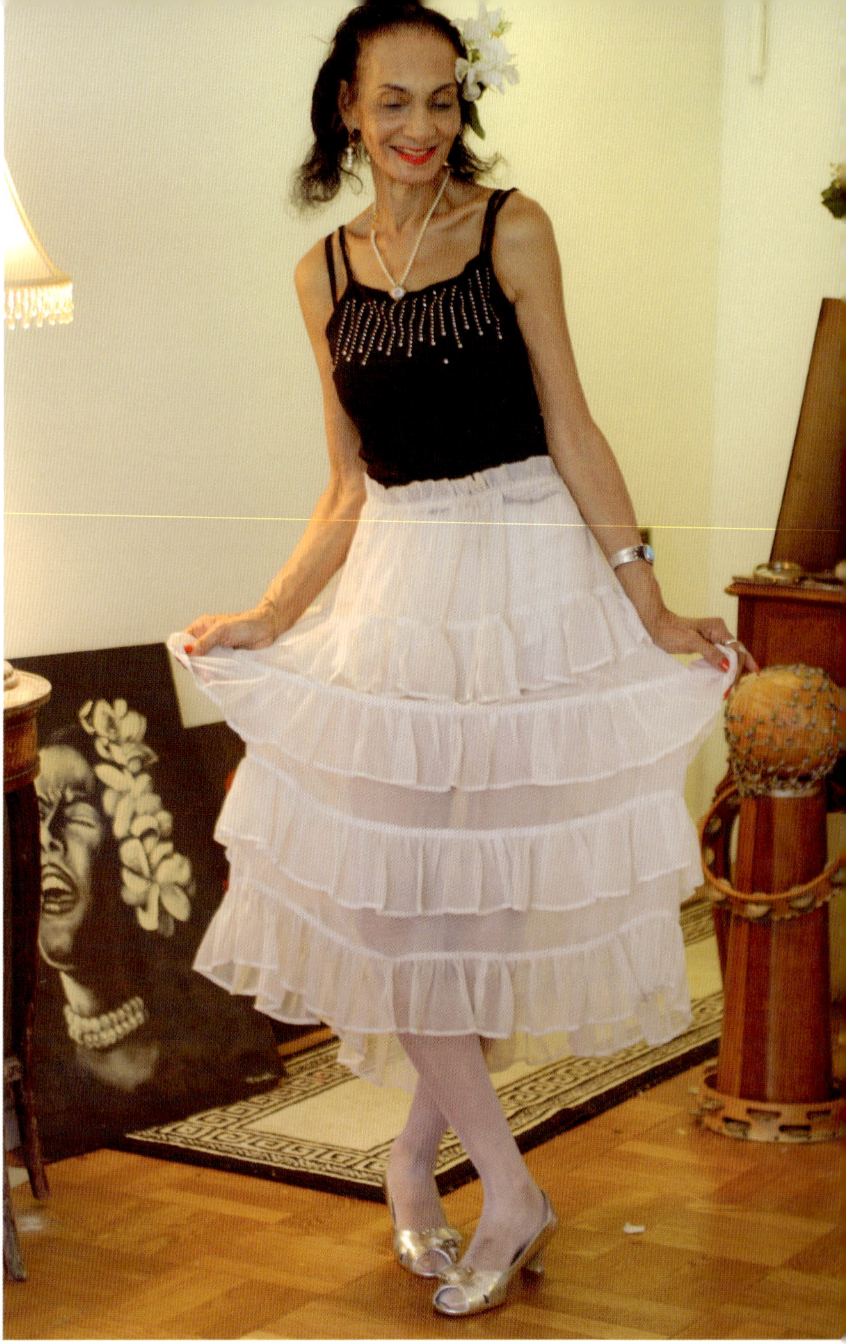

"I thought I'd be an old lady with a cane who keeps on dancing, and it looks like this has come true."

「わたしは杖と一緒に踊り続けるおばあさんになると思っていたけれど、どうやらそれは現実になりそうだわ」

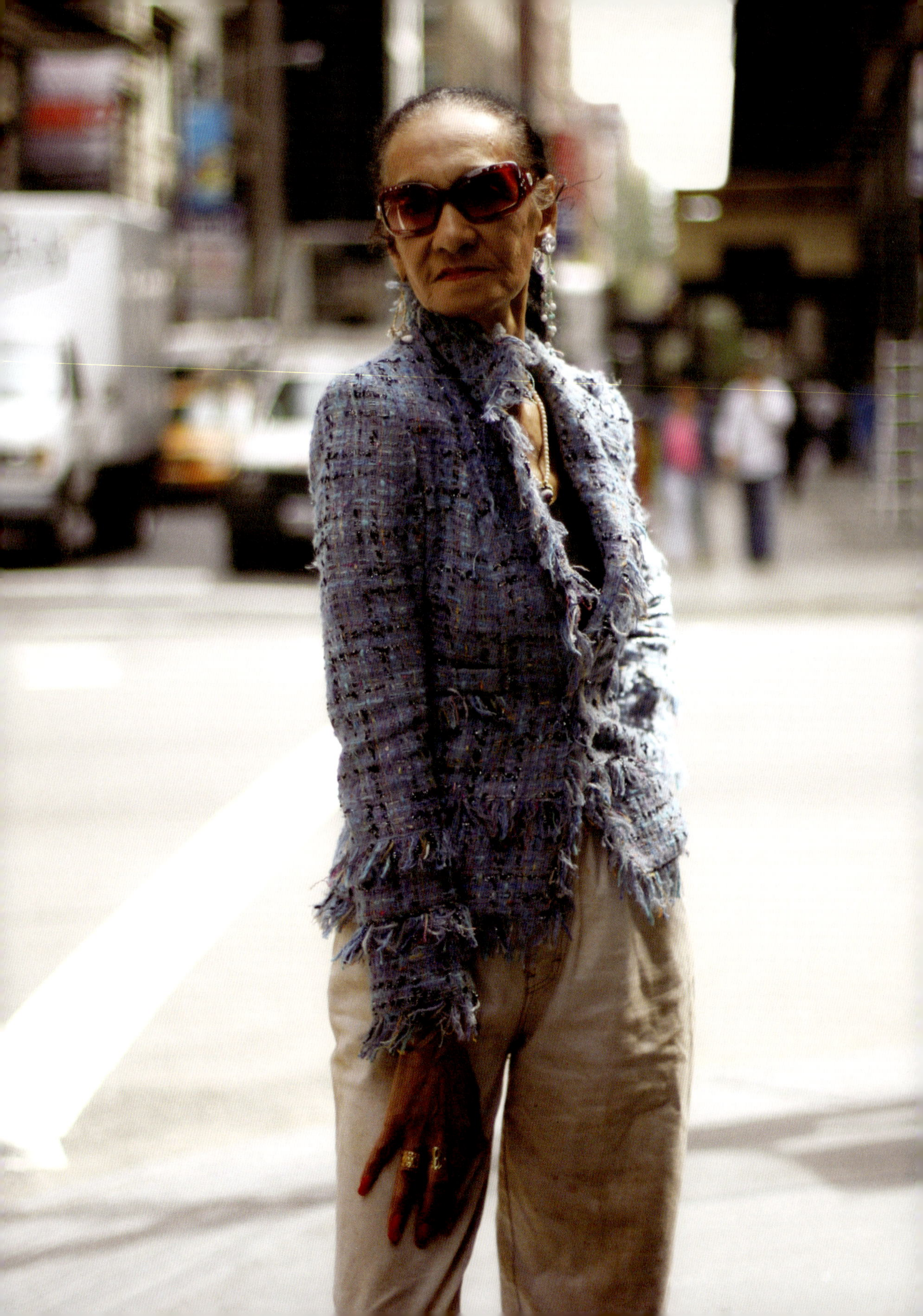

"Someone told me that I would even
look good in a potato sack. Style is
all about how you carry yourself.
I love being active, and I think that is
what keeps you young."

「いつか誰かが、わたしはジャガイモを入れる麻の袋でさえ着こなせると言ったのよ。
スタイルって、自分をどう表現するかなのよね。
わたしはアクティブでいるのが好きだし、それが若さを保つ秘訣だと思っているの」

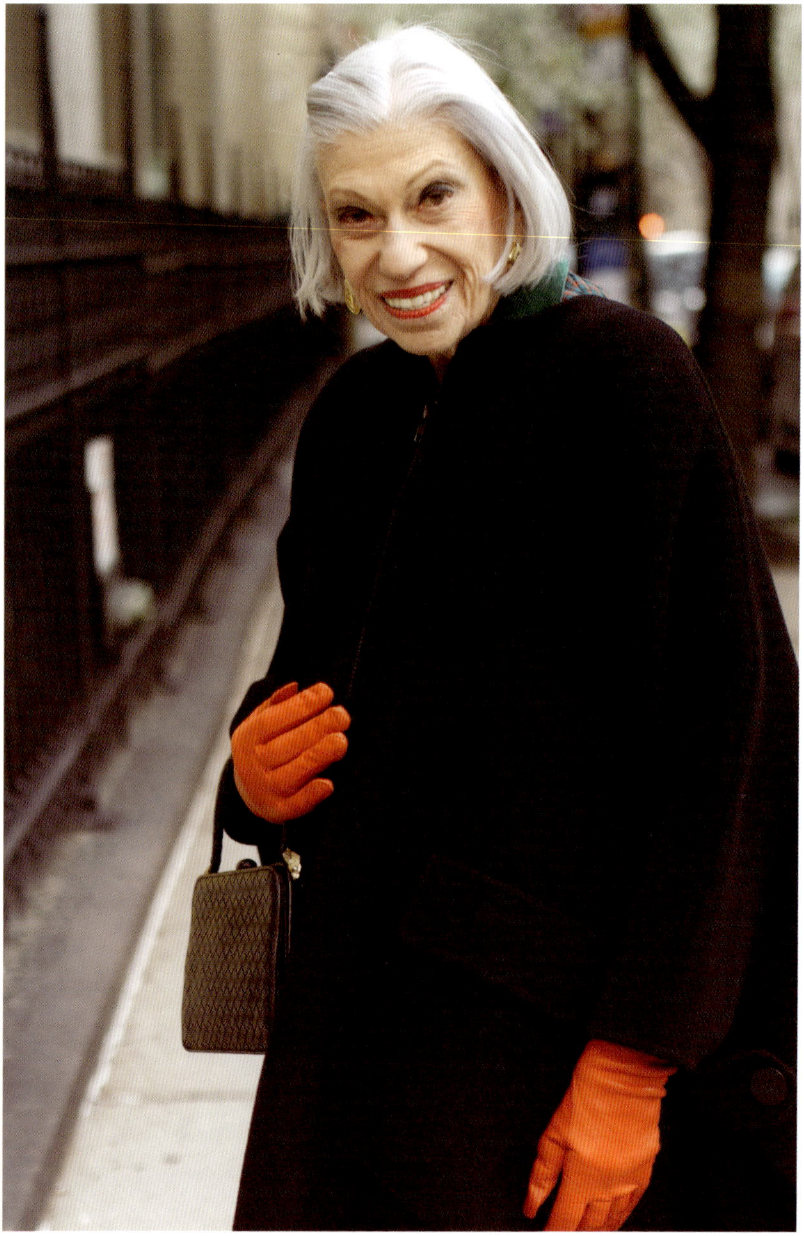

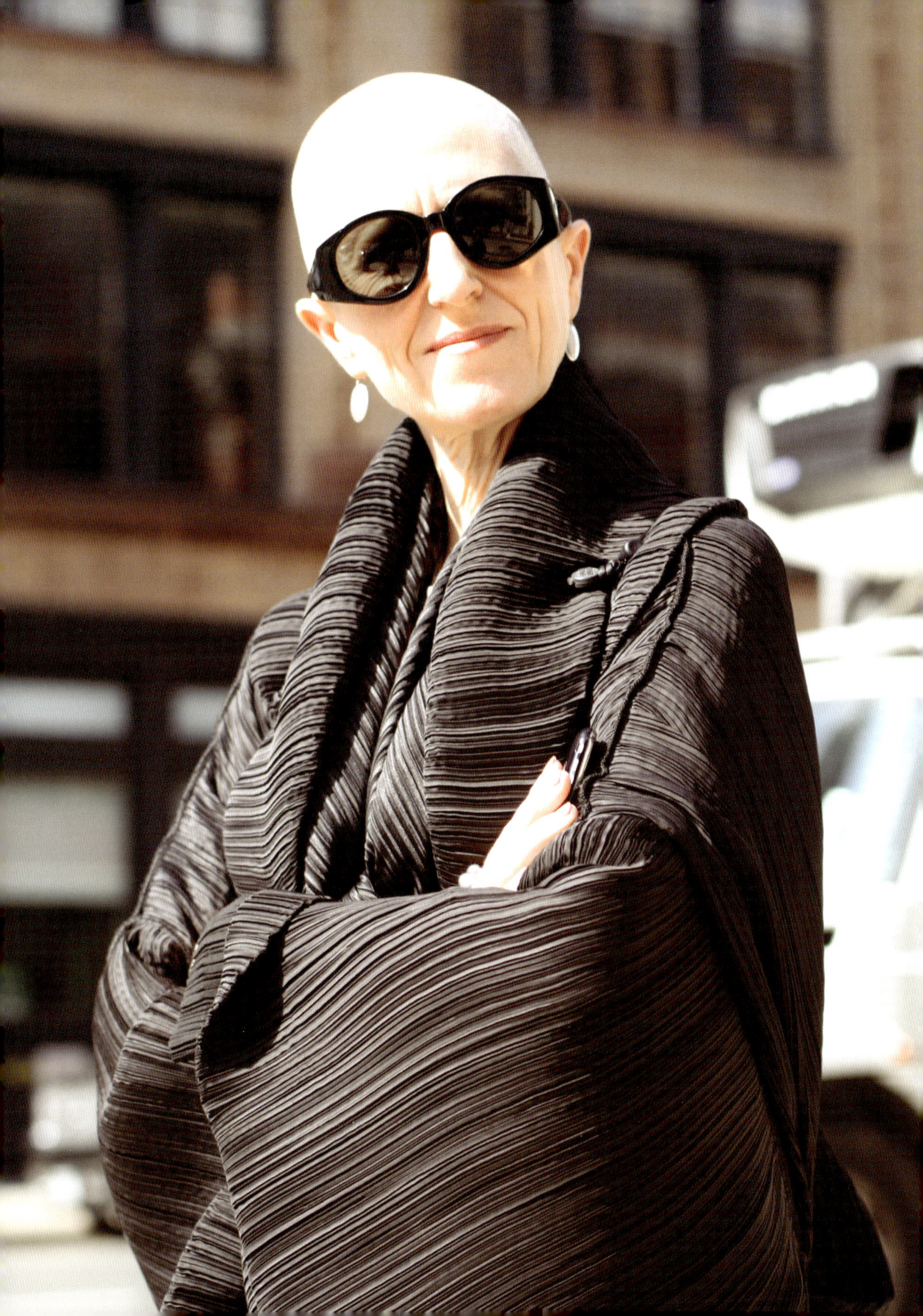

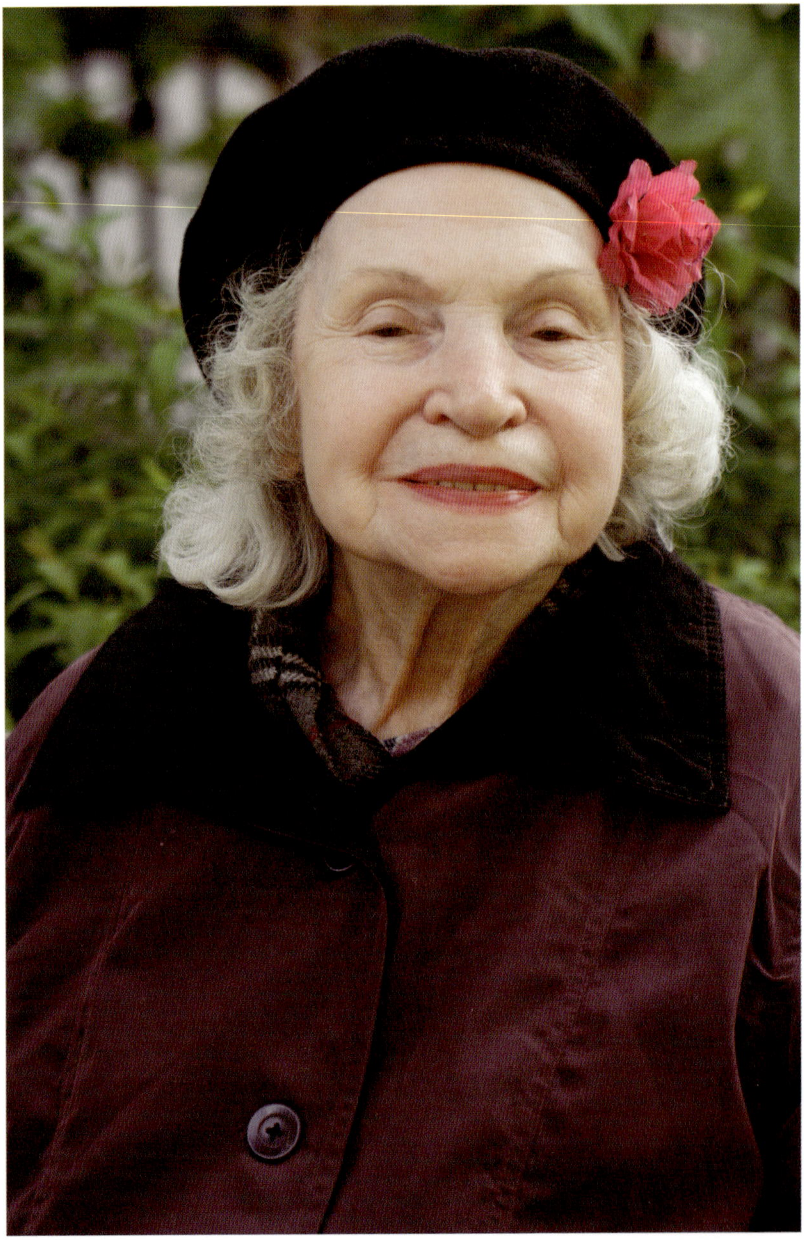

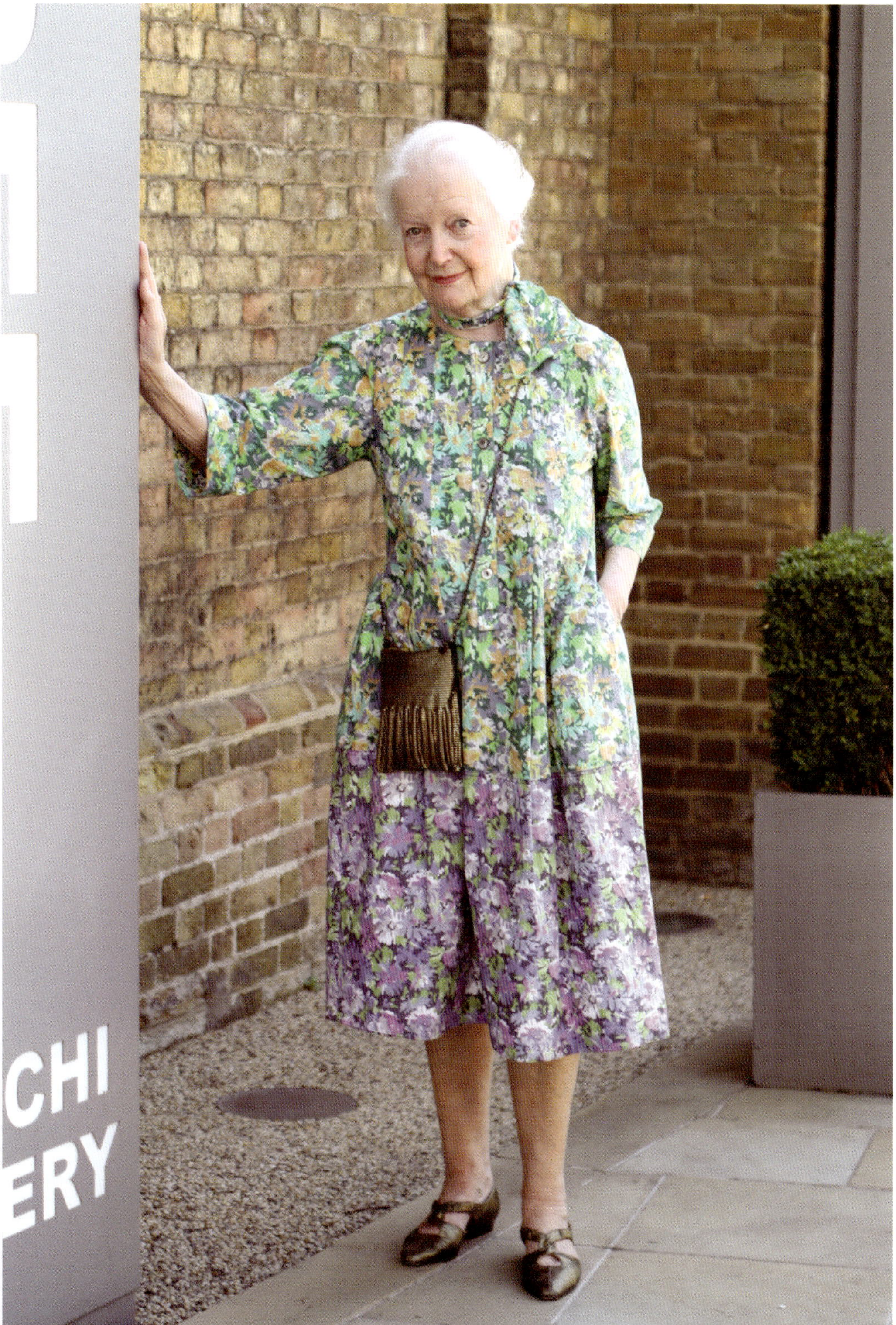
CHI
ERY

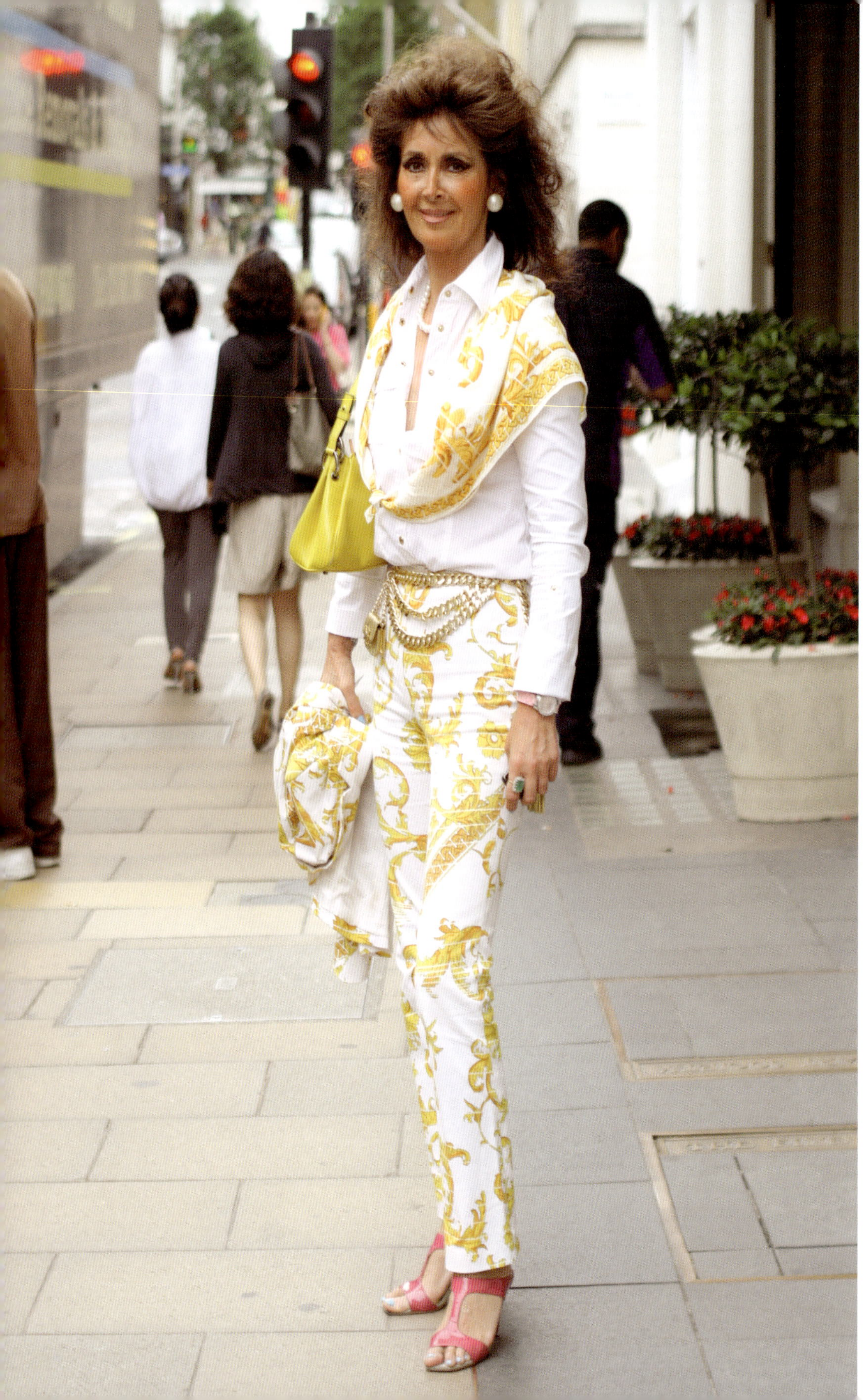

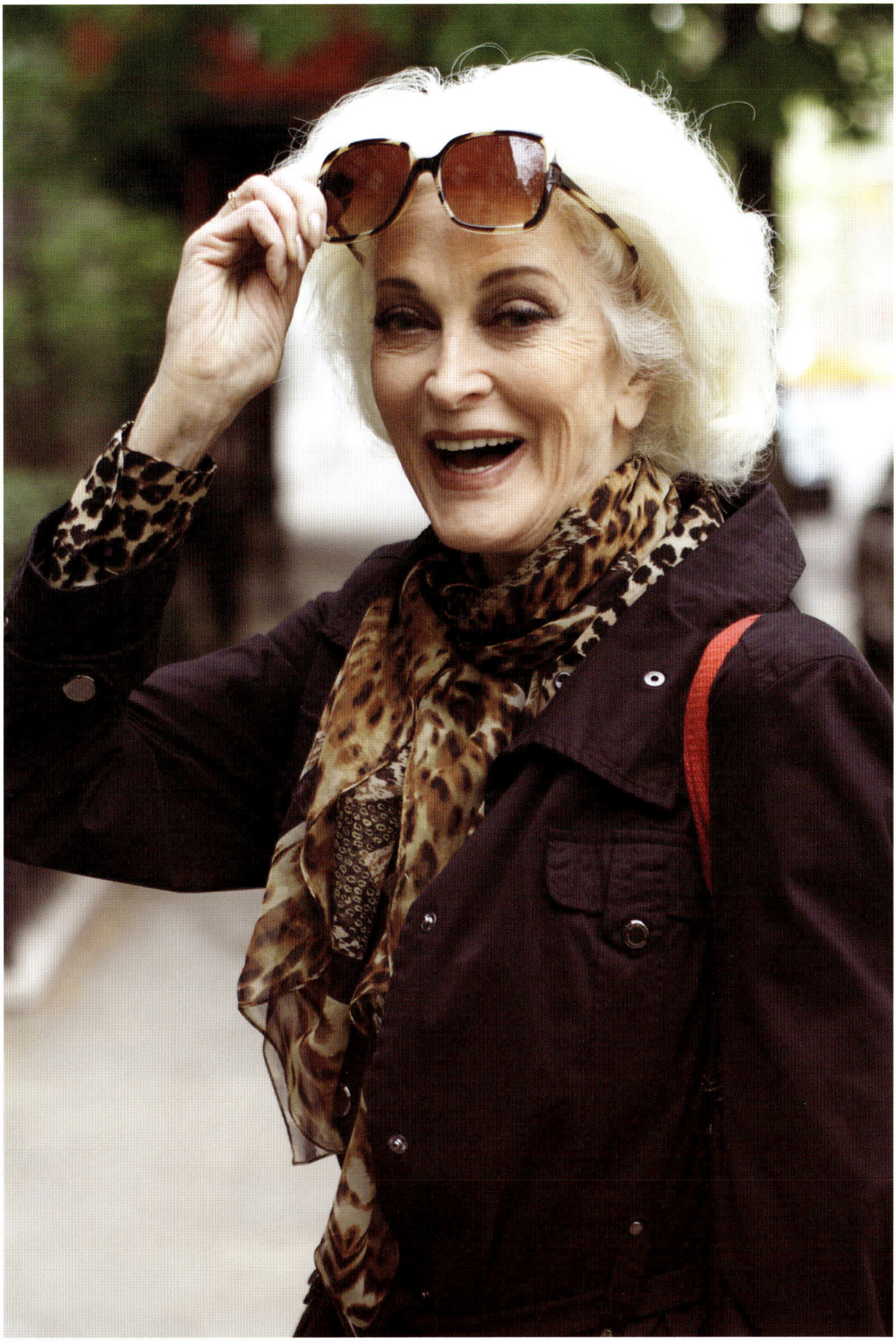

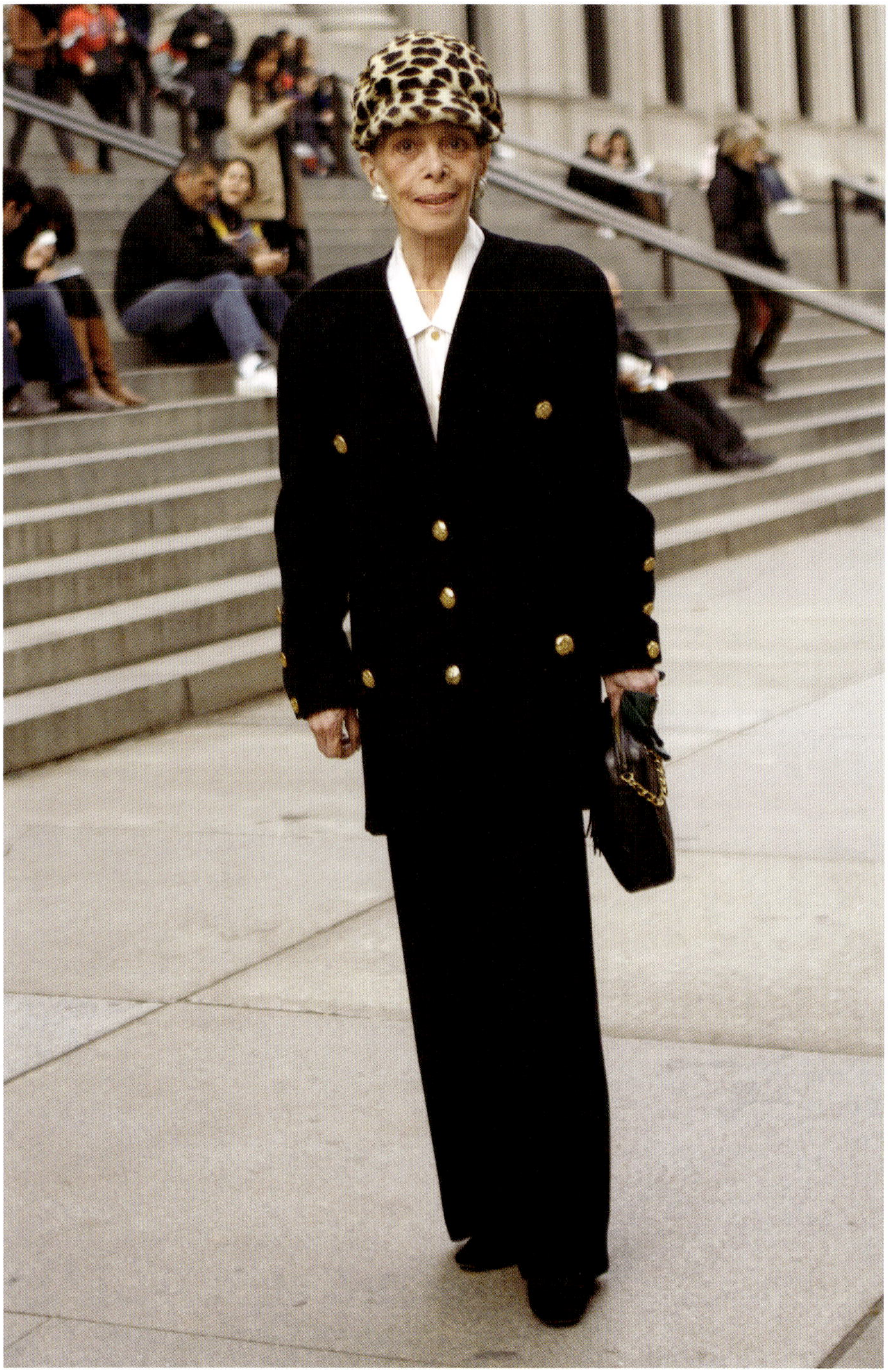

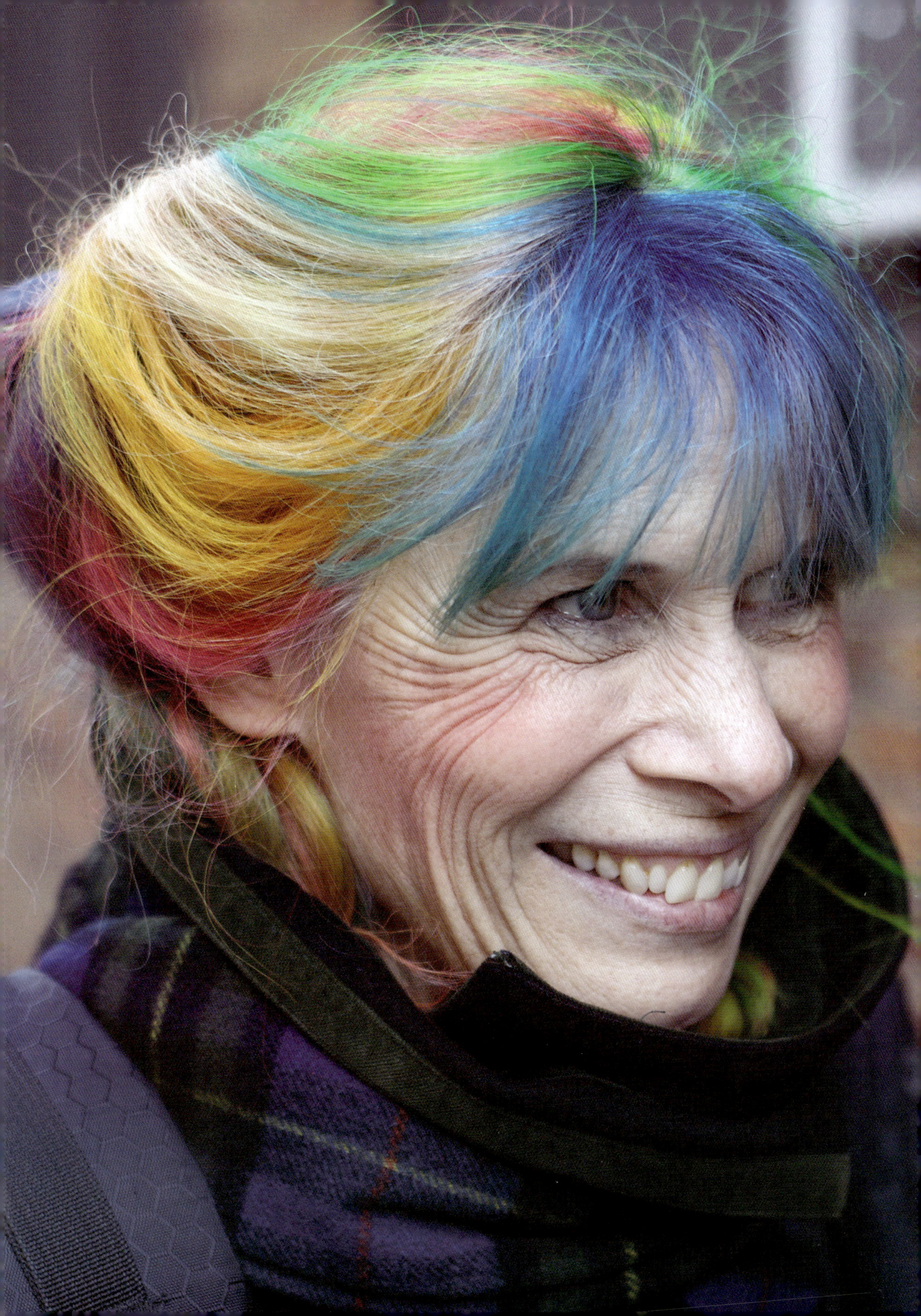

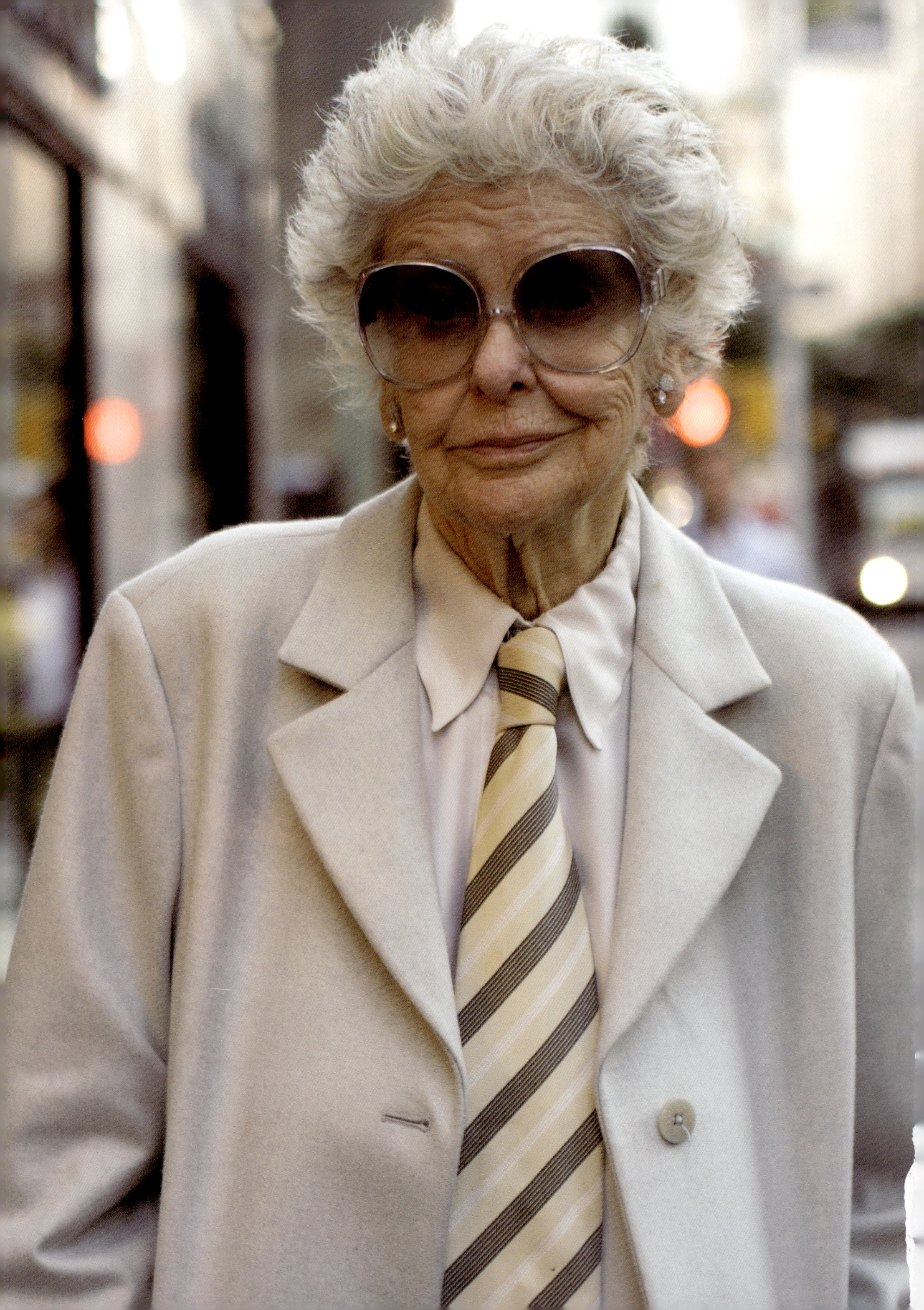

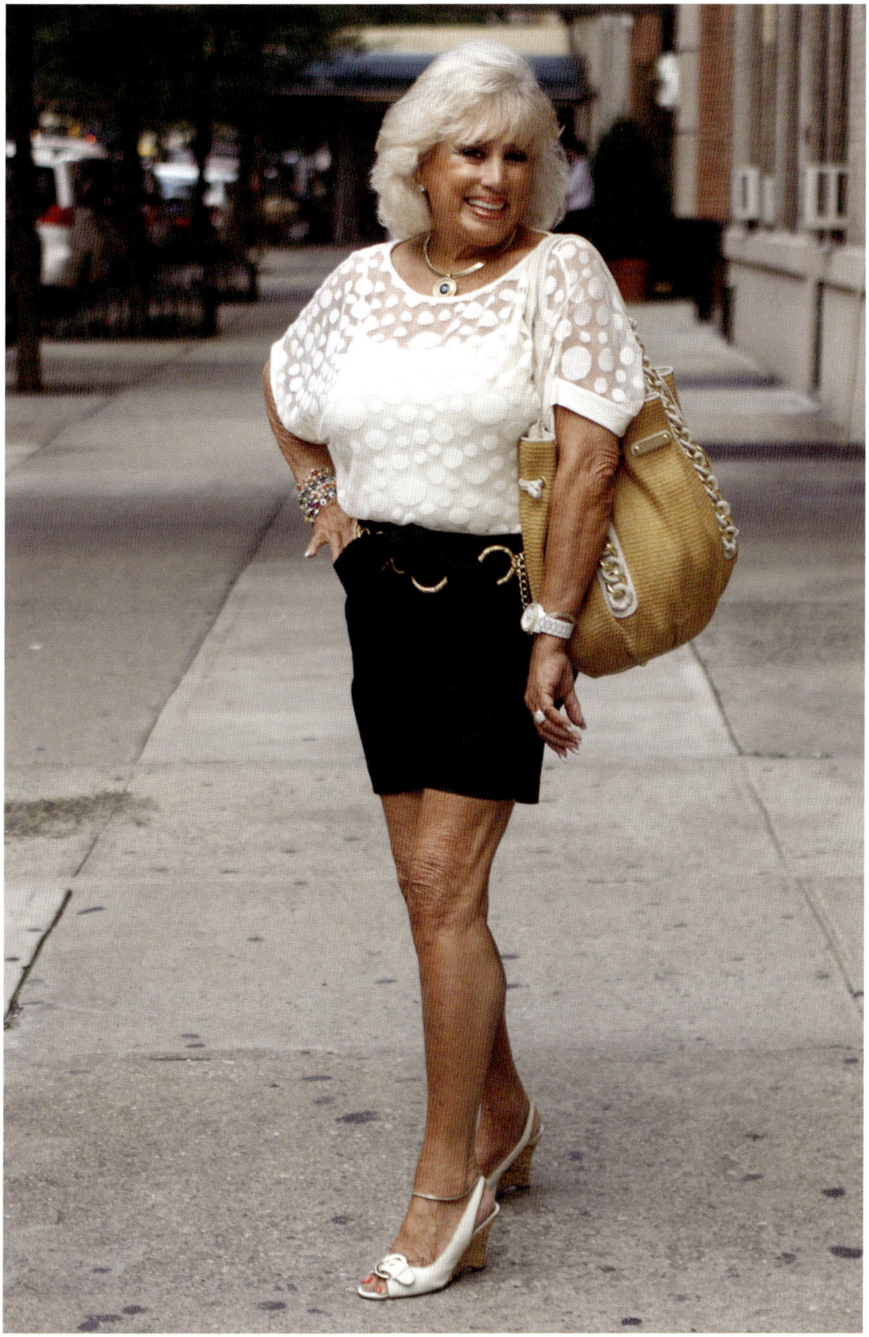

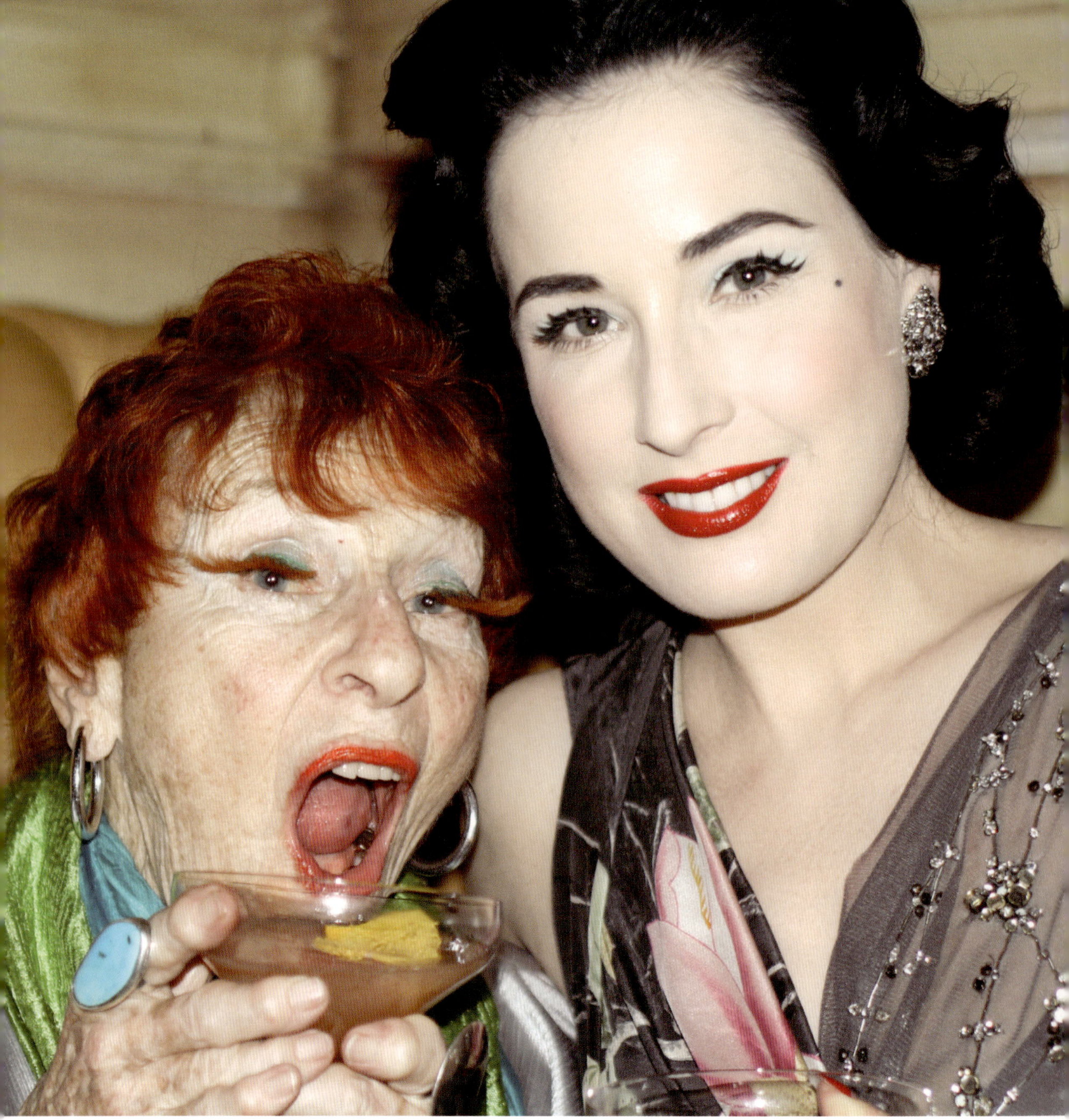

Dita Von Teese interviews Ilona Royce Smithkin

ディタ・フォン・ティースから
イロナ・ロイス・スミスキンへのインタビュー

イロナ・ロイス・スミスキン（以下I）：ディタ、お会いできてすごく嬉しいわ。あなたはとても優れた女性だから、今ついうっとりしてしまっていたの。

ディタ・フォン・ティース（以下D）：わたしも同じように感じていたわ。ここ最近、メインストリームのメディアには退屈していたし、イロナのように自立したスタイルや魅力をもった人を待っていたのよ。

D：いつ、どのようにキャバレーでの活動をはじめたの？　なぜ後年になってからはじめたのかしら？

I：9年か10年くらい前かしらね、あるナイトクラブで自由参加のオープンステージがあったの。そのときわたしは、ベルリンから来ていた友だちと一緒だったんだけど、その友だちはわたしの歌声を一度も聴いたことがなかったから、「あなたのために何か特別な曲を歌うわ」と言ってピアノのそばへ行って歌ったのよ。そのときピアノを弾いていたゾエ・ルイスに、のちに彼女が演奏するセッションで歌ってくれないかと言われて、すべてがはじまったの。そして、プロビンスタウン・アート・アソシエイツ・アンド・ミュージアムが基金集めの活動をするときに、わたしたちはボランティアで参加したの。それが、わたしの"まつげキャバレー"のはじまりだった。毎年夏の間だけ1時間半ほど行われて、マレーネ・ディートリッヒやエディット・ピアフ、ほかにはアメリカの歌も歌って、あとはちょこっと面白いお話をしたりしたわ。

D：はじめてのパフォーマンスはいつだった？　若い頃も歌っていたの？　それとも大人になるまで待っていたのかしら？

I：いいえ、わたしは一度も人前で歌ったことがなかった。演劇が好きだったからね。劇場に楽屋、そういった舞台裏とか童話が大好きだったの。

D：若い頃はどんなお仕事をされていたの？

I：わたしはアーティストだったの。肖像画や風景画、ヌードなどを描くのが大好きだった。ライムライト（編集部注：ニューヨークにあった伝説のナイトクラブ）にいた人たちの肖像画を描いたりしていたことは、今でもとても光栄に思っているわ。アイン・ランド、テネシー・ウィリアムズ、ボビー・ショート、ケネディー家の子どもたちを描いたんだもの。いつかあなたも描けたら嬉しいわ！

D：生き生きとクリエイティブに生きるためのカギは何かしら？

I：ディタ、それはすべてのものに美しさを見つけだしたり、人にオープンになったり、「わたし、わたし、わたし」と自分のことばかり考えなかったりする瞬間よ。そんなときこそ、まわりの人との時間を楽しめて、木や街、あなたがやるすべてのこと、触れるもの、見るものすべてを楽しめるのだと思うの。考え方次第ってことね。わたしのまわりの友だちも、年をとった今のほうが2倍かっこいいし、2倍楽しく、2倍面白いのよ。お花でさえ、より美しく見えるわ。

D：イロナはファッションを追いかけたりする？

I：いいえ、わたしは自分でファッションを創るの。トレンドは見るわ。それに驚かされるし、興味ももつけれど、わたしはそれを客観的に見るの。それで、アレンジするの。生地は好きでもはかなくなってしまったスカートを上下ひっくり返したり、ブラウスにしたり。もしくは、古い傘を切って、ケープコートにしたり。ジュエリーでもたくさんのお遊びをするのよ。私はそれを"クリエイティブな着こなし"と呼んでいるの。

D：なるほど。それはとても大切なことね。本当のスタイル・アイコンは、トレンドを追うのではなく、トレンドを観察して、感心して、刺激されるけれど、その奴隷になることはないのよね。そういった面で、わたしたちは共通点があると思う。雑誌とかでファッションがどんどんと変動していくのを見ると、追いかけたいとは思わないのよね。わたしたちには、どう見られたいかという明確なイメージがすでにある。それでこそファッション・アイコンというものだと思うの。

I:ディタ、実は伝えておきたかったんだけど、初めて会ったときあなたが着ていたドレスは、本当に素敵でエレガントだったわ。控え目なのに、目立ってもいて。シンプルさとその美しさにショックを受けたの。そして、とても細かいところまで丁寧な仕上がりだった。そうね、あれを一番良く表現するとすれば、エレガントね。

D:ありがとう。"エレガンス"という言葉はとても好きなの。お金持ちに見えるとか、高級品を持っているとかとは違う意味があるから。身のこなし方なのよね。歩き方や立ち姿、もしくは話し方だったり。

I:その通りよ。スタイルって、お金とは関係ないと思うわ。紙があれば、ドレスは作れるんだもの。何がどう良く見えるかなのよね。独創的な人であれば、布のドレープを自然に見せることができる。自分の体をどう感じるかだと思うわ。良い体をもっているなら、みんなに見せるといいわ！ 見せびらかすのよ！

D:デザイナーの洋服は値段が高かったから、わたしはヴィンテージものからはじめたの。そうしたら、わたしの好み通りのスタイルだったってことなの。

I:ディタ、あなたは袋用の布をまとってもかっこよく見えるはずだわ。

D:（笑）。洋服が自分にもたらしてくれる気持ちっていうものが好きだわ。歩き方に変化が出たり、自己表現が変わったり。洋服が違うだけで、どんな人にでもなれるんだもの。

I:そうね。洋服は気分を良くさせてくれるものだけれど、しっくりしないコーディネートだと、落ち着かないよね。

D:わたしもイロナと同じようにエキセントリックな洋服が好きだから、聞きたいことがあったのだけれど、イロナは若い頃からそのような格好をしていたの？ それとも、好きな洋服を着る自信がつくまで時間がかかったりしたのかしら？

I:いつも着たいスタイルのアイデアはもっていたの。でも保守的な家庭に生まれ育ったために、それを実現することはできなかった。私の両親は私に目立ってほしくなかったのよね。でも私はいつも派手でカラフルでスペシャルな、他とは違うものを着たくて仕方がなかった。だから、街では着られないけれど、自分の好みの服を着たときには、クレイジーなことをしたわ。色んな服を重ね着したり、布を自分に巻きつけたりして、それは楽しい時間を過ごしたわ（笑）。でも自分らしい服を着られるようになったのは、年をとってからなの。

D:そうね、若い頃は難しくもあるわ。だってまわりの友だちが、どんな服を着るべきかなんて話しているとやはり影響を受けてしまうし。ときには辛いこともあったわ。わたしの着ているものを嫌いだと言ったり、人目を引くためにやっているんだとか言う人もいた。そうすれば、わたしがそのように見えるからね。

I:そうね。

D:友だちの中であなたのような装いの人はいる？

I:まったくいないわ。友だちはわたしを勘違いだと思っているもの。いつも人と違うことをしているから。昔付き合っていた彼が「きみはいつも余分なソーセージが必要なんだよ！ いつも違うことをしていないと気がすまない。なぜみんなと同じことができないんだい？」とよく言っていたのをいまだに覚えてる。それでわたしはいつも気嫌を悪くしたの。なぜかというと、そのときわたしは自分自身のことをよくわかっていなかったし、彼に何をしてあげればいいのかわからなかったから。だからわたしは、人の言うことを真に受けてしまっていたの。でも今はもちろん、あの頃とはまったく違う。ほかの人の意見を気にしないわけではないけれど、わたしにとって何が美しいか、何が心地いいか、そして何がやりすぎで、何が物足りないかをわかっているから。そしてわたし自身がどう思われるか、人にどんな印象を与えるかではなくて、どう楽しむか、どう絵を創造するかが大切なの。洋服を着るときは、何かを創っているのよね。

D:イロナはアート作品を創っているのよ。マルチェサ・カサティは「わたしは生きるアート作品になりたいの」と言っていたわ。

人と違うことを恐れる若い子たちに、何かメッセージはあるかしら？ 中には「あんなふうに着こなせたらいいのに。でもわたしが着たら笑われてしまう」と思っている子もいると思うの。

I:そうね。彼女たちにはこう言うわ。まず鏡を見て、自分の美しさを探し出して。どんなに自分の目がきれいかよく見るといい。だって、ものが見えるんだもの！ そのあとは耳を見るといい。音が聞こえてくる。鼻を見れば、匂いを感じる。口を見れば、食べることができて、口笛を吹けて、歌を歌えて、キスができる。あなたはたくさん美しいものをもっているんだから、それを使うといいわ！ 自分がもっているものを意識して、他の人のもちものは気にしない。あなたはものすごく美しくて、素晴らしいものをもっているんだから、それを使うといいのよ。

D:誰か憧れている人や、影響を受けた人はいる？

I:若い頃に大好きだったのは、マレーネ・ディートリッヒよ。あなたは若いから彼女がどんな服を着ていたか覚えていないかもしれないけれど、彼女は美しいとしか言いようのない洋服を着ていたのよ。彼女は、美しく着こなす才覚をもっていたの。

D:そうね、彼女はメンズからグラマラスな感じまで、いろいろな着こなしをしていたわよね。頭が良かったから、他の人から洋服を着せられるっていうことをしなかったのね。彼女は天才だったと思うわ。

I:そうね。ある人たちは、心の中に何かをもっているのよね。まずは、最高の自分が何かということを探し出さないと。だから若い女性や少女は、たくさんのことに挑戦して、どんなことが自分にしっくりくるかを知るといいわ。自分がくつろげる洋服というのがとても大切なことなのよ。

D:自分にとって、何が正しいか、そうではないかを見極めるべきね。わたしは1920年代の服が大好きなんだけど、体に膨らみがあるからムリなのよ。

I:でも、あなたは幸せよ。どんな人でもその膨らみ、カーブが欲しいんだもの。カーブで幸せになるのよ。ファッションなんてくそくらえ！

D:あなたがこれまで見たものの中で、一番美しいものは何かしら？

I:それは難しい質問ね。91歳のステージに立つわたしにとって、目に入るものすべてが驚くほど美しいの。たぶん、もう長くないからかしら。そして、世界を再発見しているからかしら。そうね、人生で学んだすべてのことを再発見しているからかもしれないわ。でも、わたしにとって、たったひとつのことを選ぶのは難しいわね。

D:そうね、それがパーフェクトな答えだわ。

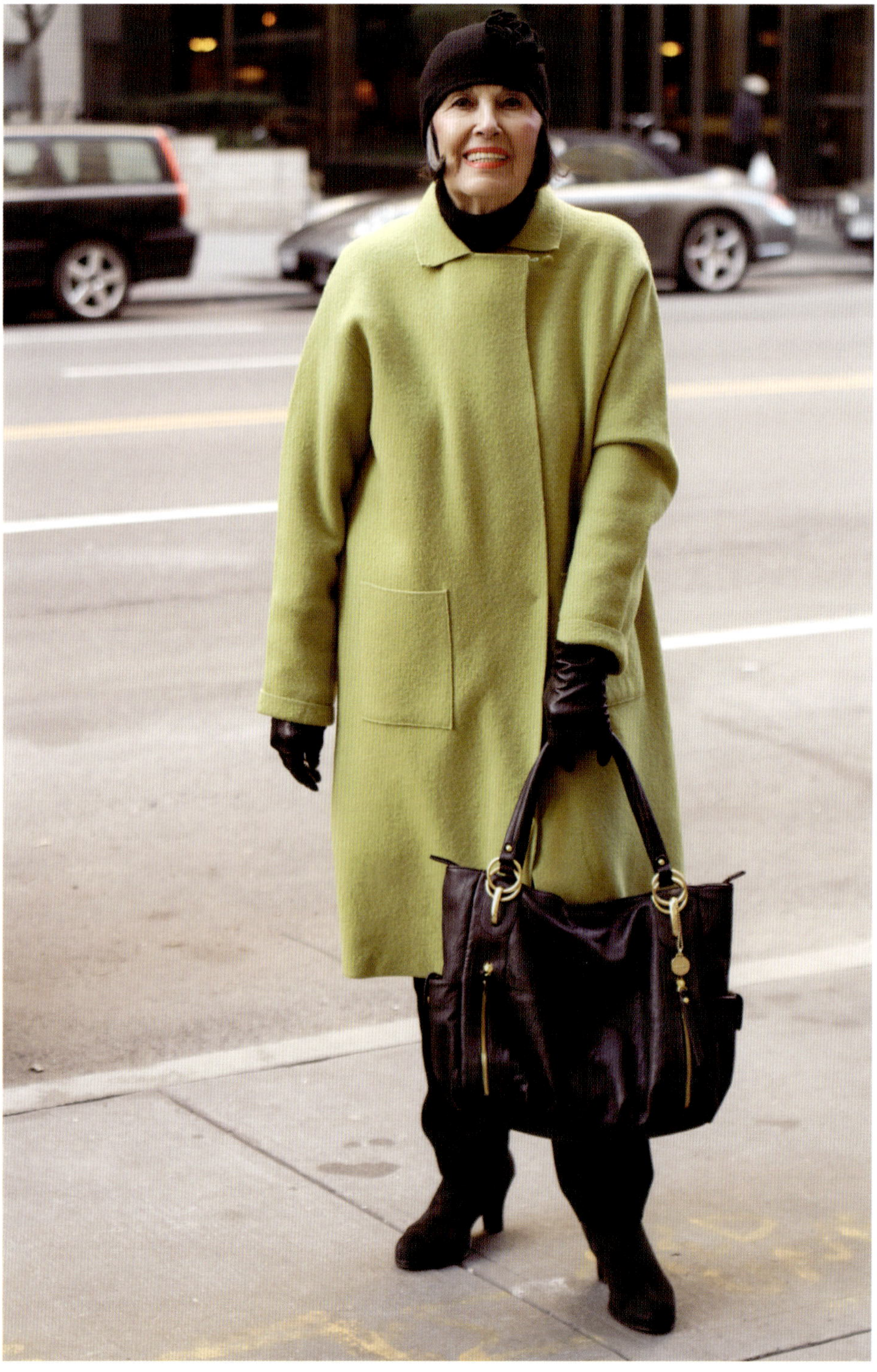

Dedicated To
My amazing mother Frances Cohen and wonderful grandmothers, Bluma Levine and Helen Cohen

Thanks To
Carol Markel
Briana Rognlin
Maayan Zilberman

My wonderful editor, Will Luckman, at powerHouse Books, without whose guidance this book wouldn't have been possible

...and all the Advanced Style Ladies

この本を、僕の最愛の母、フランシス・コーエンと、素晴らしいふたりの祖母、
ブルマ・レビーンとヘレン・コーエンに捧げる。
キャロル・マーケル、ブリアーナ・ロンリン、マヤン・ジルバーマンにもお礼を言いたい。
僕の素晴らしいエディター、パワーハウス・ブックスのウィル・ラックマン。
彼のアドバイスなしに、この本は実現されなかった。

そして最後に、すべてのAdvanced Styleレディーたちに感謝します。

Advanced Style

■ 著者

アリ・セス・コーエン　Ari Seth Cohen

ニューヨーク在住フリーランス・ライター、フォトグラファー、ブロガー。ブログAdvanced Styleを立ち上げ、"シニアの熟練したファッションをとらえること"に捧げた。

■ 訳者

岡野ひろか　Hiroka Okano

東京生まれ、ニューヨーク在住ライター。アメリカの大学を卒業後、ニューヨークと東京の出版社、広告代理店を経て、2007年よりフリーランスとして活動中。著書に『歩いてまわる小さなニューヨーク』(大和書房)がある。
"a bit bite of new york" hirokano.jugem.jp

Advanced Style
—— ニューヨークで見つけた上級者のおしゃれスナップ

2013年3月5日　第1刷発行
2017年2月1日　第22刷発行

著　者	アリ・セス・コーエン
訳　者	岡野ひろか
発行者	佐藤　靖
発行所	大和書房
	東京都文京区関口1-33-4　〒112-0014
	電話 03-3203-4511
装　幀	塚田佳奈(ME&MIRACO)
印　刷	歩プロセス
製本所	ナショナル製本

©2013 Hiroka Okano, Printed in Japan
ISBN 978-4-479-92058-8
乱丁・落丁本はお取り替えいたします
http://www.daiwashobo.co.jp